EL BANQUETE DE SEVERO ARCÁNGELO

PRIMERA EDICIÓN
Publicada en septiembre de 1965

SEGUNDA EDICIÓN
Publicada en febrero de 1966

TERCERA EDICIÓN
Publicada en diciembre de 1966

CUARTA EDICIÓN
Publicada en octubre de 1967

QUINTA EDICIÓN
Publicada en noviembre de 1970

SEXTA EDICIÓN
Publicada en agosto de 1973

LEOPOLDO MARECHAL

EL BANQUETE
DE SEVERO
ARCÁNGELO

EDITORIAL SUDAMERICANA
BUENOS AIRES

A Elbia Rosbaco Marechal.

DEDICATORIA PRÓLOGO A ELBIAMOR

Elbiamor: desde mi niñez vine soñando con escribir una historia de aventuras. Por aquellos días navegué yo en la tapa de un antiguo baúl: navegaba idealmente, quise decir en la inmovilidad, esperando que un desbordamiento del arroyo Maldonado pusiera mi navío a flote y lo lanzara por fin a las turbulencias del mar libre. Y en tal espera, escribí a los diez años mi narración inicial, *El pirata rojo,* a la manera de Salgari, mi entonces querido y envidiado maestro. Después, y en esa otra navegación que va del niño al hombre, se me trabucaron los planes y la vida; y todo entró para mí en un tirabuzón del suceder, entre lírico, dramático y cómico, del cual mi *Adán Buenosayres* dio buena información en su hora. Lo que yo había soñado en mi niñez era una historia de niños para niños; y lo que había logrado yo en *Adán Buenosayres* era sólo una historia de hombres para hombres. No obstante, mi sueño infantil quedó en pie; y lo realizo ahora en *El Banquete de Severo Arcángelo.* Es una novela de aventuras, o de "suspenso" como se dice hoy: se dirige, no a los niños en tránsito hacia el hombre, por autoconstrucción natural, sino a los hombres en tránsito hacia el niño, por autodestrucción simplificadora. Elbiamor, al escribirlo, y por añadidura, di con la manera de reparar una injusticia que me atormentaba: en *Adán Buenosayres* dejé a mi héroe como inmovilizado en el último círculo de un Infierno sin salida; y promover un descenso infernal sin darle al héroe que lo cumple las vías de un "ascenso" correlativo es incurrir en una maldad sin gloria en la que no cayó ni Homero ni Virgilio ni Dante Alighieri. *El Banquete de Severo Arcángelo* propone una "salida"; y a mi entender no fue otro el intento del Metalúrgico de Avellaneda. Elbiamor, tal es la obra que te dedico: haga Dios que se cumplan sus buenos propósitos.

Hoy, el 14 de abril de 1963, he buscado en el altillo de las cosas difuntas la gran carpeta verde que Lisandro Farías me dejó al morir y en cuyo centro una etiqueta blanca dice así: El Banquete de Severo Arcángelo. Siempre consideré mi altillo como una suerte de infierno al cual iban a parar las ontologías en derrota (ya se tratara de un viejo aparador ya de un maniquí sin futuro), condenadas tras un juicio habitualmente sumario; y por su contenido en verdad monstruoso, la carpeta de Lisandro Farías me pareció que se ajustaba no poco a los requisitos de aquel infierno privado. No obstante, confesaré que la empresa del Terrible Fundidor (así lo llamaba Lisandro Farías) tentó más de una vez mi pluma y la llevó a ordenar los materiales de la carpeta en un fichero que sirviese después al relato del Banquete increíble. Pero el asunto era en sí tan espinoso y los materiales tan heterogéneos, que abandoné las fichas en un cajón y me decidí a instalar la carpeta en el altillo de marras.

Por otra parte, no me sentía yo en condiciones de afrontar una empresa narrativa de tan extraña catadura, y por una razón bastante grave: atacados Elbiamor y yo por enemigos invisibles cuya identidad se nos escondía, resolvimos acudir a una operación de magia ceremonial; y sus minuciosos preparativos (tales como el dibujo del pentagrama, la consagración del espejo mágico y la escritura de los textos rituales) me alejaron largamente de cualquier afán menos perentorio. Concluida la fase preparatoria, Elbiamor y yo, encerrados en el círculo, perseveramos durante veintiocho días, al cabo de los cuales una gran maldad nos fue develada, tal como ya lo he referido en *La Poética* de mi "Heptamerón". Entonces, con el alivio de aquel triunfo, el Banquete de Severo Arcángelo volvió a solicitar mi arte. Sin embargo, y en tan favorable circunstancia, el desaliento me asaltó de pronto: ¿qué suerte de inteligibilidad alcanzaría, si yo lo intentaba, el relato de un "operativo" tan extravagante como el del Viejo Fundidor de Avellaneda? Más tarde, a favor de mis experiencias recientes, me dije que si Lo Extraordinario parece hoy inaccesible a la criatura humana es porque la criatura humana se ha venido apretando en horizontes mentales cada vez más estrechos, y porque la zona cortical de su alma se ha solidificado en un cascarón infranqueable; y que le bastaría con ofrecer algunas "aperturas" en la cáscara frágil aún de su endurecimiento para que Lo Extraordinario se le manifestase con absoluta naturalidad. Vencido ese último recelo, me quedaba todavía un obstáculo: fiel a una de las estaciones que va recorriendo mi alma prudente, yo me afianzaba entonces en la aridez y recogía sus frutas penosas y esenciales en una lenta destilación de mis alambiques interiores; y el Banquete de Severo Arcángelo no podía ser un cogollo de la aridez, ya que su desmesura natural me reclamaba todas las iras del verbo. Si hoy inicio la tarea es porque se me da otra estación del alma y otra vez me siento cuajado de yemas reventonas.

La carpeta de Lisandro Farías, que hoy abandonó su infierno, contiene los documentos que siguen, todos referidos al Banquete monstruoso: los informes de Las Enviadas, un plano de la quinta de San Isidro y otro de la Mesa del Banquete, los memorándums y apuntes de Farías, las versiones taquigráficas de los Concilios del Banquete, las fichas de los treinta y tres comensales robadas por los *clowns* Gog y Magog, los números que integraron el *show* del Banquete, los figurines de los trajes *ad hoc* vestidos por los banqueteadores y algunas cintas magnetofónicas grabadas en el transcurso del Banquete y en algunas de sus instancias más terribles. Todo ello, naturalmente, constituye la documentación exotérica del acontecimiento, la que Lisandro Farías consiguió traer de la Cuesta del Agua en una evasión o fuga que tomó él por su libertad y fue su desastre; la razón esotérica del Banquete se me dio en los relatos confidenciales que Farías me hizo antes de su muerte. Y al revelar·ahora la empresa de Severo Arcángelo en lo que tiene de revelable no creo traicionar la consigna del Vulcano en Pantuflas ni los misterios de la Cuesta del Agua, ya que, según me lo dijo, Farías logró cierta vez de Severo Arcángelo una licencia de crónica limitada sólo a los preparativos del Banquete, y hasta inició el relato cuyas primeras y únicas líneas están en la carpeta y dicen así:

"Yo, Lisandro Farías, nacido en la llanura, muerto en Buenos Aires y resucitado en la Cuesta del Agua, me propongo iniciar la narración del Banquete formidable cuyo epílogo se ha recatado en esta dura provincia como un secreto en forma de almendra, el cual de nadie será conocido, pues la consigna de Severo Arcángelo es inflexible, y la Cuesta del Agua ya se parece al higo de la tuna, dulce y mañero entre sus espinas."

Lástima grande que tan buen principio no tuviera continuación, ya que manifestaba en el posible cronista la sensibilidad y el estilo que hallé luego en sus revelaciones orales y que trataré de no traicionar en este relato. Pero ya es hora de referir cómo y dónde conocí a Lisandro Farías.

Hace algunos años, en el hospital de Villa Dolores y siempre a la hora del atardecer, visitaba yo al domador Celedonio Barral internado allí con una doble fractura de costillas. El accidente (dicho sea en honor de Celedonio y de su arte) no le había sucedido con un potro habitual de los que jineteaba él y eran su pan de cada día, sino con cierto redomón oscuro de la estancia de Miraflores, el cual, según era notorio, llevaba en la sangre al propio Mandinga y revistó luego en la nómina de los "reservados", tan bravía como inútil, hasta que un resero de San Clemente del Tuyú lo mató de un garrotazo entre las dos orejas; pero esa es una historia diferente. Celedonio Barral era el protagonista de mis versos *A un domador de caballos,* y es natural que lo asistiera yo en su malandanza con el redomón oscuro: dentro de su blanqueada célula de hospital, que yo le había logrado en uso exclusivo, Celedonio reposaba como un Héctor entre dos batallas ecuestres, inmóvil todo él en su caparazón de yeso y olvidadas entre las cobijas aquellas manos hechas para imponer un freno a la rabia inocente de los brutos. A decir verdad, Celedonio gozaba de aquel encierro como de un domingo inesperado, y su beatitud se le traducía en los ojos pueriles (que la doma tornaba relampagueantes) y hasta en el silencio que parecía brotar de su piel ahora como una salutífera transpiración del alma.

Un día (jueves y feriado, lo recuerdo muy bien), al entrar en el cubículo de Celedonio vi que lo compartía inesperadamente con otro enfermo, el cual yacía en una cama de emergencia, tendido largo a largo y con el aire de una irremisible derrota.

—Lo han traído anoche —me dijo el domador contestando a una muda interrogación de mis ojos—. Es un forastero.

—¿Está muy grave? —le pregunté yo acercándome a la cama del nuevo huésped.

—Se pasó toda la noche hablando solo.

—¿Qué decía?

—No lo sé —me respondió Barral sin distraer sus ojos de la ventana única por la cual se veía un conato de jardín vicioso de cicutas y de cardos azules.

Yo estaba inclinado sobre la cabecera del intruso: veía su rostro lleno de ángulos y anfractuosidades en los que jugaba la luz como sobre una cartografía en relieve, sus párpados endurecidos y rugosos como dos cáscaras de nuez y los altibajos de su osamenta dibujándose con rigor en la sábana que lo cubría. Y me pareció identificar en su semblante algunos rasgos fisionómicos de la tierra. Los hombres de llanura, los que yo conocí desde mi niñez, se agrupan en dos órdenes raciales: el de los mestizos o gauchos, al que pertenecía Celedonio, y el de los que guardan entera su europeidad, como los Góngora de Maipú o los Reinafé de Santo Domingo, paisanos de crencha rubia y pupilas aceradas. No, aquel huésped incógnito no era un forastero, como lo había sospechado el domador, sino un hombre de la llanura perteneciente al orden segundo. Adelantado en esa hipótesis, toqué la frente de aquel desconocido: no dio señal alguna de conciencia, pero tuve la sensación de que a través de sus párpados entrecerrados un haz de luz inteligente se filtraba como en acecho de mis actitudes.

¡Hum!, desconfié yo en mi alma. ¿Será un recurso táctico-defensivo? Y si lo es, ¿qué anda temiendo el hombre?

Con tal sospecha volví junto al domador y me senté a su lado. Barral sabía de memoria los versos que yo le había dedicado a él y a la dignidad antigua de su oficio; y a sus instancias, impuestas con la venerable discreción del Sur, yo había desarrollado para él alguno de los simbolismos que se dan en el poema. Ese día me tocaba develarle aquello de "oscuro y humillado / pero visible todavía el oro / de una nobleza original que dura sobre tu frente"; y comencé la glosa, dándole mis espaldas al nuevo huésped cuyo mirar filtrado y acechante me parecía sentir ahora en la nuca. De pronto, y en lo mejor de mi paráfrasis, el hombre dejó escapar una risita que no cuadraba de ningún modo a su condición de muerto, agonizante o dormido. En el marco invariable de su impasibilidad el domador tradujo una chispa de asombro; yo hice girar mi banquillo de tres patas, y encarándome con el presunto forastero le grité:

—¡Oiga! ¿De qué se ríe?

Al mirarlo a la cara vi que su golpe de hilaridad se había desdibujado en una sonrisa más dolorosa que beligerante. Por fin abrió los ojos y me dedicó una mirada neutra:

—¿No es usted Leopoldo Marechal? —me dijo con el tono de la certidumbre y no de la pregunta.

Juro que me tomó de sorpresa, ya que no es natural ni siquiera verosímil oír el propio nombre de uno en la boca de cierto quídam espectral instalado en las fronteras del cadáver y el íncubo, y más aun si ocurría en un hospital de llanura y junto a un domador que restauraba su costillar derrotado.

—¿No es usted —insistió el hombre a favor de mi sorpresa— el que inventó un centro místico en el Tuyú, junto al mar, donde, según sus propias revelaciones literarias, asesinó y enterró a una Elegía que usted mismo había fabricado con elementos bastante ridículos?

Al oír aquellas palabras mi asombro se convirtió en un malestar vecino del miedo.

—¿Cómo lo sabe? —le pregunté no sin algún temblor.

—En la Cuesta del Agua se lee y se ficha todo el papelerío —rezongó él como en la evocación de una molestia retrospectiva.

¡La Cuesta del Agua! ¡Está delirando!, reflexioné yo en un despunte de cólera. Me volví hacia el domador, como solicitándole con la mirada un testimonio de la malignidad o la incongruencia de aquel hombre que, amparándose en el visible descalabro de sus piezas anatómicas, osaba desenterrar en mis propias narices una Elegía muerta que yo mismo había olvidado. Pero Celedonio Barral, con sus ojos fijos en los cardos azules del jardín, era un ser abstracto que meditaba tal vez una estrategia punitiva contra cierto redomón oscuro de Miraflores. Por lo cual devolví mi atención al intruso que ahora sonreía con un asomo de benevolencia.

—Yo que usted no me avergonzaría por la difunta del Tuyú —me dijo—. Usted es hombre de llanura y ha inventado una leyenda. ¿Para qué? Sólo para poblar un cielo demasiado vacío y una pampa demasiado hueca. No me lo niegue: yo también soy de aquí.

La voz del intruso, que se había remontado por un instante, flaqueó de pronto.

—¿Me alcanzaría el orinal? —solicitó en su desvanecimiento.

Busqué a tientas debajo de su cama, di con el utensilio que responde al nombre ornitológico de "papagallo" y se lo facilité al desconocido entre las cobijas. Muy luego pude leer en su cara la delicia de una micción inesperadamente fácil; y dos lágrimas de alivio corrieron hasta sus pómulos cuando me devolvió el orinal y me dijo:

—Usted ha inventado una leyenda literaria contra la desolación de su llanura. Y me parece bien, ya que no estuvo en sus medios hacer otra cosa. Pero hay hombres en esta tierra que han ido más allá: construyeron una leyenda sólida, con entes humanos y ladrillos, una mitología de carne y hueso, ¿entiende?

—No —le respondí, trastornado ya por el tono de aquel hombre o vestiglo en el cual ahora se traslucía una mezcla de audacia, indignación y recelo.

—¿Oyó usted hablar de Severo Arcángelo? —me preguntó él súbitamente como si dejara caer un nombre clave.

Traté de recordar ese nombre y lo conseguí al punto.

—Sí —le dije—: fundiciones de acero en Avellaneda. Un gran bonete de la metalurgia.

—¡El deschavetado Fundidor! —alardeó el intruso en el tono de una bravata cuyo falso retintín no convencía—. ¡El Vulcano en pantuflas!

Clavó en mí sus dos ojos llenos de sospecha, tal como si ya se arrepintiese de una riesgosa indiscreción.

—Gracias por el orinal —me dijo tardíamente—. Mi nombre verdadero es Lisandro Farías, y voy a morir dentro de una quincena exacta.

—¿Por qué dentro de una quincena? —interrogué yo sin pestañear.

—Así me lo anunció Pablo Inaudi —contestó Farías.

—¿Quién es Pablo Inaudi?

El hombre soslayó la respuesta en otro tironeo de su desconfianza.

—Según parece —dijo—, mi defunción ha de suceder con la luna menguante y en el semestre descendente del sol hacia el mediodía, según corresponde a las almas vulgares. Y esos requisitos han de darse justamente dentro de quince días.

Una irritación incontenible se apoderó de mi ánimo tras escuchar a ese prójimo que hablaba de su muerte con tan cínicas precisiones astronómicas.

—Lisandro Farías o como se llame —le dije—, a mí no se me da gato por liebre. Si usted bromea, debe saber (lo hayan o no fichado en la Cuesta del Agua) que yo también soy humorista. Si, por lo contrario, está representándome una folletinesca simulación del misterio, he de advertirle que no la digeriré de ningún modo. Y aquí está mi amigo el domador que piensa exactamente igual.

Lisandro Farías, o como se llamase, pareció divertirse con mi discurso, y mucho más cuando al mirar oblicuamente al domador, lo vio abstraído en los aguanosos paisajes de Babia. Empero, la malicia de sus ojos no tardó en ceder lugar a cierta expresión melancólica.

—La simulación o el humorismo no le caen bien a un agonizante —me reprendió con benevolencia—; y yo soy un agonizante limpio de polvo y paja. Usted ha declarado alguna vez que la primera ley de la caridad estriba en "entender al Otro en tanto que Otro". Cito sus mismas palabras.

—¡Es que todavía yo no veo en usted al Otro! —le dije—. Usted se me escurre de las manos como una anguila.

Cierta luz ansiosa destelló en los ojos de Lisandro Farías: no estaba yo seguro, pero en aquella luz me pareció ver el desasosiego de una urgente "responsabilidad".

—¿Usted cree —me preguntó—, que nos hemos encontrado en este sitio por mera casualidad? No, la casualidad no existe. Pablo Inaudi lo enseñó en la Cuesta más de una vez. ¡No dudo —añadió en una suerte de protesta íntima— que todo lo ha calculado él! ¡Hasta esta reunión mía, en un hospital de llanura y a la hora señalada, con un literato de cierta visibilidad y un domador que huele a yeguarizos!

—¿Quién es Pablo Inaudi? —le volví a preguntar al oír ese nombre que por segunda vez resonaba en mis oídos.

—¡Bah! —rezongó Farías con una gota de resentimiento—. ¡Es tan Pablo y tan Inaudi como yo! ¿Sabe cuándo lo descubrí? Cuando una vez, a manera de insulto, me llamó Padre de los Piojos y Abuelo de la Nada. ¡Esas galanuras de estilo no se dan en Occidente!

—¿Y dónde conoció usted a ese Pablo dudoso?

—Imagínese usted —me respondió Farías indirectamente— a

un hombre que planta en cierta colina un jacarandá norteño, y que organiza una distribución de agua bastante compleja sólo con el fin de que algunos arroyos, cuatro en total, broten al pie del árbol. ¡E imagínese ahora que tal hombre, con absoluta sangre fría, sostiene que los ángeles hablarán junto al árbol, si se lo "imanta" en las condiciones debidas!

Un flujo de hilaridad brotó en la gola del hombre, se mantuvo allí como un gargarismo y reventó luego fuera. Pero la suya no era la risa inocente de la incredulidad, sino algo ponzoñoso y a la vez dolorido que traducía simultáneamente la confusión de un Judas cuatro segundos antes de su horca, el resentimiento de una vocación desertada y el alarde cínico de quien lo ha desafiado todo y aún lo desafía, pero con el temor oculto en la trastienda de su alma. El propio domador, sustraído a sus pastorales abstracciones, dejó ver un asomo de inquietud ante aquella risa incomprensible, y más aun cuando la risa del hombre se transmutó de pronto en un ataque de tos violenta que le desgarró el pecho con un ruido leñoso. Entonces me acerqué a su cabecera, y tomándolo por las axilas lo enderecé algunos instantes, hasta que su tos hubo cejado.

—Tengo los pulmones deshechos —me dijo Farías, en cuyos labios afloraba una espuma sanguinolenta.

Imponiéndole silencio con el ademán tomé una toalla y le sequé primero la frente sudorosa, después los lagrimones que habían saltado violentamente de sus ojos y por último aquella borra de sangre tan significativa en sus labios. Exprimí luego dos naranjas de las que yo le había llevado al domador, y logré que Farías bebiera un sorbo de aquel jugo.

—Creo que voy a dormir —anunció él ya recostado en su almohada única—. Usted volverá mañana: es absolutamente fatal. Severo Arcángelo había previsto la conveniencia de facilitar algunas "aperturas" al hermetismo del Banquete. Yo soy el mensajero y usted el receptor del mensaje, gústenos o no. Buenas noches.

No dijo más, y se durmió al punto: a través de sus bronquios derrotados el aire de la respiración entraba y salía como por un fuelle roto, dejándonos oír un ulular que yo, en mi vieja chifladura metafórica, comparé al del viento cuando atraviesa un bosque de árboles carbonizados.

En la tarde siguiente regresé al hospital de la villa, tras haber pasado una noche inquieta durante la cual, en vigilia y en sueño, me acosaba la imagen de aquel intruso que se había manifestado súbitamente, como un paracaidista, junto a la cama de Celedonio Barral. Aquel hombre, ¿tenía o no un secreto? Y si lo tenía, ¿qué pito era el que tocaba yo en sus intríngulis? No bien llegué al cuarto de Celedonio, el domador, escuetamente, me dijo que Farías estaba por clavar las guampas, que no había salido aún de su inconsciencia y que toda esa mañana el cuarto había sido un pandemónium de médicos y enfermeras. Consultado por mí el médico director del hospital me dijo que Farías era un caso desesperante, y que su muerte ocurriría sin duda en el término quincenal fijado por él mismo. No obstante, cuarenta y ocho horas después el moribundo resucitó, como un fénix, entre sus jeringas y aparatos de transfusiones, para contarme la historia que será el objeto del presente libro. En cuanto al domador Celedonio Barral, desaparece ahora mismo del escenario, ya que tres días más tarde, roto el coselete de yeso que oprimía su costillar, partió al sur en busca de otras batallas.

III

Algunas veces —comenzó a decir Farías— he pensado que la concepción del Banquete monstruoso, tal como se dio en Severo Arcángelo, sólo pudo cuajar en Buenos Aires. Porque Buenos Aires, en razón de su origen y de sus todavía frescos aluviones, no es una sola ciudad sino treinta ciudades adyacentes y distintas, cada una de las cuales aprieta su mazorca de hombres y destinos en interrogación. Sólo un alma bruja como la de Severo Arcángelo pudo entresacar hombres y mujeres de tan diversos mundos, para unirlos en un collar armónico y sentarlos a la mesa de un Banquete que tanto se pareció a un aquelarre. Si gracias a usted la historia se publicase algún día, muchos entenderán por qué una quinta de San Isidro quedó súbitamente abandonada, sin otro huésped que un suicida recostado aún en una fastuosa mesa de festín y dos clowns vivos y encadenados en las perreras de la casa; y sabrán asimismo por qué, desde cierta noche crítica, un número de personas aparentemente no relacionadas entre sí desaparecieron de la urbe sin dejar ningún rastro. Pero antes es útil que yo le diga brevemente quién soy y en qué circunstancia me dejé ganar por la empresa del Viejo Cíclope.

Ya sabe usted que mi nombre verdadero es Lisandro Farías, aunque me dieron otro en la Cuesta del Agua, otro nombre que perdí seguramente cuando usé "los talones de la fuga", como habrá dicho Pablo Inaudi, lo juraría. Nacido en la pampa de Buenos Aires, pude ser un criador de novillos (tal era el voto ferviente de mis progenitores). No obstante, y desde la niñez, mi alma pareció sensible a otros tironeos de rienda: usted mismo, con bastantes precisiones, ha señalado alguna vez el influjo de la soledad y la "gravitación de cielo" sobre los hombres de la llanura. Yo había leído mucho, aunque sin método; y desde la escuela rural mis aptitudes literarias habían suscitado el orgullo único de mi maestro y la hostilidad colectiva de mis familiares.

Así fue como, sobre la ilusión chillona que tejían afuera hombres y brutos, yo era feliz en mis bien trabajadas concentraciones. Pero no había yo descubierto aún el doble, alternativo y peligroso juego de la concentración y la expansión, que se daría en mi existencia con una regularidad casi respiratoria: cierta vez Pablo Inaudi me dijo que, si yo me afianzaba en la concentración, vería "doce frutas de oro" en el jacarandá plantado sobre la colina. Me fue imposible conseguirlo, y por eso estoy aquí, lejos de la Cuesta del Agua y cerca de una muerte a la cual, según veo, no le faltarán desodorantes.

Y la primera de mis expansiones ocurrió justamente cuando, resuelto a partir aquel horizonte que me ceñía en el sur, abandoné la llanura para reclamarle a la metrópoli un destino que a mi entender se me debía. El primer año de mi residencia en Buenos Aires tuvo por signo el caos de las relaciones nuevas entre las cuales me di a practicar un "tremendismo" que sólo era, en el fondo, una gimnasia de mi alegre indeterminación. Pero un hombre y una mujer no tardaron en cimentar la arquitectura de mi destino: eran el doctor Bournichon y la muchacha Cora Ferri. El doctor Bournichon dirigía un importante rotativo a cuya redacción ingresé condicionalmente; pues bien, la necrología irónica de un filántropo y el panegírico malicioso de un legislador, obras de mi pluma rentada, sumieron al doctor Bournichon en un éxtasis profundo del cual salió muy luego para diagnosticarme una carrera vertiginosa en el velódromo del periodismo. Algo después Cora Ferri, a mí presentada en un Congreso de Mujeres Libres, me invitó sin ambages al idilio, a la exaltación de la poesía y al riesgo heroico de la libertad; y naturalmente, como era fatal y previsible, me casé con ella.

Los resultados no se hicieron esperar: a la sombra benéfica del entusiasta Bournichon me convertí en una máquina de referir y adobar lo múltiple cotidiano. Por su parte Cora Ferri, en una inédita fase de sí misma, pulverizó al Idilio en su licuadora mecánica, degolló y desplumó a la Lírica junto a sus asaderas y narcotizó a la Libertad entre sartenes oleosas y artefactos eléctricos. En resumen, uno y otra forjaron para mí esa especie de gallinero confortable que se ha dado en llamar "la Vida Ordinaria". ¿Se ríe usted? ¡Hace mal! Yo afirmo que "la Vida Ordinaria", sea o no comparable con un gallinero, tiene la virtud funesta de construir para sus adherentes una ilusión de seguridad que a menudo linda con la insolencia. Y yo engordaba en mi corral estable, apuntalado noche y día con los mismos rostros, los mismos hechos y las mismas palabras cuya reiteración engañosa era la más firme garantía de mi estabilidad. Naturalmente, para existir en tales condiciones es necesario renunciar a todo "hecho libre", interior o exterior, capaz de abatir inesperadamente las estructuras del gallinero; y no sólo renunciar a esas interferencias que pueden ser del orden humano o del querer divino, sino también, y sobre todo, negarlas en su posibilidad. Severo Arcángelo, durante su inquisitoria de la Casa Grande, me abrió los ojos hasta la rotura en lo que se refiere a "la Vida Ordinaria", la cual es una hebra de las muchas con que se urdió la complicada estofa del Banquete, junto con la del Robot Humano, su hebra consecutiva.

En su inesperada y cruenta vulgaridad, la muerte de Cora Ferri se me presentó como el "hecho libre" (y en cierta manera irónico) destinado a malograr toda la legislación de pequeños actos que constituía mi existencia y la suya. La versión de que, al marchar detrás de su carroza fúnebre, tenía yo en los talones algo así "como un paso de baile" sólo es una especie calumniosa difundida por mis enemigos de la Redacción. Lo que jamás he negado es que, al verme solo entre ollas heladas y artefactos inmóviles, el andamiaje de mi estabilidad cayó a tierra, y que allí mismo, sobre las baldosas de la cocina, solté mi viejo y duro cascarón y me sentí con una piel nueva y extrañamente sensible. Gasté los tres días de luto que me otorgaba el rotativo en analizar mis emociones; y, como las hallase gratamente consoladoras, resolví, en un despunte de mi audacia, completar esa demolición que la muerte había iniciado sin mi consentimiento. Por segunda vez, tras la concentración venía una expansión de mi alma, y su poder centrífugo era incalculable. Yo necesitaba zafarme ahora del periódico y de sus bonancibles tiranías, pero sin insultar la fe de Bournichon que había cifrado en mí sus gratas ilusiones de linotipo. Vuelto a la Redacción incurrí en deliberadas haraganerías, descuidos e incoherencias, y esperé, vigilante. ¡Nada! La fe de Bournichon era inconmovible. A mi estratégica benignidad sucedió entonces una furia que mi ansia de libertad convertía en poética: fríamente aguardé la ocasión de ubicar un golpe definitivo, y ella se me dio cuando uno de nuestros fotógrafos resultó herido por la policía en un tumulto callejero. ¡La libertad de información había sido vulnerada! Pálido y digno a la vez el doctor Bournichon me hizo comparecer en su oficina para otorgarme "la responsabilidad y el honor" de un artículo reivindicatorio cuyos ingredientes quedaban librados a mi "reconocida prudencia". Con un temblor en el árbol interno de mi sangre, me senté a la máquina de escribir e inicié un alegato vibrante, dolorido, lacrimógeno en favor de la libertad conculcada. Y al final del artículo, perversamente, deslicé la fábula que sigue: "La cotorra le preguntó al búho: ¿qué cosa es un periodista? Y el búho, tras reflexionar un instante, le respondió: el periodista es un ente que, por fatalidad de oficio, está condenado a escribir todo de todo, sin saber nada de nada." Tras enviar a las linotipos aquella bomba de tiempo, me lancé a la calle y volví a medianoche. La primera señal de tormenta me la dio el regente Quintanillas, un ser de antimonio, el cual, traduciendo una emoción que nadie hubiera previsto en ese metaloide, me dijo:

—El director lo espera. Es urgente, ¿sabe?

Al entrar en la oficina de Bournichon lo vi sentado frente a galeradas de pruebas, en una de las cuales, bien lo sabía yo, estaba mi artículo bomba con su final subrayado en lápiz rojo.

—Farías —me dijo con un resto de conmiseración—, ni siquiera un duelo reciente podría justificar el ex abrupto que usted ha mechado en este artículo.

—Es una fábula que venía muy al caso —le respondí.

—¡No es verdad! —tronó él—. Muchacho, ¿se ha vuelto loco?

—Estoy cuerdo hasta la resurrección —le repliqué con extrema dulzura—. El tornillo de Arquímedes guarda una lógica inexorable.

Bournichon se puso de pie, violentamente:

—¿Qué tiene que ver el tornillo de Arquímedes? —inquirió temblando como una hoja.

—Yo soy el tornillo —le dije—. Y usted es el Gran Icosaedro.

Un minuto le llevó al hombre digerir aquella metafísica, tras el cual Bournichon me planteó el siguiente dilema:

—Farías, o usted ha perdido la razón, o se burla de mí. En cualquiera de los dos casos, ¡está cesante!

La última visión que tuve de aquel hombre pundonoroso fue la de su índice rígido que me señalaba una puerta, y la de su espina dorsal agobiada como bajo los escombros de una ilusión en derrumbe.

No crea usted inútil o excesiva la prolijidad con que voy describiendo mis acciones y mis reacciones. ¿O imagina tal vez que uno puede sentarse a la mesa del Banquete sin haber llegado a su propia frontera con la nada? Sin saberlo yo estaba dirigiéndome a ese deslinde fatal. Consagré los días que siguieron a la frecuentación de la ciudad en sus lugares menos conocidos y a las horas más desacostumbradas: era mi desquite sobre el Espacio burgués y el Tiempo convencional que me habían ceñido hasta entonces. Fumé opio en tabucos miserables, aposté a los gallos de riña en los Mataderos, manejé títeres en la Boca, frecuenté a los hombres lisos de remolcador y a los pegajosos borrachos de taberna. La euforia inconsciente de aquellos días no tardó en ceder terreno a una sensación de vacío en el cual la imagen de Cora Ferri se me fue presentando con relieves entrañables y alarmantemente poéticos; y me di entonces al loco afán de reconstruirla en sus encantos y evocarla en sus graciosas y ¡ay! perimidas gesticulaciones. Un compinche de bar, atento a mis nostalgias, me recomendó un centro espiritista de Almagro, en el cual, según lo aseguraba, me sería dable obtener una comunicación patente con mi difunta. Me dirigí al centro, y durante cuatro sesiones estuve palmeándome los muslos, con mis hermanos, en tren de imantación, ante cinco videntes que se aletargaban: tuve la fortuna de oír las voces filosóficas de Confucio y el Mahatma Gandhi, y los gritos despóticos de Julio César y un cacique ranquel; pero mi llorada Cora no dio señales de habitar el espacio etéreo, visto lo cual resolví librarme a mi propia ciencia. Acuciado a la vez por la soledad y el género lírico, cierta medianoche, en la penumbra de mi escritorio, se me dio por invocar el alma sublime de Cora, deseoso de trabar con ella un diálogo que, a mi entender, haría lagrimear a los ángeles. La conjuré a que se presentara; y aguardé frente al balcón, sin dudar que el cuervo de Poe llegaría desde la tiniebla para instalarse, no en el busto de Palas, que nunca tuve, sino en cualquier otro soporte igualmente favorable al coloquio metafísico. Por desgracia Cora no respondió a mi llamado, y era muy natural, según lo advertí más tarde: pese a su mérito en otras asignaturas, Cora no mostró jamás la pasta de las heroínas; más aun, con todo el calcio de sus huesos no se hubiera podido construir ni una sola falange de Leonore, y la suma de su fósforo no habría dado ni una célula nerviosa de las que usó Ligeia. Fracasada mi tentativa de irrupción en la sobrenatura, el ocio y la vacuidad me llevaron a una tarea que se inició como pasatiempo y acabó en el fanatismo: encerrado en mi casa, y en horas de fervor creciente, me puse a fregar y pulir cacerolas, fuentones, cubiertos, bandejas, toda la utilería de metal que Cora y yo habíamos atesorado; y el hecho de que yo la realizara con utensilios para mí sin futuro, conferían a mi operación una gratuidad que casi rayaba en la mística, sobre todo cuando me pareció intuir que el espectro doméstico de Cora Ferri me observaba y me bendecía desde los rincones. Tiempo después, en el Diálogo del Calabozo, Pablo Inaudi me reveló el significado real de aquellas fregaduras.

Súbitamente, agotadas mis reservas de la Caja de Ahorros, me vi ante un reclamo, el de mi subsistencia material. No sin algún heroísmo yo había renunciado a la "vida ordinaria", con juramento solemne de no reincidir en sus lugares comunes; pero el "orden extraordinario" en que yo suponía vivir no suministra los recursos tangibles que hacen desarrugar la frente de los caseros y proveedores. Yo necesitaba encontrar un sistema económico intermedio, y me pareció hallarlo en los concursos de preguntas y respuestas que había lanzado la televisión. Esos concursos armonizaban en sí los factores de azar, peligro y aventura que requería mi nueva piel; y me inscribí en la nómina de postulantes, libre de todo remordimiento. La buena suerte, mi versatilidad periodística o ambas cosas a la vez me hicieron triunfar durante ocho semanas consecutivas, hasta la pregunta final que satisfice con la modestia de un sabio antiguo, frente a las cámaras busconas y los aplausos aduladores. Estreché manos, firmé autógrafos, aparecí en las revistas especializadas; y dos quincenas más tarde volví al anonimato. Pero lo esencial, el dinero, estaba en mis manos; y se habría desvanecido en ellas metódicamente si un ex compañero de redacción, el de Finanzas, estimulando en mí cierto delirio de grandeza que siempre tuve, no me hubiese instado a jugar en la Bolsa y a perder todo el fruto de mi erudición.

Desconcertado ante un revés tan imprevisto, quise regresar a las justas televisivas; pero se me consideraba ya como un "fuera de concurso", demasiado glorioso para rebajarme frente a competidores novatos. Descendí entonces al infierno de las *broadcastings* humildes, allá, donde se abrían encuestas de ingenio y buen humor que se premiaban con artículos de bazar o de lencería: por primera vez en mi existencia conocí la miel y la hiel de los clowns, al recibir en mis manos, en mi cabeza y en mis hombros las ollas, los ralladores de queso, los trapos de piso, las frazadas, los rollos de papel higiénico, los panes de jabón amarillo que me arrojaba un locutor endemoniado ante la risa brutal y pura de los asistentes. Yo recogía mi botín, lo trajinaba por las calles y se lo vendía finalmente a un cambalachero amigo. Y cuando esas últimas posibilidades fueron agotadas, me crucé de brazos y miré a mi alrededor: sin duda, me hallaba en una zona desconocida.

IV

En rigor de verdad —me aclaró Farías—, las miradas que yo dirigí en aquel punto crítico fueron dos: una interna y otra externa. Y la resultante de ambas me llevó a una certidumbre de rigor matemático: yo acababa de agotar "lo posible" asignado a mi azarosa individualidad; en consecuencia "mi tiempo", falto en adelante de un devenir posible, también se había detenido como un reloj frente a la nada. Técnicamente yo era un muerto, a pesar de algunas apariencias exteriores que aún se obstinaban en mí, como se obstina en un cadáver el crecimiento de uñas y pelos merced a una ya inútil prolongación de la conciencia orgánica. Y el suicidio, como gesto final, se me apareció allí en toda su necesaria limpieza de liquidación administrativa. Cuando a su hora le describí a Pablo Inaudi mi sensación de aquel vacío temporal, se dignó aclararme lleno de bonhomía, ¡el gran zorro!, que yo no tocaba entonces un hito final, como lo había supuesto en mi agradable ignorancia, sino una "región de frontera" en la cual siempre renace lo posible bajo formas distintas; y que llegado uno a ese límite, sólo quedaba la tarea de aguardar, en posición de cadáver, ese nuevo reclamo del suceder. Pero en aquel instante yo estaba lejos de tan alentadora filosofía; por lo cual decidí mi suicidio tan fríamente como quien prepara un acto legal.

Recuerdo el anochecer de aquel día en que mi designio se puso en obra. Yo estaba en mi escritorio revuelto de papeles e inútil de libros que ya no me hablarían. Sobre mi mesa de trabajo esperaban los objetos que siguen: un añoso revólver que había heredado yo de mi tío Lucas, ex policía de Ayacucho; una hoja de papel de oficio en la que debería justificar mi decisión; y una botella de caña paraguaya obtenida esa tarde a cambio de una sartén de aluminio, fruto de mi última incursión radial. Confieso que mis relaciones con la botella menudeaban en esa hora solemne; pero el revólver, en cambio, sólo era para mí un tecni cismo glacial, pese a las glorias que mi tío Lucas había hecho resplandecer en el arma. En cuanto a la hoja de papel, tenía ya el encabezamiento siguiente: "Al señor Comisario de Policía"; tras el cual yo pensaba escribir un testamento filosófico dirigido *urbi et orbi*. Por fortuna descubrí a tiempo, a) que siendo yo un pelafustán incógnito, mi alegato acabaría en la fosa común de los archivos policiales; b) que no tenía yo el derecho de perturbar con mis lucubraciones, por sublimes que fueran, el cerebro *in albis* de un comisario seccional que a lo mejor era un hombre bueno y cargado de familia; y c) que el demonio de la literatura estaba tentándome, como lo había hecho tantas veces, en la última hora de mi existencia. Entonces, debajo del encabezamiento, escribí estas palabras lacónicas: "A nadie se culpe de mi muerte"; y firmé con orgullosa pulsación. Luego, tras un último adiós a la botella, tendí mi mano hacia el revólver. Y en aquel instante sonó el timbre de mi puerta, dos llamadas cortas e incisivas.

Retiré la mano que ya tenía junto al arma: ¿quién se atrevía, hombre o demonio, a poner su dedo en mi timbre, justamente cuando ya sentía yo el olor antiséptico de la piadosa Eutanasia? "Debe de ser —me dije— algún vendedor furtivo de los que se deslizan en las casas de departamentos y ofrecen artículos de contrabando." Esperé un instante, con la respiración contenida: "El vendedor se marchará —especulé— cuando advierta que nadie le responde." Y el timbre volvió a sonar, insistente pero cauto a la vez. Entonces me dirigí a la puerta y abrí su hoja única: una mujer esperaba en el umbral, destacándose en la triste atmósfera del palier ya oscurecido. La vi, la olí y la escuché simultáneamente. ¿O no? A decir verdad lo simultáneo fue su visión y su perfume: la visión global de un ser parecido a una semidiosa griega o a una *cocotte* de gran lujo; y un aroma, no de lociones destiladas por inteligentes y obscenos perfumistas galos, sino de viejas y familiares glicinas (¿y por qué de glicinas, Dios mío, en aquella hora exacta de mi desaparición?). Y tras la imagen y el perfume, una voz que me nombraba, no con la indecisión de una pregunta, sino con el rigor afirmativo de quien nombra una entidad en su esencia inalienable:

—El señor Lisandro Farías.

Ante mis ojos desconcertados la mujer entró en el pequeño vestíbulo y, tranquilamente, se despojó allí de su cartera (¡demasiado grande y vulgar para una semidiosa!) y de su abrigo de costosos visones que arrojó sobre una silla como si fuera un trapo viejo. En seguida, con absoluta naturalidad, pasó del vestíbulo a mi escritorio; y su mirada crítica, en un solo vuelo, analizó el mundillo de cosas que gritaban allí su desidia incurable desde que las manos de Cora se desintegraban en un féretro de roble macizo. Y me pareció de pronto que la intrusa, ya fuese deidad griega o apsara hindú, traducía un no sé qué de profesional o técnico, a pesar de sus joyas y brocados, tal como lo hacen esas lujosas hembras del espionaje o esas ninfas de "relaciones públicas" que hacen trastabillar por un instante a los bastos hombres de industria y de comercio.

—El señor Lisandro Farías —volvió a decir ella, confirmada en una verdad que, según advertí, ya se sabía de memoria.

Luego se acercó a la mesa, tomó el revólver y olió su caño a lo detective; hizo caer el tambor, extrajo las balas ennegrecidas por el tiempo y sonrió con indulgencia.

—Señor Farías —me dijo—, usted se ha engañado si pensaba darse la muerte con esta pieza de museo.

—¡Mi tío Lucas fue un héroe! —le repliqué agraviado—. Con este revólver capturó al bandido Seisdedos en una casa *non sancta* de Ayacucho.

—¿Y quién se lo niega? —susurró la intrusa con un mohín adorable.

No menos diestra que un *cow-boy* de Arizona hizo girar el revólver entre sus dedos y lo guardó al fin en uno de mis cajones. Después tomó la botella, leyó el nombre de su contenido y la olió en el gollete.

—Le aseguro —me dijo— que este licor no ha estado nunca en el Paraguay. Es un alcohol etílico de la peor calaña, destilado en los alambiques de Barracas al Sur.

Este segundo agravio me sacó de mis casillas.

—¿Quién es usted —le dije— para meterse con mi revólver y mi caña? ¿O algún pasquín le ha encomendado la nota crítica de mi suicidio?

—Soy la Enviada Número Tres —me respondió la intrusa como si dijera simplemente "soy Juana López".

—¿Quién la envía? ¿Y para qué?

—Le traigo una citación: es lo habitual.

—¡No debo un centavo a nadie! —objeté yo—. He arreglado mis cuentas *in articulo mortis*.

—Ya lo sé —me respondió ella—. Señor Farías, veo que no está usted en condiciones de recibir el Mensaje: su mentirosa caña paraguaya lo ha puesto al borde del *knock-out*. ¿Me permite?

Hizo mutis en el vestíbulo y regresó con su cartera (¡demasiado científica para una hurí de Mahoma!): sacó un frasco, me lo puso en las narices y me obligó a respirar su contenido, no sé yo qué formidable compuesto amoniacal. Sentí que se me aclaraba el cerebro, como si de pronto le hubiesen arrancado a tirones una mortaja de niebla. Y al mismo tiempo, como la intrusa estaba junto a mí, su perfume de glicinas me penetró con la violencia de un ungüento. ¡Dios, ¿qué maldad inteligente se traía ella con ese aroma de glicinas que ya despertaba en mí un olvidado sabor de primaveras difuntas? Cumplido mi acto inhalatorio, la Enviada Número Tres me hizo acostar en un diván que yo tenía en el estudio, y me acomodó los almohadones con rapidez y destreza. Entonces di en mi última versión de la mujer desconocida: más que a una semidiosa o a una heroína del contraespionaje internacional, ella se asemejaba indudablemente a una pulcra y estimulante azafata de avión transoceánico, de las que yo conocía por el cinematógrafo. Y me confirmé en tal hipótesis cuando la vi extraer un termo de su cartera sospechosa y servirme un café renegrido en cierto vaso de papel. Encendió luego un par de cigarrillos y me puso uno entre los labios; tras de lo cual tomó asiento a mi vera, tranquila y eficiente como si practicara un oficio eterno.

—Venga el Mensaje —le dije yo entonces, rendido a la fatalidad o a la cortesía.

—No, señor Farías —me respondió ella súbitamente grave—. No es cuestión de pisar una frontera desconocida, recibir a una de las Enviadas y luego conceder en tono de limosna: "Venga el Mensaje."

—¿La he ofendido? —pregunté yo en mi visible inocencia.

—Me ofendería —respondió la Enviada— si no supiera que usted ignora que no podría ofenderme.

Ante aquellas palabras que cualquier otro hubiese tomado por una jerigonza me sentí de pronto en alas de una poética exaltación.

—¿No es usted —inquirí— la Mensajera del Sur?

—¿De qué Sur? —preguntó ella sin asombro ninguno.

—Hace veinte años que espero ese mensaje. Si llega, traerá un olor de glicinas.

La Enviada rió profesionalmente.

—No se deje arrastrar por la imaginación —me dijo—. Sería una lástima, porque usted ya está resucitando con bastante soltura. El perfume que traigo ahora estaba en el plan de los Maestros.

—¿No elige usted el perfume de su gusto?

—Nos está vedado —contestó ella, sugiriéndome con ese "nos" la idea fantástica de una "colectividad" en enigma.

Y advirtiendo que mi tensión había llegado a un límite riesgoso, me preguntó cautamente:

—¿Ha oído usted hablar de Severo Arcángelo?

En su cautela presentí que Severo Arcángelo era el nudo mismo de la cuestión. ¿Severo Arcángelo? Sí, yo había oído ese nombre y más aun, había trabajado alguna vez con esas dos palabras no fáciles de olvidar. Pero, ¿cuándo? ¿Y dónde? Lo recordé al punto: ¡la Fundición Arcángelo, roñosa de hulla, y sus tres chimeneas humeantes en el cielo de Avellaneda! Me asaltó una ola de indignación retrospectiva.

—Severo Arcángelo es un asesino vulgar y silvestre —le dije a la Enviada—. Sus fundidores, hace diez años, hicieron una huelga; y él admitió que la policía los ametrallara. Yo hice la crónica: en total cuatro muertos.

—Lo sé —comentó la Enviada plácidamente.

—Yo asistí al entierro de los fundidores —insistí—: cuatro ataúdes que avanzaban calle arriba llevados en hombros de los compañeros. Era un fuerte mediodía de verano: tras un velatorio de cuarenta horas en la sede gremial, los cadáveres empezaron a oler y las moscas giraban en torno de los ataúdes levantados.

Me detuve de pronto, lleno de confusión: ¡yo estaba recitando mi antigua crónica de la huelga! Rápidamente observé a la mujer: ¿habría captado ella mi evidente ridículo? Pero la Enviada sonreía en abstracto:

—No se inquiete —me tranquilizó—, los Maestros habían previsto en usted "una efusión anarcosentimental de ribetes literarios". Así figura en su expediente.

—¿Mi expediente? —le grité ya en sublevación—. ¡Jamás he figurado en ningún expediente! ¿Y qué tengo yo que ver con los Maestros? Por otra parte, ¿de qué Maestros me habla?

—Ya se lo dirá Severo Arcángelo —me aseguró ella.

—¡Severo Arcángelo es una bestia helada!

—Nunca lo he visto —confesó la intrusa con aplomo—. Dentro de la Empresa yo soy la Enviada Número Tres, y usted el destinatario de una citación. Me parece bastante lógico.

Tuve un último gesto de rebeldía:

—¡No me doy por citado! —exclamé—. ¡Nada tengo que ver con ese hombre Arcángelo! Técnicamente soy un difunto. ¿O quiere apoderarse de mis restos con sucios fines de necromancia? Es un truco abominable que ya leí en Apuleyo.

Arrebatado en alas de mi propia elocuencia no advertí que la Enviada Número Tres, acudiendo a su bolso inagotable, había cargado una jeringa hipodérmica y se me acercaba parsimoniosamente.

—¿Qué hace usted? —le dije al verla frotar mi antebrazo con un algodón embebido en agua de colonia y sentir el pinchazo de la aguja.

—Señor Farías —explicó la Enviada—, usted ha salido ya de su frontera. Y para entrar en la órbita de Severo Arcángelo necesita una curación de sueño profundo, es decir "un pasaje a la no manifestación".

—¿Está loca? —repliqué, abandonándome a la corriente de un bienestar desconocido.

—Son palabras textuales de los Maestros. Buenas noches.

Hasta llegar a los confines de la vigilia con el sueño la vi de pie a mi lado, benevolente y estudiosa. Luego pisé la tierra de las visiones: yo era niño y habitaba un techo de glicinas primaverales, bajo el cual hacía comer un manojo de tréboles a cierto potrillo moro de reciente parición, entre una risa de hombres tostados y fructuosas mujeres. Por último caí en un abismo sin imágenes.

Desperté al mediodía siguiente con la fresca sensación de haber dormido un año entero. Y antes de abrir los ojos me pregunté si, al hacerlo, me encontraría en el Báratro profundo, residencia *post mortem* de las almas, tal como lo había leído en los griegos. No sin alguna expectativa descorrí los párpados, y me hallé tendido entre los objetos familiares de mi escritorio. Entonces recordé a la Enviada y sus desconcertantes maniobras: todo ello, ¿no habría sido efecto de la borrachera descomunal en que yo me había embarcado el anochecer anterior? Pero, en una silla y al alcance de mi mano, vi una gran hoja de papel escrita en letra vertical y redonda, en la cual se me decía lo siguiente: a) Severo Arcángelo necesitaba conversar conmigo sobre "una empresa trascendental"; b) un automóvil me recogería en tal fecha y a tal hora; y c) el dinero que se me dejaba en sobre aparte había sido expurgado cuidadosamente de toda posibilidad ofensiva y sólo conservaba un mero valor "instrumental". Ese mensaje, concebido en la forma escueta del memorándum, traía una firma: La Enviada Número Tres.

En el transcurso de todo aquel largo día reuní la poca información que yo guardaba, *in mente,* de Severo Arcángelo: industrial metalúrgico, una inmensa fortuna y un corazón de piedra; retirado ya de las actividades fabriles; un no lejano accidente de automóvil en la ruta de Mar del Plata. ¿Cuál sería la "empresa trascendental" a que me invitaba el odioso Fundidor? ¿Y en qué sentido le respondería? Tras mi última concentración en los aledaños de la muerte, comenzaba yo a sentir ahora un vigor expansivo que se traducía en una euforia casi malvada. Sí, aceptaría la invitación de Severo Arcángelo, así se tratara de probar en mi tiroides un nuevo isótopo del cobalto, o de un viaje orbital en torno de la luna, o de un contrabando en escala fabulosa.

V

En el día y la hora señalados un automóvil sin fastuosidad, a través del Gran Buenos Aires y sus incidencias fronterizas, me condujo hasta una propiedad de San Isidro, de las antiguamente llamadas "quintas de veraneo". Tras haber cruzado un gran portal, el vehículo se deslizó entre jardines y se detuvo frente a una residencia cuyo aspecto exterior no entraba en mis previsiones. A mi entender la casa de Severo Arcángelo debía lucir el costoso mal gusto y la falsa grandiosidad que los nuevos ricos exigen a sus arquitectos mártires. Pero aquella mansión instalaba en la luz cierta grave sencillez y cierta majestad alegre que me llenaron de asombro. Un portero bien aleccionado me hizo entrar en el vestíbulo y me presentó con el gesto a un mayordomo que, sin preguntarme nada, me invitó a tomar asiento y se desvaneció, no menos abstracto que la naturaleza muerta de Braque iluminada frente a mí. Admiré un instante la obra, y afiné luego mis oídos, curioso de sorprender las pulsaciones íntimas, los cuchicheos, los roces que se dan en una casa viviente; pero un gran silencio reinaba en toda ella, bien que un silencio extraño, ya que me pareció advertir en su fondo esa muda vitalidad de resortes y engranajes que alienta en un mecanismo bien aceitado. Meditaba yo en esa posibilidad, cuando regresó el mayordomo "no figurativo" y, sin palabras, me condujo hasta un gabinete donde todo se perdía o se mimetizaba en un tono azul disolvente. Necesité adaptar mis ojos a esa claridad de gruta marina para descubrir al hombrecito regordete y semicalvo que, a través de unos lentes espesos, me observaba desde su escritorio demasiado grande para él. Cuando entendió que yo lo había enfocado, me dijo con voz neutral:

—El estroncio 90, pese a su divulgación excesiva, no hace temblar ni un pelo de Aristóteles.

Disimulé mi sorpresa, y decidido a no ceder terreno:

—Exactamente —le respondí—. Sin embargo, el isótopo 235 del uranio intenta chamuscar la barba intocable del Hacedor.

El hombrecito soltó una carcajada que inesperadamente lo humanizó delante de mis ojos.

—¡Usted me gusta! —exclamó regocijado—. ¡Por Cristo que me gusta! Lo del estroncio, una palabra casi obscena, pertenece al alegato que hice yo ante el Consejo de la Universidad y que me valió la expulsión de la cátedra. Permítame que me presente: soy el profesor Bermúdez.

Estreché la mano fofa y a la vez aristocrática del profesor:

—Lisandro Farías —me presenté sencillamente.

—Claro, claro —dijo él—. Perdóneme lo del estroncio 90: es una fórmula que sigo utilizando para medir imbéciles, estén o no en la Universidad. Usted ha salido bien de la prueba: su contestación a base de uranio es definitiva. Pero, siéntese. ¿Qué le hago servir, café, habanos, licores?

—Nada por ahora —dije yo tomando asiento frente a Bermúdez.

Lleno de benevolencia, hojeó él un expediente que tenía bajo sus narices.

—He leído el informe de la Enviada Número Tres —me anunció—. Usted, mediante suicidio, estaba en un tris de "arruinar su bello karma", tal como diría Pablo Inaudi. ¿Lo hubiera logrado? Me parece difícil: el revólver de su tío Lucas no hubiese matado ni a una mosca, según el juicio un tanto irónico de la Enviada.

—¿También consignó esa ironía en el informe? —rezongué yo sin ocultar mi vergüenza.

—Y ha sido multada por ello —me aseguró Bermúdez—. No toleramos que nuestras Enviadas formulen apreciaciones de carácter subjetivo.

—Pues lo lamento —dije yo—. La Enviada Número Tres, a mi juicio, es de una eficiencia conmovedora. Y añadiría que su sistema orográfico es perfectamente adorable, si no temiera profanar el austero color de este recinto.

Bermúdez me observó, entre admirativo e intrigado.

—Usted me gusta —reiteró—. Su vocación por la farsa es tremenda. ¿Le viene de adentro, como una "expiración", o la ejerce mediante un acto cerebral?

—Nunca me lo he preguntado —le dije—. Sólo sé que en los trances más dramáticos o solemnes de mi vida siento una furia interior, poética y a la vez destructora, que me incita de pronto a una liberación por lo absurdo.

—¡Qué síntoma! —exclamó Bermúdez al parecer deleitado—. El maestro Inaudi vería en él una "calificación para el salto metafísico".

—Me gustaría saber —le dije yo— si mis condiciones de farsante vocacional han de servir a los fines de Severo Arcángelo.

Por vez primera yo dejaba caer ese nombre que, según mis cálculos, debía tener allí un valor hermético. Estudié la cara de Bermúdez y no vi en ella ningún gesto de sobresalto.

—No lo sé —me respondió, traduciendo una viviente perplejidad—. Ignoro todavía si lo que viene tramando el Viejo es una farsa o un cataclismo.

Y mudó bruscamente de tema:

—La Enviada Número Tres —me dijo— ha observado en usted alguna inclinación a la dipsomanía.

—¡Es una mujer admirable! —ponderé yo—. Tiene las ubres de una vaquillona sagrada. ¡Profesor, usted la conoce!

Bermúdez rió discretamente:

—¡Qué hombre! —dijo—. ¡Entre usted y yo hubiéramos demolido la Universidad! No conozco a la Enviada Número Tres, digo en sus particularidades anatómicas. La que me tocó en suerte fue la Número Uno.

—Pelirroja, ¿verdad? —inquirí yo exaltado—. ¿Con unos ojos verdebotella que parecen grandes esmeraldas de utilería?

—No, señor —me dijo Bermúdez—. La Enviada Número Uno es castaña, ojinegra y fuerte como una Juno del panteón griego. ¡Qué mujer! Tiene una mano de ángel para ceñirle a uno el chaleco de fuerza.

—¡Profesor! —me dolí yo al sorprender en sus lentes algo así como el relampagueo de una locura superada.

—No se alarme —dijo él—. Cuando me abordó la Enviada Número Uno yo estaba en mi frontera, como usted en la suya. Y mi clima fronterizo reclamaba un chaleco de fuerza, técnicamente hablando.

—¿Cómo había llegado usted a esa región de frontera? Digo, si no es una indiscreción.

—En absoluto —me aseguró Bermúdez—. Tengo que decírselo: es de ritual. Al fin y al cabo navegaremos en la misma piragua. Con todo, no se ilusione mucho: además de la mía sólo conocerá la historia del doctor Frobenius. Los otros expedientes revisten el carácter de una inviolabilidad sin rotura posible. Oiga: yo era profesor de filosofía en la Universidad de Buenos Aires; y en el transcurso de no pocos años gané bastante reputación como tragalibros y polilla de biblioteca. Dígame, ¿usted ha sido alguna vez universitario?

—Nunca —le confesé yo sin recatar mi desventaja.

—¡Que Dios lo conserve así! —exclamó él bendiciéndome con su diestra—. Una noche, con los ojos turbios y las espaldas rotas, yo traducía cierto infolio de tamaño gigante, cuando tuve de pronto una iluminación que hizo trastabillar a mi alma. ¡No me interrumpa! Fue una iluminación dolorosa y edificante a la vez. ¡No me interrumpa!

—No he dicho nada —le hice notar piadosamente.

—¡Una revelación *gratis data*! —insistió Bermúdez que no me había escuchado—. ¿Y sabe lo que me anunciaba esa revelación? Que yo sólo era un devorador de "letra muerta", que yo roía y tragaba letra muerta en papeles muertos. Asustado ante aquella súbita noción de mí mismo, corrí a un espejo y estudié mi cara: ¡sí, yo tenía el semblante de un roedor, los dientes filosos, el bigote lacio y el aire furtivo de una rata nocturna!

—¡Profesor! —volví a decirle yo en una suerte de lamento.

Bermúdez, que no me oía, se pasó una mano por la cara, temeroso de palpar aún en ella los distintivos del roedor.

—Naturalmente —dijo ya tranquilizado—, me guardé *in pectore* aquella revelación inquietante. Y no salió de mi fuero íntimo hasta que se produjo la segunda. Yo estaba en clase, frente a una veintena de alumnos que, dispuestos en anfiteatro, seguían mi disertación con la mirada floja y los maxilares quietos. De pronto vi que los maxilares entraban en actividad, que los ojos traducían un resplandor angurriento, y que los veinte alumnos eran, en sus pupitres, veinte ratas que deglutían "letra muerta", la que yo les arrojaba desde mi estrado profesoral. Enloquecido entonces les arrojé a la cabeza mis libros, mis papeles y mis fichas: "¡Traguen! —les grité—. ¡Ahí tienen las habas resecas de Pitágoras, el queso rancio de Anaxímenes, las berzas marchi-

tas de Empédocles!" Los alumnos, despavoridos, corrieron al
Decanato. Y la Junta de Profesores dictaminó lo siguiente: a) yo
era víctima de un terrible *surmenage* debido al estudio intenso
de los filósofos presocráticos; b) se me concedía un mes de licencia para restablecer el equilibrio de mis facultades.

En este punto Bermúdez esbozó una sonrisa llena de travesura:

—¿Le va interesando? —me preguntó—. Se lo cuento para
que no tenga frente a mí ningún complejo de inferioridad, usted,
que intentó matarse con un revólver sin gatillo.

—¡Mi revólver tenía gatillo! —protesté yo en defensa de mi
tío Lucas.

—Lo sé —rió Bermúdez—: acabo de usar una hipérbole.
¿Sabe usted lo que me ocurrió en el transcurso de mi licencia?
La pasé internado en una clínica de reposo; y allí, gradualmente,
mi aridez interna fue cediendo lugar a una increíble "frescura
dionisíaca". ¿Lo entiende?

—No, señor.

—Pues verá —dijo Bermúdez—. Ya devuelto a mi cátedra,
se me vio lucir trajes y camisas de tonos agresivos. Los alumnos
de la Facultad me sorprendieron en los corredores esbozando
piruetas de *ballet* clásico. Durante una reunión de profesores
me comí devotamente las tres rosas que languidecían en el flo-
rero del Rector. Por último, ante un auditorio de jóvenes univer-
sitarias, las incité fervientemente a enterrar a Demócrito y a seguir la clamorosa didáctica de la primavera. Fue mi última clase
magistral: llamado a juicio, pedagogos llenos de benevolencia
me condenaron a la exoneración, atribuyéndome una "satiriasis
prematura" que jamás tuve, ya que, mucho tiempo atrás, yo
había quemado mi sexo en la llama divina del inmortal Herá-
clito. Pero antes de condenarme debieron escuchar mi autode-
fensa, en la cual el estroncio figuró activamente, bien que sin
eficacia, ya que mis colegas lo tomaron por un metafísico griego
sin mayor bibliografía.

Guardó Bermúdez unos instantes de silencio; y la figura del
doctor Bournichon expulsándome de su oficina se me hizo presente con toda su risible dramaticidad. Cierto paralelismo se daba
entre la historia del profesor y la mía: ¿era casual o deliberado?
Intentaba yo ahondar en ese interrogante cuando Bermúdez retomó el hilo de su relato.

—Libre ya de mis obligaciones consuetudinarias —dijo—, conocí el sabor picante de la libertad, y me lancé a la vida nocturna de Buenos Aires más como espectador que como actor. En un bar de la calle Maipú donde se congregaban al amanecer los sobrevivientes del "Pigalle", di una vez con cierta "barra" de hombres y mujeres que fortalecían allí sus borracheras declinantes. Frente a mi décima coca-cola los estudié con irrefrenable simpatía. Y de pronto les dirigí un discurso por el cual los exhortaba cariñosamente a templar los excesos de Baco en el agua fresca de la sabiduría, como lo hicieron los epicúreos que, pese a su mala reputación, no vacilaron en lanzarse al terreno de las especulaciones atomísticas. El jefe de la "barra", conmovido hasta la raíz, lloró sobre mi hombro derecho y me propuso llanamente instalar una escuela de filosofía yogui en cierta isla del Tigre que usufructuaba en propiedad. Le dije que la filosofía yogui no entraba en mi asignatura; pero él insistió con tal acopio de llanto, que acompañé a la "barra" primero en una carrera de automóvil y después en otra de lancha. Llegamos a la isla con la aurora, el jefe nos introdujo en un chalet casi en ruinas; y mis discípulos "yoguis", tras una libación final, cayeron dormidos en las esteras de junco. Utilicé la mañana en preparar mis lecciones, no dudando que los primitivos griegos ejercerían una virtud refrescante sobre aquellas almas tormentosas. Y recorriendo la isla, que me pareció ideal en sus fragosidades, me animé a concebir la ilusión de practicar en ella un "robinsonismo" filosófico de nueva hechura. Mis alumnos "yoguis" despertaron a media tarde; y cuando me disponía yo a iniciarlos en la escuela milesia, corrieron a sus asadores, descorcharon botellas, pusieron un disco en su fonógrafo y se lanzaron a bailar un *rock and roll* que hizo enmudecer a todos los pájaros de la isla. Los exhorté a la templanza, y me sonrieron con infinita comprensión: "No hay duda —reflexioné yo—, que están despidiéndose ahora de sus 'hombres viejos', y mañana sus 'hombres nuevos' entrarán en mi órbita." Con tan dulce pensamiento me dormí en el altillo que me habían asignado. Y al día siguiente, no bien desperté, me vi solo en el chalet y en la isla: los "yoguis" habían partido según la ley de sus naturalezas erráticas. Un pescador de río, que vio mi camisa enarbolada en un palo, me recogió en su bote y me devolvió al mundo. Entré luego en mi crepúsculo.

Bermúdez calló, y le pregunté, solidario:

—¿Hasta que oyó los tres golpes?

—Eso —me respondió él—: hasta que oí los tres llamados en mi puerta.

—¿Era la Enviada Número Uno?

—Me tomó por asalto —dijo Bermúdez— e intentó forzar mi alma no sé yo con qué ganzúas. La acusé de ser la Cortesana de Alejandría, y me lancé contra ella, verdaderamente furioso. Me hizo una "llave japonesa", entramos en *clinch;* y la Enviada, con una pericia increíble, me ajustó un chaleco de fuerza que nadie habría previsto en sus manos angelicales. Entonces me envolvió su perfume.

—¡Sí —exclamé yo exaltado—, un aroma de glicinas!

—¿Cómo de glicinas? —preguntó Bermúdez.

—¡Un olor de glicinas arracimadas, allá, en el Sur!

—Ahora caigo —rió Bermúdez—. No, señor. El perfume que traía mi Enviada era de heliotropo: yo había descubierto en mi juventud que el heliotropo da el aroma cabal de la inteligencia. Y añadió al observar mi desencanto:

—No se deje ganar por las apariencias de misterio: todo aquí se desenvuelve según un plan exacto como el álgebra. ¿Observó usted en el vestíbulo la naturaleza muerta de Braque?

—Es una obra exquisita —le dije yo.

—A usted le gusta Braque, ¿no es verdad?

—Naturalmente.

—Y es por eso que hoy, día de su llegada, un Braque figura en el vestíbulo. Cuando yo entré allí por vez primera, colgaron un Brueghel. De igual manera, y según las aficiones del "invitado", usted podrá ver en el *hall* un cromo abominable o la fotografía de un *team* de fútbol.

Al advertir el carácter dubitativo de mi silencio Bermúdez recorrió todo el ámbito con su mirada:

—Observe usted la residencia de Severo Arcángelo —me invitó—, y aguce los oídos: no verá nada, ¿entiende?, ni escuchará rumor ninguno. Sin embargo hay aquí puertas que se abren y se cierran con metódica discreción; hombres y mujeres que circulan y se detienen en un corredor o una escalera, obedeciendo a señales preestablecidas; conciliábulos en habitaciones acolchadas y laboratorios donde algo se destila sigilosamente. ¡Oh, no me interrumpa! Y escuche. Cierta vez, en París, visité un prostíbulo de alcurnia: era una gran mansión de la *rue Provence* a la que acudía un mundo lujoso de hombres y mujeres internacionales. Y sin embargo, cada individuo gozaba en ella de una discreción absoluta, ya que cierto sistema de luces, como el de los bulevares, dirigía el tránsito de los clientes para que no se encontraran en los pasillos y salones. Algo semejante ocurre en esta casa.

—¿Y qué se anda organizando aquí? —pregunté yo, seguro de que Bermúdez eludiría la respuesta.

Y él me contestó a boca de jarro:

—El Banquete.

Lo miré a fondo:

—¿Qué Banquete? —le dije.

—Lo que se organiza en esta casa es un Banquete —insistió Bermúdez con admirable sencillez.

—¡Profesor! —le dije—. ¿Me hará creer que se ha montado aquí toda esta máquina formidable sólo para organizar un banquete?

Me sentí dominado por una furia que nacía de tres factores: el asombro, la incredulidad y el desasosiego:

—¿Y qué hacen —inquirí— esas Enviadas en serie que visten como hetairas de lujo y gastan un dineral en extractos franceses?

Bermúdez rió desde su apacible gordura:

—No las trate así —me rogó—. Ellas forman un equipo muy bien organizado: costó mucho elegirlas y entrenarlas para su no fácil misión.

—¿Qué misión?

—A usted le quitaron un revólver —dijo Bermúdez— y a mí me vistieron con una camisa de fuerza. Cada una tiene su especialidad, y todas bajan con sus "anzuelos" a los cuarenta barrios de Buenos Aires para pescar a los elegidos.

—¿Con qué fin?

—Ellas deben "atraer a los posibles comensales del Banquete".

Mi conato de furia se transmutó en cierta inquietud inexplicable.

—¿Y qué se propone Severo Arcángelo con semejante Banquete? —pregunté.

—Si usted me lo dijera se lo agradecería —me respondió Bermúdez nublándose de repente.

—¿No lo saben los Maestros? —insistí—. La Enviada Número Tres me habló de los Maestros.

Bermúdez, al oírme, pareció consternado:

—¿Se refirió al maestro Inaudi? —me preguntó en voz baja.

—No, señor.

—Al Maestro no hay que nombrarlo indebidamente. Una vez
yo lo hice, y él me puso de rodillas en un rincón del laboratorio,
¡a mí, un profesor universitario! ¿Se da cuenta de mi enorme
ridículo?

Aquel había sido el primer sobresalto del profesor Bermúdez:
el segundo que advertí en su desmedrada estructura se dio cuando
un ojo de luz amarilla parpadeó tres veces en un tablero que
Bermúdez tenía frente a sí.

—El Viejo Fundidor está pronto a recibirlo —me anunció
gravemente.

—¿Severo Arcángelo?

—Lo llevaré a su estudio cuando se encienda la luz verde.

Y se puso de pie con aire de circunstancia.

—¿Cómo es el hombre? —le pregunté yo sin abandonar mi
asiento.

—Usted lo verá y juzgará —me respondió Bermúdez—. Y
he de transmitirle dos consignas fundamentales. Primera: usted
no ha de manifestar ningún asombro, pues "el asombro y el
miedo son dos frutos de la ignorancia".

—¿Quién lo dijo? —le repliqué yo desafiante.

—El Maestro —respondió él con una reverencia que me pareció hipócrita.

Y añadió:

—Segunda: usted no formulará preguntas, ya que "la pregunta es el eructo de un alma dubitativa".

—¿Quién lo dijo? —insistí.

—El Maestro.

—Y el Maestro —insinué yo con malevolencia—, ¿no será
el increíble señor Inaudi?

Retrocedió Bermúdez ante mí como frente a un demonio:

—¡No lo nombre! —rogó—. ¡Lo pondrá de rodillas, con un
grano de maíz en cada rótula!

Le sonreí aviesamente, sin sospechar que Pablo Inaudi me cas-
tigaría en su hora, que me llamaría Padre de los Piojos y Abuelo

de la Nada, y que su castigo sería para mí tan dulce como los panales del norte y las higueras del sur.

—Profesor —le dije a un Bermúdez todavía en alarma—. Si no debo asombrarme ni preguntar, ¿qué demonios haré yo frente a ese metalúrgico enrevesado?

—Escuchar su historia —me respondió Bermúdez.

—¿Y qué tengo yo que ver con la historia de Severo Arcángelo?

—Absolutamente nada. No es usted el "destinatario" de su historia: usted sólo ha de prestarle dos orejas abstractas.

—Entonces, ¿a quién le contará su historia el Viejo Fundidor?

—Se la contará él a sí mismo: lo hace ritualmente con todos y cada uno de los invitados.

—Todo esto es absurdo —comenté—. ¡Una patraña de millonario aburrido!

—Señor Farías —me aclaró Bermúdez con penetrante frialdad—: usted ya es un "invitado", pero todavía no es un "elegido". Si desea retroceder, hágalo.

En aquel instante parpadeó el ojo de luz verde.

—¿Me sigue? —preguntó Bermúdez.

Y lo seguí.

VI

En este punto Lisandro Farías comulgó unos instantes consigo mismo, tal como si planease *ad intra* una "introducción a Severo Arcángelo" en la que se manifestaran simultáneamente la admiración, el ánimo rencoroso y las dudas insolubles que le había dejado el personaje.

—Severo Arcángelo —empezó a decir— era hijo de un fundidor itálico, descendiente, a su vez, de un linaje de metalúrgicos peninsulares que se perdía en el laberinto de las generaciones anónimas. "El Pelasgo sobreviviente" lo llamó cierta vez Pablo Inaudi. Y como yo inquiriera el significado de aquel apelativo, Inaudi me respondió en enigma, según el método a que nos tuvo siempre acostumbrados: "El Cíclope —me dijo— lleva un ojo único en la frente." Aquella misma noche, y en secreto, leí la historia de los Pelasgos. Entonces hallé dos noticias reveladoras: a) aquel pueblo legendario se dedicó a la minería en los montes de Samotracia; y b) en el mismo linaje se contó a los Cíclopes, que abrieron la entraña de Sicilia en busca de metales, llevando "una luz en la frente". ¿Descendería Severo Arcángelo de aquella estirpe subterránea? En tal caso —me dije— habría recibido la iniciación infernal de los entes diabólicos enterrados como cebollas en las honduras del planeta. Y siendo así, ¿qué podíamos nosotros esperar del Viejo Fundidor y de la empresa en que nos había embarcado? A la mañana siguiente, como si leyera mis dudas y temores, Pablo Inaudi me dijo: "El carbono está en su infierno: si se purifica y exalta lo hallarás transmutado en diamante."

—Le adelanto estas nociones —me aclaró Farías— para que tenga usted un atisbo del personaje hacia el cual me llevaba el profesor Bermúdez a través de una mansión aparentemente desierta. Mi guía, serio y callado, me introdujo y abandonó en un recinto cuya tonalidad verde aguanosa desorientó mis ojos por algunos instantes. Con todo, pude ver que un gran cortinado de terciopelo se corría sigilosamente a mi derecha, tal vez para ocultarme algo así como un enorme *atelier* en cuyo interior me fue dado vislumbrar, empero, la *maquette* de una arquitectura monstruosa y rollos de planos distribuidos en los rincones. Esa cortina, ya cerrada, estrechó el ámbito de una intimidad acogedora (sedante yo diría) en la cual Severo Arcángelo se manifestó de súbito para mí. Yo había prometido no asombrarme; sin embargo un primer asombro se me dio frente al hombre, y era el que nacía del contraste violento establecido entre su patética humanidad y la noción mitológica del personaje que venía forjándome yo desde que la Enviada Número Tres me emborrachó con su aroma de glicinas. Era un hombre de cincuenta y cinco años, estatura mediana y complexión fuerte, no obstante las aristas ascéticas de su rostro y los puntazos con que su armazón de huesos duros asomaba debajo de la ropa suelta, elegante y en visible descuido: tenía la piel morena, como tostada en fogones externos e internos, y ojos azules cuya mirada se retraía en sus cuencas o se lanzaba de pronto al asalto, como las uñas contráctiles de un tigre. Mientras hacía yo estas observaciones, "el Viejo Fundidor" (¿por qué viejo?) me señaló una butaca y tomó asiento en otra.

—Señor Farías —me dijo—, ya sé que no me ha perdonado usted los cuatro muertos de la Fundición.

Lo miré sorprendido:

—¿Leyó usted mi vieja crónica del entierro? —le pregunté.

—Conozco el informe de la Enviada —me respondió—. Sus juicios condenatorios revelan en usted un alma sensible y un estilo bastante coloreado. Necesitaremos las dos cosas.

Intenté quemar las etapas y le dije:

—Señor, vayamos al asunto: ¿es verdad que usted organiza un Banquete?

—"Los cuatro muertos, en sus ataúdes y bajo el sol, atraían a las moscas de la calle" —recitó Severo Arcángelo—. ¡Eso es pintar!

Entendí que se burlaba de mi antigua crónica:

—¿Me ha citado usted aquí —le dije— para recordar ese feo episodio?

—"El olor de los cadáveres —admitió él— hizo contener el aliento de los enterradores."

—¿Y qué tiene que ver el Banquete con los muertos de la Fundición?

Severo Arcángelo, al oírme, dio una palmada y llamó quedamente:

—¡Impaglione!

Aguardó un instante a la entidad que debía responder a un nombre de tanto estruendo. Y por entre las junturas del cortinado se hizo visible un hombretón duro y silvestre que se ubicó a la derecha de Severo Arcángelo y se mantuvo allí de pie, tranquilo y expectante como el acólito de una liturgia. Sin asombrarme ya, estudié a Impaglione; y me pareció que todo él trasudaba una melancolía densa como la goma del caucho. Más tarde hube de rectificar ese juicio al advertir que Impaglione sólo exhalaba un "aliento vegetal" o un pneuma orgánico altamente apaciguador.

—Señor Farías —me dijo Severo Arcángelo—, ¿sabe usted de qué manera cuatro fundidores muertos caen en un platillo de la balanza? ¿Y sabe qué pesas hay que arrojar en el otro? No lo sabe: no figuró en su crónica.

Lo miré, desconcertado, y miré a Impaglione que "vegetaba" serenamente.

—Mi padre tenía un horno de fundición —empezó a referir Severo.

Y sin volverse a Impaglione lo interrogó:

—Impaglione, ¿cómo era el horno?

—Era un horno único y de construcción muy rudimentaria —contestó Impaglione a la manera de un eco lejano.

—Exactamente —admitió Severo—. Y yo, desde los ocho años, tosté mi cuerpo y mi alma en aquel horno de fundir metales. Impaglione, cuando uno vive junto a un horno, ¿se le quema solamente la grasa?

—No, señor —vocalizó Impaglione—. También a uno se le quema toda la frescura de adentro.

—¿Las frescas humedades, los verdores del alma?

—Tal cual —aseveró Impaglione—. Lo tierno se quema junto a un horno de fundición.

Severo Arcángelo me dedicó una mirada triunfante. Y entonces comprendí los dos hechos que siguen: a) él estaba iniciando la confesión o historia cuyo aspecto ritual me había predicho

Bermúdez; y b) a su derecha, Impaglione oficiaba de Coro, sin emoción alguna, mnemotécnico, bien ensayado en su prosodia, como al servicio de un "libreto" riguroso. Más adelante, cuando la preparación del Banquete me acercó a la raíz del enigma, comprobé que el Viejo Fundidor no sólo traía en la sangre a los endemoniados cabiros de Grecia, sino también una pasión del teatro y lo teatral que llegó a extremos bochornosos.

—Yo heredé aquel horno único de mi padre —continuó Severo—. Y entonces me agarró la fiebre de multiplicar los hornos, encender fuegos y alimentarlos noche y día: la lujuria de hacer tronar martillos pilones y laminadoras. Así levanté la "Fundición Arcángelo" en Avellaneda. Impaglione, ¿qué fuerza me lanzaba? ¿La pasión del oro?

—No, señor —le dijo Impaglione.

Y volviéndose a mí el corifeo recitó con afectada elocuencia:

—"¿Qué me importa el oro?", ha dicho Severo Arcángelo frente a las hornallas. "Lo que importa es fundir el acero: derrotar la insolencia de su peso específico y el insulto de su oscuridad."

Severo Arcángelo pareció acariciar *in mente* aquel recitativo de Impaglione. Y no dudé ya que él mismo era el autor de aquel extraño libreto.

—¡Derrotar el acero! —exclamó a su vez—. Para ello tuve que acaudillar a miles de hombres, hacerles quemar sus grasas externas y sus frescores íntimos, junto a los hornos que nos devoraron como antracitas. Impaglione, ¿me casé yo alguna vez?

Una luz maligna centelleó en los ojos de Impaglione:

—Sí, señor.—dijo.

—No me acuerdo —repuso el Fundidor.

—María Confalonieri —susurró Impaglione.

—¡No recuerdo su cara! —dijo Severo en un despunte de zozobra—. ¡No recuerdo su voz ni su risa!

—¿Y por qué? —tronó Impaglione con dureza.

Volviéndose a mí recitó, entre irónico y dolorido:

—"Naturalmente, Severo Arcángelo pasaba sus días y sus noches junto a los hornos de Avellaneda: él no pudo mirar la cara de su mujer, ni oír sus risas ni sus gritos de parto, ni restañar sus lágrimas de soledad ni el sudor tranquilo de su muerte. ¡Severo Arcángelo fundía metales, él y sus mil hombres que

tampoco llegaron a conocer el sonido y el color de sus mujeres!"

—¡Lo sé! ¡Lo sé! —gimió Severo Arcángelo doblegándose al
peso de aquella terrible acusación—. Impaglione, ¿tuve hijos?

—Dos hijos —contestó Impaglione inexorable.

—¡No los recuerdo!

—¡Yo sí! —le dijo Impaglione con el aire de un demonio
eficiente—. Rómulo Arcángelo y Duilio Arcángelo.

Y dirigiéndose otra vez a mí:

—Severo Arcángelo tuvo dos hijos —me reveló—. Pero él
no se alejaba de sus laminadoras; y no los vio nacer y cre-
cer, no entró en el círculo de sus juegos, no acarició sus mejillas
ni se asomó a sus almas. Como extranjeros tomaron un día el
camino de la fuga; porque Severo Arcángelo vigilaba sus hornos, él y los mil hombres carbonizados que también se perdieron
la gracia de sus hijos.

—¡Piedad! —exclamó en este punto el Viejo Fundidor con el
rostro escondido entre las manos.

Lloró largamente. Y me sentí desconcertado, pese a las adver-
tencias de Bermúdez, ante la contrición real de aquel hombre,
el tenor manifiestamente "literario" del libreto y la ingenuidad
histriónica de Impaglione que no entendía, según vi, ni un pito
de lo que recitaba con tanto rigor idiomático.

—Impaglione —dijo al fin Severo levantando la frente—.
¿Cuánto tiempo mío y de los otros quemé yo en la "Fundición
Arcángelo"?

El corifeo levantó las cejas en dos arcos desdeñosos.

—¡Tiempo! —gruñó—. ¿Qué cosa es el tiempo? ¡Nada en
sí! Es una posibilidad que se realiza no bien la "cualificamos" de
alguna manera. El tiempo real es una sucesión de "gesticulaciones cualitativas".

Visiblemente deleitado escuchó Severo aquel monólogo que
sin duda era de su propia cosecha; y me dirigió su mirada, como
reclamándome un tributo de admiración. Pero una sorda ira me
dominaba ya, no por el texto del monólogo, sino por la suficiencia imbécil con que Impaglione lo había declamado y que
me inspiraba el deseo irresistible de tirarle algo a la cabeza.

—¿Y de qué modo Severo Arcángelo "cualificó" su tiempo?
—insistió Impaglione rico de mímica—. Lo hizo con una sola

gesticulación: ¡la de alimentar el fuego de sus hornallas! Y en aquella gesticulación única se le detuvo el tiempo, con lo cual el Fundidor de Avellaneda entró en una especie de muerte. Y ahora Severo Arcángelo me pregunta: "¿Cuánto tiempo?" ¡Un siglo, un año, un instante, o nada!

—Sí —admitió Severo—. Esa muerte duró hasta la fractura de mis vértebras dorsales.

—Una hermosa fractura —declaró Impaglione musical y helado.

El Viejo Metalúrgico, volviéndose a mí como al solo espectador de aquella comedia, me dijo:

—Fue un accidente de automóvil en la ruta de Mar del Plata.

—Una obra maestra en accidentes —comentó Impaglione.

—Que me tuvo —añadió Severo— tres meses impedido, en esta misma casa, y aprisionado en una armadura de yeso. Impaglione, ¿qué significó para mí esa inmovilidad?

—Significó el abandono de la "Fundición Arcángelo" —respondió el corifeo.

—Y el abandono de la Fundición, ¿qué significaba?

—La ruptura del "gesto único" en el cual se había detenido el tiempo de Severo Arcángelo.

El Metalúrgico de Avellaneda me clavó una mirada triunfante:

—¿Se da cuenta? —me dijo—. El abandono de aquella "única gesticulación" me lanzaba otra vez a mi "tiempo de hombre" que se había detenido junto a los hornos. Impaglione, ¿qué denominación le dimos a ese acto de regresar al tiempo?

—La "resurrección engañosa" —vocalizó Impaglione como una cacatúa bien aleccionada.

—¿Por qué una "resurrección"? —me dijo Severo que iba exaltándose—. Porque, al alejarse del fuego, mi naturaleza carbonizada fue recobrando poco a poco sus verdores internos. ¿Y por qué "engañosa"? Porque, lanzado yo nuevamente al flujo del tiempo, me veía detenido aún entre un "antes" borroso y un "después" en incógnita.

Severo Arcángelo estudió mi semblante con su mirada, en el deseo de comprobar si yo seguía los pasos del mecanismo lógico que desarrollaba él tan minuciosamente. Satisfecho al parecer, y sin mirarlo a la cara, se dirigió al corifeo y lo interrogó así:

—Impaglione, ¿qué analicé yo primeramente, bien ajustado en mi armadura de yeso, el "antes" o el "después"?

—El "antes" —cacareó Impaglione desde su atmósfera vegetal.

—¿Y qué nombre le dimos a ese análisis?

—"La Exploración del Remordimiento."

—¡Exacto! —me dijo el Fundidor—. Oiga: yo había esterilizado mi "sucesión temporal" y la de otros, y el número de "posibilidades humanas" que nos da el tiempo y con las cuales él mismo se cualifica para ser un acto del vivir. Yo me había estafado a mí mismo, lo cual no era grave, ya que lo equilibraría en mi propio infierno. Lo verdaderamente catastrófico era que yo había sustraído el tiempo y malogrado la posibilidad humana de otras criaturas. Y esos desequilibrios no tardaron en lanzarme a La Exploración del Remordimiento.

Dirigiéndose a su adlátere, le ordenó:

—Impaglione, diga cómo fue.

Se irguió el corifeo, a la manera del actor que ha llegado a una de las tiradas críticas:

—"El Viejo Fundidor está en su costra de yeso! —dijo con voz hueca—. ¡Escarba en su 'antes' noche y día: va exhumando espectros de hombres y fantasmas de mujeres 'que podían ser y no fueron', porque alguien quemó sus horas en la Fundición Arcángelo y trituró sus minutos en las laminadoras y los martillos pilones! Y ese alguien, ¿quién es?, me dirán. Es el Viejo Fundidor, que ahora está llorando, mientras arranca de su 'antes' hombres y mujeres vacíos que arroja en un plato de la balanza. ¡Y ese plato desciende! ¡Y en el otro está Severo Arcángelo el ladrón, que sube y llora como un ternero, algo ridículo y execrable del todo, con sus vértebras rotas y su caparazón de yeso endurecido!"

—¡Y el infierno está en el plato que sube! —me gritó Severo descolorido—. ¡Impaglione! ¿Qué me decía yo en mi alma?

Impaglione lo miró con una severidad ensayada tal vez frente al espejo.

—El metalúrgico enyesado —recitó— llora, pesa fantasmas y medita: "¿Qué arrojaré yo en el plato ascendente de la balanza? ¿Los diez altos hornos, las nueve laminadoras, los tres martillos pilones, toda la Fundición Arcángelo?"

—¡Lo hice! —gimió Severo—. ¡Y fue inútil! El plato del culpable no bajaba, con todo el peso de la Fundición. Y el plato de la culpa no subía.

—¡Naturalmente! —rió Impaglione con tramposa malignidad—. No es fácil construir una risa posible, si la boca fue robada en su tiempo de reír. Ni es fácil hacer que se pongan de pie cuatro fundidores ametrallados.

—Pero me quedaba un recurso —arguyó Severo como quien se toma de un barril flotante—. Impaglione, ¿cómo se llama ese recurso?

—"El Equilibrio por el Cinturón" —dijo Impaglione.

Debo admitir que si al principio seguía yo los pormenores de aquella farsa con los ojos exigentes del espectador no ilusionado, ahora iba sintiéndome "convertido a ella", sin olvidar la maquinaria del teatro, pero sensible a los gritos de la substancia vital que se debatía en escena.

—Impaglione —dijo Severo—, veamos el cinturón.

Diligente y un tanto ceremonioso el corifeo se libró del cinturón que le sujetaba los pantalones y se lo tendió a Severo Arcángelo.

—Aquí lo tiene —me dijo el Fundidor exhibiendo la prenda—. Con su hebilla de acero muy sólida. El Equilibrio por el Cinturón es bastante difícil. Impaglione, ¿qué requisitos hay que llenar?

—Poseer nalgas duras y un corazón infantil —respondió el corifeo sosteniéndose los pantalones con las dos manos.

—Yo conservaba duras las carnes —me explicó el metalúrgico—, y había recobrado mi corazón de niño en la Exploración del Remordimiento. Mis condiciones eran óptimas, ¿entiende? No obstante, cuando me desnudé frente a Impaglione y cuando Impaglione se quitó el cinturón, experimenté un súbito descorazonamiento: sentí que Impaglione y yo estábamos por incurrir en un "anacronismo" notorio. Aquella impresión duró un instante. Impaglione, ¿cuántos azotes me diste?

—¿Con la lonja o con la hebilla? —interrogó Impaglione.

—Con la lonja.

—Fueron veinte azotes: diez en la espalda y diez en los glúteos.

Entrecerró los ojos el Fundidor, como para evocar la escena en toda su exactitud.

—La primera sensación que tuve —me dijo— no fue la de mi tortura corporal sino la de mi posición ridícula: imaginé al Directorio del Banco Industrial presenciando mi azotaina, y un escalofrío de vergüenza me recorrió el espinazo. Luego el dolor de mi carne se impuso a toda consideración anímica; porque Impaglione tiene la mano dura y es concienzudo en todo lo que hace.

Saludó Impaglione con una reverencia que nunca supe si figuraba en el texto.

—Impaglione —le dijo el Fundidor—, ¿qué gestos cumpliste al terminar la azotaina?

—Tras el último azote —puntualizó el corifeo—, duché al azotado, lo acosté y le di una friega de untisal.

Y declamó, retornando a la farsa y al tiempo presente.

—¡Sí, el Viejo Fundidor está en la cama, tendido largo a largo y mudo como un pez! Atención. ¡Desconfiemos ahora!

—¿Y por qué desconfiar? —objetó Severo.

—Porque el innoble metalúrgico, en su imaginación de perfecto azotado, cree ahora que ha traspuesto los umbrales de la santidad. ¿Y todo por qué? ¡Por veinte lonjazos miserables que ha recibido en las nalgas!

—¡Impaglione! —se lamentó Severo—. ¿A qué límite del ridículo llegué aquella noche?

—El metalúrgico —tronó Impaglione— llegó a preguntarme si no advertía yo el aroma celeste que brotaba de su costillar azotado. ¡Y olía sólo a untisal y a orgullo!

Tan bien logrado estaba el acento condenatorio de Impaglione, que Severo Arcángelo se volvió a mí, rojo de una vergüenza retrospectiva.

—Yo acababa de leer algunas historias de santos —me aclaró en tono de disculpa—. Y aquel movimiento de orgullo penitencial me reveló esa noche que al Equilibrio por el Cinturón algo le faltaba: era preciso dar con la hebilla y no con la lonja. Impaglione y yo estudiamos el método; y al siguiente día el "operativo cinturón" entraba en su modalidad segunda. Impaglione, ¿qué resultado conseguimos con la hebilla, fuera de la sangre?

—Conseguimos "La Tristeza de la Parodia" —silabeó Impaglione.

—Muy exacto —le dijo Severo—. Y en la culminación de la Parodia, ¿qué oí yo?

—Que en los cuatro rincones del salón cuatro demonios reían a carcajadas. Pero yo no los oí en absoluto.

—Naturalmente —me aclaró Severo—. El que tenía las carnes abiertas era yo. Y escuchaba la risa de los demonios, que también son parodiadores. En seguida tomé la resolución de una empresa heroica. Impaglione, ¿cómo se llamó?

—Se llamó "El Retorno a la Simple Bestialidad" —contestó.

Severo Arcángelo me dedicó un guiño de inteligencia:

—Usted comprende —me dijo—. En el Retorno a la Simple Bestialidad han de lograrse dos cosas: una "degradación punitiva" del ser que ha ofendido su dignidad; y una "mortificación" del ser en su territorio de bestia. Impaglione, ¿digo bien?

—No exactamente —objetó el corifeo—. Si el Retorno a la Simple Bestialidad ha de ser voluntario, yo lo definiría como "autodegradación" y "automortificación". Es más pedagógico.

Severo escuchó el alegato de Impaglione con la sonrisa extática de quien oye una grabación perfecta. Luego me dijo:

—Señor, yo no podía lograr en esta casa el Retorno a la Simple Bestialidad: necesitaba un escenario rústico, donde la bestia pudiese hundirse hasta las corvas en su natura. Y elegí una chacra de mi propiedad, cerca de Buenos Aires, cuyo abandono favorecía mis intentos, ya que sólo habitaba en ella un jorobado, Triboulet de sobrenombre y quintero de profesión, establecido allí con la sola tarea de criar gallinas y chanchos de raza. Impaglione, ¿qué nos está sugiriendo ya la escena?

—Sugiere al Aparecido en el Chiquero —declaró Impaglione con una euforia totalmente prefabricada.

—Sí —corroboró el Metalúrgico de Avellaneda—, el Aparecido en el Chiquero. ¿Y antes? ¿Qué sucedió antes? ¡Impaglione! ¿Cómo llega uno a los confines de la bestialidad punitiva?

El corifeo se irguió en toda su patética humanidad y apuntó a Severo con un índice rígido:

—Ese impuro quemador de hombres —recitó— se despoja de sus vestiduras ante los ojos yertos del jorobado Triboulet. ¡Y se lanza, en mero calzoncillo, a la intemperie y a la lluvia, sin más techo que la copa de un ombú y sin otra cama útil que las espinas y el barro de afuera!

—¡Duele! ¡Por Cristo! ¡Duele! —balbuceó Severo con el mentón hundido entre las dos clavículas.

—Tres días y tres noches —prosiguió el corifeo— han de ver al innoble metalúrgico vagando a la intemperie como un animal de pluma o de cerda. Pero al anochecer del cuarto día, el endemoniado Fundidor no puede resistir ya las mordeduras del hambre. ¿Y qué hace ahora el bárbaro laminador de acero, convertido en una bestia provisional? Furtivamente se dirige a la huerta de Triboulet, y echado en el suelo roe batatas y zanahorias crudas. Pero, ¡atención! ¡Triboulet acecha! ¡Y dispara los dos cartuchos de su escopeta española sobre aquel roedor humano! Es que Severo todo lo ha previsto.

La ironía con que Impaglione recitó las últimas palabras fue tan verosímil, que Severo Arcángelo intervino, al parecer fuera de libreto:

—El de la escopeta no fue un recurso teatral —me dijo—. Triboulet disparó su escopeta sobre mí obedeciendo a un plan lógico: si yo buscaba las fronteras de la bestialidad, no debía recurrir a las zanahorias de Triboulet ni a ningún otro producto de la industria humana. Reducido al plano de la bestia, yo debía nutrirme sólo con los vegetales de la llanura. Impaglione, ¿lo hice o no?

—¡Es de ver —elogió Impaglione— cómo el viejo criminal de los altos hornos araña la tierra en busca de raíces, o devora puñados de gramilla, con la simplicidad inocente de un cochino!

—A eso iba —repuso el Fundidor—. Impaglione, a tal altura de los acontecimientos, ¿quedaba en mí un solo átomo de orgullo, una sola brizna de autocomplacencia?

El corifeo lo miró ahora con benignidad:

—Eso no —dijo—. El metalúrgico sin ley ya goza el estado ingenuo de un animal silvestre. Hay que admitirlo.

Y gritó después, admonitorio:

—Pero, ¡cuidado! El metalúrgico sin ley podría eternizarse ahora en la Simple Bestialidad, si dejara que se apagase la única luz que aún destella en su noche de zanahorias roídas y cólicos vegetarianos.

—¡Impaglione! ¿Qué luz? —interrogó Severo al parecer con el alma en los dientes.

—La que le señala todavía el "objeto punitivo" de su degradación.

—¿Y qué hará el metalúrgico sin ley con esa luz única? ¡Impaglione, cuidado!

—El metalúrgico sin ley —enunció Impaglione— debe renunciar a esa luz y asumir la bestia íntegra: debe renunciar a su natura de bípedo y a su vertical de hombre.

—¿Y cómo se denominó esa renuncia?

—"La Traslación en Cuatro Patas" —dijo el corifeo exultante.

Severo Arcángelo, vestido hasta los pies de una humildad que me pareció auténtica, posó en mí sus ojos en los cuales aún perduraba una inquietud de viejas torturas.

—Aquella noche —dijo—, resuelto a degradarme en mi vertical específica, me arrojé al suelo y empecé a caminar en cuatro patas. Ese gesto, en su aparente sencillez, me produjo una sensación terrible, como si la columna vertebral se me doblase para siempre y un aluvión de tiniebla sólida cayese de pronto sobre mi alma. Impaglione, ¿digo bien al decir "sobre mi alma"?

—Naturalmente —asintió el corifeo—. Porque la luna brilla esa noche y el campo está lleno de luces. ¡Y véase ahora cómo el antiguo Fundidor se arrastra en el polvo, entre lagartijas y batracios que huyen ante aquel prójimo desconocido! Ya siente las espinas de un cardal reseco, ya en la cara una bosta reciente de caballo, o en codos y rodillas el filo de osamentas abandonadas. ¡Y a cada metro que va ganando en cuatro patas, el Estafador de Hombres advierte dos hechos: que su tiniebla interior va cerrándose ahora en una noche integral y que todo ello no le importa ya en absoluto! ¿Y saben por qué?

Severo Arcángelo estalló en este punto como una bordona demasiado tirante, y gritó:

—¡Impaglione! ¿Por qué?

—Porque, sin advertirlo, el Fundidor se acerca lentamente al chiquero.

—¡Impaglione!, ¿a qué chiquero?

—Al "Chiquero de la Iluminación" —dijo Impaglione con un aire de beatitud excelentemente logrado.

El Metalúrgico de Avellaneda se dirigió entonces a mí, revistiendo ahora esa gravedad tranquila de los hechos definitivos.

—En cuatro patas me acerqué al chiquero —narró simplemente—. Lo reconocí en su olor de fango y de basuras fermentadas. Luego vislumbré las formas grasientas de los cerdos que dormían allí en su colchón barroso. Pero algo me anunciaba que había tocado yo un límite final. De modo que, asomándome al chiquero, hundí mi cara en la inmundicia. Entonces, a mi lado y detrás, oí una voz que me llamaba: "¡Severo!" En tierra como estaba, observé a mi alrededor y no vi a nadie. "¡Severo, levántate!", dijo entonces la voz desconocida. Recobré penosamente mi vertical humana, ¿y quién se manifestó delante de mis ojos? Impaglione, ¿quién se manifestó bajo la luna y junto al Chiquero de la Iluminación?

—Pablo Inaudi —salmodió Impaglione como quien lanza una fórmula cabalística.

—¿Y qué hizo allí Pablo Inaudi?

—Lo que hizo allí —recitó el corifeo— se llama "La Proposición del Banquete".

Severo Arcángelo se puso de pie, y dirigiéndose a su mesa de trabajo apretó el botón de un tablero semejante al que había visto yo en el escritorio de Bermúdez. En seguida se volvió al corifeo y le dijo:

—Gracias, Impaglione.

Saludó el corifeo y desapareció entre los pliegues de la cortina, llevándose su exhalación vegetal y su texto grabado en la memoria. Entonces, con absoluta naturalidad, el Fundidor me dijo:

—Señor Farías, es todo.

Y me acompañó afablemente hasta la salida del recinto.

VII

Muchos y encontrados eran los pensamientos que se debatían en mí cuando abandoné el *sanctum sanctorum* del Fundidor de Avellaneda. Si por un lado me indignaba el alarde bufonesco de que yo había sido la víctima reciente, por el otro no dejaba de sospechar una razón inteligible (y acaso tenebrosa) escondida en la urdimbre interna de la farsa. Durante mi actuación en el periodismo yo me había enfrentado con todos los matices de lo pintoresco: hasta fui alguna vez, en mi diario, el "Promotor de Monstruos", cuya tarea es la de recibir e interrogar a los taumaturgos, inventores y profetas anónimos que acuden a las redacciones con sus anuncios de prodigios o de calamidades; y en todos ellos me había sido fácil descubrir el soplo de locura o de fanatismo que los animaba. En cambio, cierta lógica brutal se traslucía en los personajes que yo estaba conociendo ahora y cuyo solo fin, tomado a primera vista, era la organización de un Banquete sin pies ni cabeza.

Tales reflexiones me hacía yo cuando, al abandonar el recinto, vi al profesor Bermúdez que me aguardaba.

—Y bien. El Gran Viejo ya le representó su "auto sacramental".

—¿Su auto sacramental? —inquirí yo, tratando inútilmente de sorprender alguna ironía en aquellas palabras.

—Es un drama religioso —explicó Bermúdez— en el cual el Gran Viejo es a la vez el santo, el autor y el actor.

—¿Y qué busca él en ese bodrio?

—Su propia catarsis. El Gran Viejo perfecciona su libro teatral en cada una de las representaciones; y la versión que usted ha escuchado recién ha sido grabada en una cinta fonoeléctrica. Sus variantes felices han de ser incluidas en el texto y recitadas la próxima vez.

—Impaglione —dije yo con algún malestar—, ¿quién es Impaglione?

—Causa una impresión odiosa, ¿no es verdad? Impaglione es el amigo de la infancia, el valet y el coro griego de Severo Arcángelo. Tiene la frialdad y la inconsciencia de una máquina parlante. Olvídelo, ¿quiere? Lo que importa es que usted le ha gustado al Gran Viejo.

—¿Cómo lo sabe usted?

—En mi tablero —explicó Bermúdez— recibí la luz blanca de los "elegidos".

Aún sentí en mi alma un último y desmayado tirón de resistencia:

—¿Y qué pito he de tocar yo en todo esto? —le dije al profesor que ya me contemplaba como a un remero de su barco.

—Según entiendo —me adelantó él—, usted escribirá dos o tres números del *show* que se ha de representar en el Banquete.

—¿Por qué yo?

Sin contestar, Bermúdez esbozó la sonrisa pétrea de una esfinge, rictus no fácil en su blanda carnadura; y me invitó con el ademán a que lo siguiese. A la vera del profesor, y en el silencio que, según dije, presidía toda la casa, recorrí pasillos y descendí escaleras, hasta que uno y otro desembocamos en una salida que nos enfrentó con el parque de Severo Arcángelo. Bosquetes, jardines, grutas, cascadas y matorrales aparecían distribuidos allá en un "desorden armonioso" que concordaba exactamente con toda la organización de aquel mundo en el cual yo intervenía recién! Más tarde, cuando pude atar algunos cabos de tan endiablada madeja, entendí que una relación existía entre el parque y su dueño: "Los Pelasgos —me dijo Inaudi cierta vez— tienen su residencia en La Arcadia" (me dijo "tienen" y no "tenían", lo cual me pareció entonces un anacronismo bastante asombroso). Al acudir al diccionario, supe muy luego que La Arcadia era tenida por los antiguos como una imagen y simulacro del Edén primordial. Naturalmente, yo estaba muy lejos de tan vetustas ideas cuando a la zaga de Bermúdez atravesé las delicias del parque abstraído en un silencio que sólo turbaban los pájaros gritones del atardecer. Llegamos por fin a una construcción de ladrillos ubicada en un ángulo del parque y revestida de hiedras, algo así como un pabellón de caza en su estilo convencional.

—Aquí vivimos el doctor Frobenius y yo —dijo Bermúdez—. Usted vivirá con nosotros: el pabellón es muy confortable.

Entramos en la residencia cuya planta baja se resolvía en un ambiente único, sobria y costosamente amueblado, al que se designaba con el nombre mixto de living comedor. Una mujer de gran belleza y de lujoso atuendo se nos presentó en la semioscuridad del recinto, y al entreverla mi corazón dio un salto: ¿no sería la Enviada Número Tres? En realidad no lo era, ni se le parecía, como no fuese en la "presentación" ostentosa y en el fluido erótico-profesional que yo había descubierto en mi Enviada y que sin duda era el denominador común de todas ellas.

—¿El doctor Frobenius está en la casa? —le preguntó.

—Arriba, en su laboratorio —le respondió la mujer.

—¿Tranquilo?

—No, señor. Tuvo una crisis y vomitó sobre la computadora electrónica. He tenido que inyectarle coramina.

En aquel instante cierta voz angustiosa cayó de lo alto:

—¡Urania! —llamó—. ¡Urania!

La mujer posó en Bermúdez una mirada sin inquietud.

—Es el doctor Frobenius —dijo—. Tiene que volver a sus cálculos.

Y dirigiéndose a una escalera que arrancaba del living comedor, subió los peldaños lentamente. No bien hizo mutis en las alturas, me senté junto a Bermúdez que ya se había dejado caer en una butaca, y le pregunté:

—¿Urania es el verdadero nombre de la criatura?

—¿Usted lo cree? —preguntó él, cazurro.

—No, señor.

—Esa mujer —explicó Bermúdez— es la Enviada Número Dos. Urania es el nombre que le puso Frobenius, y está bien: al fin y al cabo, ella lo libró de sus piojos.

—¿Y por qué Urania?

—El doctor Frobenius —dijo Bermúdez— es un astrofísico.

Y añadió, cambiando de asunto:

—Farías, instálese. Tiene su habitación en el piso de arriba: es la señalada con la letra D. Ya le han traído su equipaje: suba, dúchese y vuelva. Cenaremos a las nueve.

Ascendí por los escalones que llevaban al piso de arriba. Y en el rellano me detuve un instante, con el aliento contenido: alguien sollozaba en alguna de las habitaciones; era un llanto de hombre, convulsivo y patético, al cual se unía una voz de mujer que salmo-

liaba, según me pareció, algo semejante a una canción de cuna.
Se me ocurrió de pronto la idea increíble de que Urania estaría
en aquel recinto incógnito, arrullando al doctor Frobenius para
que se durmiera. La rechacé inmediatamente: "No caigamos en
lo absurdo", me dije; y reanudando la marcha di con la habitación en cuya puerta se leía una D mayúscula. Era una cámara
spaciosa, con su ventanal al parque, sus muebles de estilo y su
baño moderno: en los placards hallé mis ropas y mis objetos
de uso personal meticulosamente ordenados como por un valet de
alta escuela. Dos consideraciones hacía yo mientras tomaba posesión de mi cuarto: la seguridad con que se había previsto mi
asentimiento frente a una empresa tan vaga y general como la de
Severo Arcángelo; y la eficiencia de la "organización", que todo
lo ejecutaba con la regularidad de un cronómetro. Debo admitir
que tales nociones me traían ya un principio de euforia en el cual
identificaba yo mi nuevo pasaje de la concentración a la expansión. Y mi beatitud habría sido completa si la sombra del aún
incógnito doctor Frobenius no se hubiese proyectado allá con
tintes alarmantes; porque nada tranquilizador era dado esperar
de un astrofísico en ruinas que sollozaba durante las noches, aunque la propia Urania lo adormeciese con sedantes canciones infantiles.

En tal disposición y fiel a tales reservas, descendí otra vez a
la planta baja donde Bermúdez, con un libro en la derecha y un
vaso en la izquierda, esperaba sin duda mi regreso.

—Ahí tiene de todo —me dijo, señalándome con el gesto cierta mesita de licores—. Un trago no le vendrá mal a estas horas.

Me serví un whisky doble y lo abordé resueltamente:

—Oiga, Bermúdez —le dije—. Si he de permanecer bajo un
mismo techo con el doctor Frobenius, me gustaría saber qué individuo es, por qué llora como un ternero y qué razón existe para
que siga disfrutando de su Enviada.

Sí, a través de sus gruesos lentes, Bermúdez me observó con
una socarronería que juzgué del peor gusto.

—El doctor Frobenius —me dijo— es un hombre de ciencia. Fue "pescado" en una crisis pavorosa, y aún necesita el "soporte substancial" de la Enviada Número Dos.

—Y para curarlo —dije yo—, ¿le hacen echar los bofes en
una computadora electrónica?

—Los cálculos del doctor Frobenius —explicó Bermúdez—
han de ser utilizados en el Primer Concilio del Banquete. Si
hacen falta más datos, hojearemos el informe de la Enviada.

Encendió todas las luces del living comedor, buscó en un a
chivero y extrajo un expediente de carátula gris.

—Aquí está —dijo, regresando a su butaca. Y leyó—: "E
rique Frobenius, cuarenta y dos años, nacido en una colonia ge
mánica de Misiones. Especialidad: astrofísica. Su obra más n
table: *Dilatación y Contracción del Universo,* demasiado cient
fica, según los literatos, y excesivamente literaria, según los hor
bres de ciencia. Desaparecido misteriosamente del Observator
Nacional de Córdoba. Localizado por nuestros detectives en
Ciudad Jardín, nombre irónico dado por sus habitantes a una "v
lla miseria" de latas y cartones establecida en General Pachec
entre las vías del ferrocarril y el arroyo Basualdo.

—¿Qué hacía él en esos andurriales? —pregunté yo.

—Un hábil interrogatorio al vecindario —dijo Bermúdez—
reveló las peripecias que siguen: a) El doctor Frobenius hace s
aparición en la Ciudad Jardín, empujando una carretilla en
que trae algunas chapas de fibrocemento; elige su parcela y con
truye su choza con una pericia que llena de asombro a sus co
ciudadanos; luego, sin ocupación visible, inicia una existencia e
soledad y mutismo, rebelde a toda comunicación vecinal, pe
afable y cortés a distancia. b) El doctor Frobenius entra en co
flicto con El Bagre, matón, ratero y oveja negra en aquel reb
ño de humildes; El Bagre le reclama el pago de un derecho e
piso, y el doctor Frobenius no hace lugar a la demanda; El B
gre apela entonces a la vía contundente, y el doctor Frobeniu
atacado, le aplica una toma que hace rodar a El Bagre pe
el terreno con dos costillas rotas; ante los ojos del vecind
rio, el doctor Frobenius cobra la estatura de un héroe regie
nal. c) En un rapto de euforia el doctor Frobenius reúne a le
chiquilines de la villa en una escuela de su invención; pero e
tercer día la clausura de súbito, aduciendo que se había dejad
vencer por un remanente de "ponzoña cultural". d) En los ir
tervalos que median entre sus euforias y sus depresiones el do
tor Frobenius, en adelante, atiende a los enfermos de la Ciuda
Jardín, barre las chozas de las viudas, sulfata los repollos de la
microhuertas vecinales, da manos de cal a los piojosos gallinero

organiza bailes de sábado a la noche, sin otros elementos que una damajuana de vino y la música de su armónica en la cual ejecuta él un variado repertorio; durante sus crisis, entierra la armónica bajo el rosal de una vieja llamada Misia Concepción, vive recluido en su cubil de fibrocemento, y desde afuera se le oye monologar y roncar alternativamente.

Bermúdez levantó sus ojos de la carpeta y añadió:

—Tales eran los elementos que se poseían cuando la Enviada salió en busca del doctor Frobenius.

—¿Y cómo se las entendió ella con el energúmeno?

—Muy sencillamente —me respondió Bermúdez—. Aquí están sus mismas palabras.

Y leyó:

—"En la ubicación y circunstancias establecidas encontré hoy al hombre del caso. ¿El doctor Frobenius? —le pregunté—. Me clavó el hombre sus ojos irritados y me dijo: ¿Quién demonios es usted? Entonces dejé caer en su oído las palabras indicadas. Y el hombre, sin inmutarse, realizó los gestos que siguen: donó su choza y sus útiles al más viejo de la tribu; desenterró su armónica sepultada bajo el rosal de Misia Concepción; y me siguió entre montones de latas vacías y peladuras de legumbres que fermentaban al sol."

Guardó Bermúdez el expediente y regresó a su vaso. Yo acudí al mío, reflexionando en aquella historia. Si era verdad que Severo Arcángelo buscaba hombres de frontera para sentarlos a un presunto Banquete, ¿desde qué situación fronteriza llegaba el doctor Frobenius? No hubo lugar a que yo me reiterase la pregunta, ya que el astrofísico en persona y la Enviada Número Dos bajaron en aquel instante por la escalera. Me puse de pie, y Bermúdez hizo una presentación lacónica.

Magro y recio a la vez, el astrofísico mostraba empero un aire de laxitud general, como si hubiese desertado viejas y tirantes consignas: la mano que me tendió era blanda y húmeda como el cefalotórax de un molusco; pero en sus ojos grises ardían y se disipaban relámpagos de no fácil diagnóstico. Se dejó caer en un sofá, y la Enviada tomó asiento a su derecha.

—¿Es usted un científico? —me preguntó él en tono descorazonado.

—El señor Farías es un hombre de letras —le aclaró Bermúdez.

—Menos mal —sentenció Frobenius. Y añadió, en un arranque de ira—: la Ciencia carece de todo "valor explicativo". ¡No revela un corno!

La Enviada le tomó una mano y le dijo:

—¡Acuérdese, doctor!

—Urania —repuso él—, no estoy agitado. Pero una ciencia que arranca de la duda y se dirige a la duda por entre la duda, es un infierno, y no muy caro. Una verdad que no sea "indudable" no es una verdad. ¿Qué hacemos nosotros? ¿Me dirás que Ciencia? No, señor: nosotros hacemos algo así como el turismo de la duda.

—¿Quién lo niega? —le susurró la Enviada como si tranquilizase a un niño.

El doctor Frobenius dejó caer lentamente su cabeza en el regazo de la mujer:

—Urania —le dijo—, ese metalúrgico tendrá sus cálculos esta noche. ¿Para qué diablos necesitará él todos esos millones de galaxias? ¡A mí me revientan!

Cerró los ojos, y acomodando su cabeza en los muslos de la Enviada pareció adormecerse. Un valet de chaqueta blanca entró como un espectro en el living comedor, y lentamente comenzó a disponer la mesa en un ángulo del recinto. Sonriendo como lo haría un número, la Enviada nos aconsejó:

—Cenen ustedes. El doctor Frobenius tomó arriba su vaso de jugo de tomates.

Mientras el valet continuaba preparando la mesa, demoré mis ojos en Urania y en el hombre que ya dormía en su regazo. Frobenius tenía razón: con sus pechos de aritmética, sus muslos pitagóricos y sus manos de abrir compases, la Enviada Número Dos era una imagen viviente de la Astronomía.

VIII

Esa noche (la primera que dormía yo en el chalet) mi sueño fue intranquilo y numeroso de fantasmas. Me veía sentado a la mesa de un banquete gigantesco, todos cuyos comensales, empuñando cuchillos y tenedores, intentaban dividir y comer los duros poliedros regulares que mucamos insistentes como demonios arrojaban a sus platos. Desde una tarima ubicada junto a la mesa, Impaglione, con voz en falsete, declamaba la nómina de los elementos que figuran en la tabla periódica de Mendeléjev, con sus factores de cohesión y sus números y pesos atómicos, bajo la mirada irónica de Severo Arcángelo, el cual nos presidía en la cabecera, envuelto en un piyama negro con bastones amarillos que establecía un rudo contraste con nuestros ridículos fracs de alquiler. Yo me debatía con un enorme icosaedro de material sólido, cuya naturaleza escurridiza burlaba los afanes de mi tenedor; y era tanta mi angustia frente a esa tarea imposible, que desperté sobresaltado y me vi en mi ostentosa cama de huésped a quien se distingue. Simultáneamente, y desde las habitaciones internas del pabellón, me llegaron las notas brincantes de un carnavalito norteño ejecutado en armónica. ¿En armónica? El único habitante del chalet que poseía ese instrumento era el lloroso astrofísico de la víspera; y el carnavalito instalaba en el aire sus alegres escalas pentatónicas. ¿Habría el doctor Frobenius reconstruido su alma en las rodillas de la Musa?

En esos pensamientos estaba yo cuando el profesor Bermúdez entró en mi dormitorio y, dirigiéndose al ventanal, descorrió las cortinas de terciopelo, abrió los dos batientes y permitió que la luz del nuevo día irrumpiera en el recinto. Lanzas de sol, aromas de árboles y gritos de pájaros vinieron con la luz; y desvanecidos ya en mí los fantasmas nocturnos, tuve la muy agradable sensación del hombre que, invitado a un *week end,* se despierta en los mismos brazos de la égloga. El propio Bermúdez, rutilante de calvicie, mejillas y anteojos, colaboraba sin saberlo en aquella versión optimista de mi ánimo, ya que a su euforia matinal se unía cierto aire deportivo logrado con los pantalones, las medias y los zapatos de golf que llevaba él con bastante soltura para un filósofo. Desgraciadamente, cierta carpeta roja de tipo burocrático desentonaba no poco en una de sus axilas.

Mientras un valet frescotón instalaba sobre mi esqueleto yacente una mesita de desayuno, le pregunté a Bermúdez quién era el ejecutante del carnavalito y por qué lo ejecutaba. Me respondió que Severo Arcángelo, hacia el amanecer, había hecho al astrofísico una visita enigmática, tras de la cual el doctor Frobenius, en alas de una exaltación que hasta entonces no había manifestado, besó a Urania en sus dos cachetes, exhumó su armónica enterrada en una maceta de tulipanes y se puso a tocar el carnavalito en cuestión.

—¿Por qué un carnavalito y no el Danubio Azul? —inquirí yo tras un sorbo de café negro.

—A mi entender —conjeturó Bermúdez—, ese carnavalito está vinculado a la Cuesta del Agua.

—¡Naturalmente! —asentí yo con la ironía de quien recibe una explicación en chino.

Sin acusar la indirecta, Bermúdez añadió:

—Lo cierto es que Frobenius ha regresado a su computadora electrónica. Y la velocidad de las galaxias en fuga está casi resuelta en números redondos.

—¡Aleluya! —reí yo—. ¡El Primer Concilio del Banquete se ha salvado!

Pero Bermúdez no me acompañó en aquella hilaridad. Antes bien, tras anunciarme solemnemente que Severo Arcángelo había partido ese amanecer con rumbo incógnito, abandonó en mis manos la carpeta roja que traía y cuyo título, en letra gótica, rezaba: "Operación Cybeles." Desconcertado, le pregunté a Bermúdez qué tenía yo que ver con aquella figura mitológica. Me respondió que se trataba de mi primer trabajo para el Banquete:

—Consiste —añadió— en visitar a una mujer cuyo nombre, dirección y esquema encontrará usted en el expediente.

Me sentí arrebatado por la indignación:

—¿Quiere decir —pregunté— que se me da la categoría de un Enviado cualquiera?

—No, señor —me aclaró Bermúdez—. Porque se trata de una mujer y no fácil.

—¿Por qué no va usted? —le dije yo todavía colérico.

A través de sus anteojos Bermúdez hizo llover sobre mí una mirada entre cordial y socarrona.

—Yo no tengo su apostura física —me objetó él—. Por otra parte, los directivos del Banquete cifran muchas esperanzas en sus condiciones de observador.

Tras de lo cual hizo mutis por donde había entrado.

Quedé bastante satisfecho, cosa natural en un hombre al que se le acaban de revelar dos virtudes cuya posesión había ignorado hasta entonces. Acabé mi desayuno, encendí un cigarrillo y abrí el expediente donde, a fojas uno, estaba escrito el nombre de la mujer, Thelma Foussat, y su dirección en un barrio pobre de Buenos Aires. El "esquema" de la mujer era del propio Severo Arcángelo, y decía:

"Hace aproximadamente un año asistí al sepelio de un antiguo capataz de la Fundición. Como no existieran nichos vacantes, el ataúd fue instalado en una gran barraca de madera y de cinc, donde se apilaban ya otros ataúdes al descubierto en estibas y catres numerados. Al terminar la ceremonia fúnebre me disponía yo a salir de aquel galpón, cuando, arrodillada en el suelo y abrazándose a una caja mortuoria de la primera fila, vi a una mujer extremadamente joven y de gran belleza. Ni una lágrima, ni un gesto, ni un murmullo rompían su asombrosa inmovilidad; ni se animó ella durante los minutos largos que me detuve a observarla. Por fin abandoné aquel depósito interino de la muerte, y buscando a su guardián lo interrogué acerca de la mujer y del ataúd al que parecía encadenada. Me respondió que, desde la fecha del sepelio (unos quince días atrás), la mujer visitaba el depósito y permanecía en él todo el tiempo del horario administrativo. Con tan útil información, y tras anotar los números de la estiba y el catre asignados al féretro desconocido, me dirigí a las oficinas de la necrópolis y averigüé que su ocupante se había llamado Juan Foussat, y que su viuda, Thelma Foussat, con domicilio en calle y número que también me dieron, era la responsable titular del ataúd y de sus gastos consiguientes. Más adelante, cuando el maestro Inaudi me habló de la "Operación Cybeles" como indispensable a nuestros fines, entendí que Thelma

Foussat era la "materia prima" que se necesitaba y que buscábamos. Acercándose la hora de iniciar la "Operación Cybeles", es de urgencia conocer el estado en que se halla hoy Thelma Foussat, si es que vive todavía. Para lo cual el señor Lisandro Farías deberá trasladarse al domicilio de la nombrada y estudiar su naturaleza con 'objetividad periodística'. Quiero decir que, frente a esa mujer, sólo ejercitará sus facultades de observación, sin dejarse ganar por tendencia emotiva de ninguna especie. Todas las trasgresiones que el señor Farías cometa en este sentido han de ser penadas con otros tantos descuentos en la cifra de sus honorarios, tal como lo disponen los Estatutos del Banquete."

Sin mucho asombro (estaba ya curándome de espanto) releí el texto de la misión que a mi pericia se confiaba. Pese a su amenaza final de una sanción administrativa cuyo tono pedestre me chocó bastante, dos anotaciones que hice yo *in mente* confortaron mi espíritu: según la primera, no se me confería el simple oficio de un Mensajero, ya que se apelaba esencialmente a mis dotes de observador y hasta de psicólogo; la segunda connotación abría un horizonte inmenso a mi curiosidad de hombre de prensa y también a mi sensibilidad latente de lírico fracasado, pues no dejaba yo de advertir que la substancia de Thelma Foussat era digna de Poe, aunque ignorase aún qué diablos harían con ella en la "Operación Cybeles". Uno y otro incentivos me lanzaron fuera de la cama y me indujeron a un *toilette* cuya minuciosidad me desconcertó cuando, frente al espejo, me pregunté a mí mismo si me acicalaba para un lance de amor o para recoger informes acerca de un espectro abrazado a un ataúd.

Cuando salí del pabellón y me interné en el parque de Severo Arcángelo rumbo al garaje, descubrí que la primavera se insinuaba ya en el brote de los alerces y las glicinas. ¿Glicinas? El aroma reciente de la Enviada Número Tres me acarició las narices: no era la Enviada, sino las glicinas en persona. Más adelante, y en un cruce de senderos, me detuve a contemplar los gorriones que se revolcaban en el polvo: mil veces los había visto así en el sur y en primavera, como si estuviesen rascándose las pulgas o el amor. Y los bendecía yo en mi alma, cuando advertí a dos individuos que, desde un cantero, se entregaban a la misma contemplación. Eran dos hombres cuyos rostros de fuerte máscara, trajes excéntricos y expresión irónica me pareció haber encon-

trado alguna vez, no sabía dónde: consideraban el juego de los
gorriones, y al punto se volvían el uno al otro para mirarse con
jetas amargas y sonrisa venenosa. No pudiendo soportar el aire
negativo de aquellos hombres, los enfrenté decididamente:

—Vamos a ver —les dije, indicando a los pájaros—, ¿qué
tienen que reprocharles a esas criaturas?

Pero los dos individuos, tras observarme con reposada malevolencia, se tomaron del brazo y desaparecieron entre un macizo
de cañas de la India. Me encogí de hombros y me acerqué al
garaje. Junto a las cocheras tuve una iluminación repentina: sí,
aquellos hombres parecían dos *clowns* de circo, bien que ju-
bilados.

IX

El automóvil que me llevaba se internó en una callecita de Ortúzar y se detuvo frente a una casa de aspecto neutral, a cuya puerta llamé con bastante recelo, pues la misión que se me había encomendado era tan espinosa en su asunto como violenta en su trámite. ¿Cuál sería la reacción de los moradores de aquella casa herida por la muerte, ante una investigación que, como la mía, llevaba todos los visos de una desnuda impertinencia? No había contado yo con la bien aceitada organización del Banquete: al abrirse la puerta, un hombre y una mujer se adelantaron a mi saludo; con absoluta naturalidad me introdujeron en un patio gritón de malvones, y desde allí en un comedor que sin duda era el recinto vital de la casa.

Entre cuatro paredes cubiertas de un papel abigarrado vi una mesa tendida, en torno de la cual, y frente a sus platos vacíos aún, aguardaban una vieja señora, con el tipo convencional de las abuelas presidentes, otra mujer entrada en años que traducía muy bien el carácter de la hermana solterona, y un niño absorto en el barco de papel que tenía en su diestra tal vez con la ilusión de hacerlo navegar en el caldo inminente de su escudilla. La mujer y el hombre que me habían introducido en el comedor insistieron en que me sentara entre la abuela y la solterona, y se ubicaron luego en la mesa, expectantes y a la vez tranquilos. Entonces les pregunté si Thelma Foussat aún vivía en la casa; y a manera de respuesta muda cinco pares de ojos me señalaron la puerta del comedor que, según presumí, daba inmediatamente a la cocina. Bajé la voz, como ante una prudente advertencia; pero el hombre me dijo que ya no era necesario. En seguida, mediante un somero interrogatorio, averigüé lo siguiente:

a) Durante un mes Thelma Foussat pasó todas las horas en la barraca del cementerio, tal como se leía en el apunte de Severo Arcángelo, pues una desazón terrible la empujaba diariamente al ataúd de su marido. b) Cuando el ataúd de Juan Foussat logró su instalación definitiva, Thelma dejó de acudir a la necrópolis: la losa con que habían sellado el nicho pareció abrir una distancia ya insalvable entre la mujer y el difunto. c) A partir de aquella hora, Thelma Foussat había trocado su desazón por una calma no menos inquietante, ya que no venía de consuelo alguno, sino de cierta "vacuidad" que la iba ganando hasta ponerla en los confines del aniquilamiento.

Estas conclusiones me fueron sugeridas por la mujer, el hombre y la solterona, puesto que de la abuela sólo conseguí una sonrisa y un lagrimeo tan permanentes como abstractos. Y anotaba yo *in mente* los informes obtenidos, cuando la propia Thelma Foussat hizo su aparición en el acceso a la cocina, trayendo con sus dos manos una sopera humeante.

Alta y recta como una espiga de trigo (a la cual también se asemejaba en el dorado mate de sus trenzas y en una sequedad interior que parecía reabsorber sus ojos y resquebrajar su piel), Thelma Foussat ostentaba sin quererlo una hermosura tremenda bien que angustiosa en su pura exterioridad. "Sí, exterior —anoté mentalmente—, como un templo del que sólo restan en pie las columnas y el frontis, más allá de los cuales y a su alrededor sólo queda el baldío." (¡Muy bien, Lisandro!) Pero Thelma Foussat ya se desplazaba en torno de la mesa, ofreciendo, como un autómata, la sopera que traía. "Está girando alrededor de la mesa como un satélite muerto —anoté yo entonces—: obedece aún a las leyes mecánicas de la gravitación familiar, pero no hay en ella ni atmósfera ni agua ni vida." (¡El doctor Bournichon adoraba estas comparaciones!) Cuando Thelma se inclinó junto a mí para ofrecerme la sopera de marras, el olor de la mujer invadió mis narices: ¿no se parecía tal vez a esa mezcla de aromas florales y vahos de ataúdes con filtraciones, que se da en algunos mausoleos antiguos? "No exagerar la nota —me dije prontamente—. ¡Ojo a las multas de Severo Arcángelo!" En rigor de verdad Thelma olía sólo a viejos cajones, a ropa entrañable y a cisterna con musgos y ranas adentro; y no bien hubo concluido su órbita en torno de la mesa, regresó a la cocina. La seguí al punto, con el tácito consentimiento de los comensales:

—Thelma —le susurré—, ¿y Juan Foussat?

—Juan —silabeó ella sin tono alguno.

—¿Lo ha olvidado usted?

Thelma Foussat no pareció entender mi pregunta, ni oírla siquiera. No obstante, advertí un murmullo que brotaba de sus labios y parecía el fragmento de un monólogo íntimo en exteriorización:

—Yo estoy con él —dijo—. Pero es difícil. Como no sé dónde se ha ido y está, no puedo saber dónde yo estoy ahora. Nadie lo entiende, y yo tampoco.

Volcó en una fuente de loza el contenido de una marmita. Y vólví al comedor familiar, donde me aguardaban ojos interrogadores.

—Ella está como lo hemos previsto —afirmé yo con astucia, pues en el caso de Thelma Foussat aún me veía en la ignorancia de un chivo emisario.

Y les pregunté, como quien arroja un anzuelo:

—¿Han oído hablar de la "Operación Cybeles"?

En sus ojos interrogantes advertí que nada sabían ellos, visto lo cual di por terminada la investigación. De regreso, y mientras ordenaba en el vehículo mis observaciones, pensé que a todos los futuros comensales del Banquete nos habían arrancado de una frontera ominosa. Luego, ¿en qué límite se hallaba Thelma Foussat? Un escalofrío me recorrió las vértebras al preguntarme si la viuda no estaría en los confines del ser con la nada.

Era mediodía cuando volví a San Isidro y a la mansión de Severo Arcángelo. Atravesé las galanuras del parque rumbo al chalet de mi alojamiento. Y al pasar junto al "Circo de los Gorriones" (que así lo llamaría en adelante), busqué a los dos hombres con apariencia de *clowns* que tanto me habían ofendido esa mañana con su aire derrotista: no estaban allí ni en las inmediaciones.

Al entrar en el chalet vi que la mesa ya estaba servida y que a su alrededor me aguardaban el todavía matinal Bermúdez, el doctor Frobenius y la musa Urania (la seguiré llamando así, ya que nunca supe su verdadero nombre). Al tono dramático de la noche anterior había sucedido en la mesa una euforia especial que, según advertí muy luego, provenía enteramente del astrofísico: entregado a la lectura de una revista de ciencia, el doctor Frobenius almorzaba parcamente y bebía como un fanático cierta maceración de ananá y champagne que llenaba una ponchera er-

guida estratégicamente a su alcance. Junto al astrofísico, Urania,
compartiendo las libaciones de su ahijado, mostraba unos ojos
discretamente brillantes y una sonrisa de claro teorema: "El Álgebra en copas" —la definí yo sin ocultar mi entusiasmo—. De
pronto el doctor Frobenius tiró al aire su revista y empezó a
reír a borbotones.

—Amigos —nos explicó—, en la Royal Astronomic Society,
el profesor Hoyle y el profesor Ryle se han tirado a la cara sus
respectivas cajas de compases.

—¿Una disputa científica? —inquirió Bermúdez atareado con
un ala de pollo.

—A muerte. ¿Y saben ustedes por qué? Porque sostuvieron
dos teorías contrarias acerca del origen y expansión del universo.

—Esas dos teorías —intervine yo— ¿son tan opuestas?

—Imagínese usted —me respondió el astrofísico— una zanahoria vista de punta y luego de cabeza. ¿Es o no la misma zanahoria?.

—Es la misma —le concedí.

—Pues bien —afirmó el sabio—, mister Hoyle y mister Ryle
se han batido por la misma zanahoria.

Volvió a soltar una risa de walhalla, no sin llenar de nuevo
su copa y la de la musa.

—Y con el agravante —añadió— de que la zanahoria no vale
un pepino.

Lo estudié con irrefrenable simpatía:

—Doctor —le dije—, anoche no estaba usted en tan buena
disposición. ¿Ha sucedido algo?

—¡La revelación estupenda! —exclamó el astrofísico al parecer extasiado.

Y tras empinar el codo, se volvió a la musa y le reclamó:

—¡Urania, mi armónica!

En aquel instante observé que Bermúdez fruncía su entrecejo.

—¿Qué revelación? —pregunté yo con la sonrisa blanca de
los no iniciados.

—¡La revelación increíble! —dijo el hombre de ciencia—.
¡Urania, mi armónica, por favor! El Banquete supera todos los
intentos de la cosmonáutica, y el Viejo Peludo es un as. ¡Lo digo
y lo redigo!

Ante una señal de Bermúdez, Urania se puso de pie y tomó

al astrofísico de una mano. Éste se incorporó a su vez, lleno de furor polémico, y dio en la mesa un puñetazo que hizo trastabillar las copas:

—¡Digo y redigo —vociferó— que nos están lanzando a una formidable operación de "intranautas"!

Pero la musa lo conducía ya rumbo a la escalera. El doctor Frobenius la siguió dócilmente, bien que tambaleándose, riéndose y pidiendo a gritos la devolución de su armónica. Y antes de subir el primer peldaño, se volvió hacia nosotros con el índice tendido:

—El átomo de hidrógeno —sentenció— es el mejor chiste que le han hecho a Jehová.

Trepó la escalera, sostenido por Urania. Entonces le dirigí a Bermúdez una mirada inquisitiva. Pero el calvo profesor, defendido en su coraza hermética, se limitó a preguntarme:

—¿Logró verse con la señora Foussat?

Le respondí afirmativamente. Y estaba yo por endilgarle mis informaciones acerca de la viuda, cuando Bermúdez me detuvo en seco:

—No —me dijo—: todo eso lo consignará usted en el expediente. Recuérdelo: yo no soy más que un enlace intermediario entre usted y los directivos del Banquete.

Me sentí dominado por una ola de indignación:

—¿Podría revelarme al menos —le pregunté— qué hacen en esta casa dos individuos mal entrazados que vi hoy en el parque?

—Descríbalos —me alentó Bermúdez plácidamente.

—Son dos pelmazos con un aire tal de suficiencia, que me gustaría romperles las caras.

—Y esas caras, ¿le sugieren algo?

—Se parecen a dos *clowns* de circo.

Bermúdez me contempló admirativamente:

—Son dos *clowns*, en efecto —asintió—, aunque retirados ya de la farándula.

—¿Y cuál es el pito que tocan los dos *clowns* en este bodrio?

Tras un silencio inteligente, Bermúdez me preguntó como al azar:

—¿Sabía usted que Sócrates tuvo un gallo?

—No, señor —le respondí secamente.

—Pues lo tenía —me aseguró Bermúdez—. Y cierta vez el

esclavo Ántrax, un filósofo en pantuflas, robó el gallo de Sócrates, lo desplumó secretamente, lo metió en la olla y lo hizo hervir un día y una noche. Después, al intentar comerlo, Ántrax perdió todos los dientes, pues el gallo estaba tan duro como al principio.

—¿Qué me quiere decir con esa fábula ridícula?

—Yo que usted —me aconsejó Bermúdez— pondría en la olla de Ántrax a los dos *clowns*, y los dejaría cocinar más tiempo. ¿O cree usted que, sin poseer una buena dentadura, se puede morder la cáscara de los símbolos?

Nada le respondí, embrollado como me sentía; y subimos ambos a la otra planta con la intención de una siesta. Ya en mi cuarto, y tendido en la cama, no logré conciliar el sueño; porque a través de las fisuras abiertas por el astrofísico en su borrachera y detrás de lo que Bermúdez había querido sugerirme, con su apólogo, acerca de los *clowns*, la empresa del Banquete perfilaba otra vez ante mis ojos algo más de su envergadura monstruosa. En mi desvelo abandoné la cama, tomé la carpeta de la "Operación Cybeles", y en sus fojas vacías redacté mis observaciones atinentes a Thelma Foussat. Pero había resuelto ya en mi alma buscar esa tarde a los *clowns* y exprimirles algo de lo que sin duda sabían.

X

Hacia el anochecer me fue dado toparme con ellos, no en el Circo de los Gorriones, como esa mañana, sino debajo de una glorieta improvisada junto a los gallineros. Los *clowns*, abstraídos al parecer en el estudio insultante de una hilera de hormigas que llevaban flores de manzano en sus lomos, no dieron señales de advertir mi presencia; lo cual era favorable a la disección minuciosa que yo necesitaba realizar con los dos personajes, ya que Bermúdez me había señalado en ellos la posibilidad de un simbolismo. A decir verdad, la cáscara externa de los *clowns* o de la figura simbólica en ellos encarnada no podía ser más desilusionante: uno y otro estaban ahora en camiseta, pantalones bombilla y alpargatas de soga, todo lo cual sugería en ambos una combinación de malevo en la intimidad e indolente vecino de suburbio. Con excepción de sus caras histriónicas, los dos *clowns* diferían bastante: uno, visto de frente o de perfil, se asemejaba en su flacura y rigidez a un gancho de carnicería; el otro, pequeño y gordinflón, daba la imagen de un Sancho bien metido en grasa pero sin inocencia.

Entendiendo yo al fin que intencionalmente no se daban por observados, me adelanté hacia los dos contempladores de hormigas:

—Buenas tardes —les dije con voz neutral.

El *clown* en forma de gancho volvió a mí su jeta de vinagre:

—¿Buenas? —refunfuñó—. ¿Por qué?

—Y aunque fuesen buenas, ¿qué nos importa? —me agredió el otro.

Bajo sus cortezas beligerantes me pareció advertir, más que una hostilidad, un fondo prudente de recelo.

—Me llamo Farías —les dije.

—¿Su nombre verdadero? —receló el payaso ganchiforme—. ¿O el que le dio aquí el Viejo Crápula?

—Lisandro Farías —insistí.

Ellos intercambiaron una mirada consultiva.

—Somos Gog y Magog —dijo al fin el payaso ganchiforme—. Yo soy Gog y este camarada es Magog.

—Naturalmente —aclaró el payaso de figura sanchesca—, es el nombre que nos dan en este lujoso prostíbulo. El Viejo Sátiro no respeta ni el nombre que le tocó a uno en los óleos y el que nos eligió nuestra santa madrecita. ¡Gog! —exclamó dirigiéndose a su compinche—. ¡Te juego a quién tiene más ganas de llorar!

—Pago —aceptó Gog flemáticamente.

Y sin apartar de mí sus ojos desconfiados me preguntó:

—¿Usted es el "nuevo"?

—Desde ayer figuro en la empresa —le dije—. ¿Quién es el Viejo Sátiro?

Los dos *clowns* dieron hacia mí un paso de amenaza:

—¡Increíble! —dijo Gog señalándome con un dedo roñoso—. ¿Quiere darnos a entender que no conoce al Viejo Capitalista?

—Gog —acusó Magog indicándome a su vez—, o este sujeto ha caído recién de la higuera o es un espía del Viejo Truchimán Libidinoso.

—¡No es verdad! —protesté—. Farías es mi nombre, acabo de ingresar en la organización y soy tan inocente como estas hormigas.

Palideció Magog como bajo un insulto:

—¡Estas hormigas no son inocentes! —gritó—. ¿Trabajan? Luego, ¡han pecado!

Uno y otro se dieron a la tarea ruin de aplastar el escuadrón de himenópteros bajo sus alpargatas. Y mientras lo hacían, anoté *in mente* las dos observaciones que siguen: a) los *clowns* estaban usando un idioma que no correspondía de ningún modo a la vulgaridad insanable de sus camisetas; b) pese a los elementos bufos que introducían en su actuación, una dignidad como de cuna se dejaba traslucir de pronto en sus gestos amargos y en sus palabras ofensivas. Entonces recordé a los muchos "raros", poetas y filósofos tal vez geniales, que habían escondido sus frustraciones y resentimientos bajo las carpas circenses o en los tabladillos de cómicos de la legua. Y sentí al punto, frente a los *clowns*, un desbordamiento de solidaridad piadosa.

Concluida la matanza, Gog y Magog se dignaron volver a mí sus ojos escrutadores:

—¿Lo recibió ya el Viejo Crápula? —me dijo Gog.

—Ayer mismo —le respondí—, no bien hube ingresado en la Compañía.

—¡La Compañía! —rió Gog, si es que un gancho puede reír—. ¿Y sabe usted, aproximadamente, quién es el Viejo Sátiro?

—No tengo por ahora la menor idea.

—¡Es el que les revienta los ojos a los pajaritos! —definió Magog con dolorida puerilidad.

—Magog —le dijo entonces Gog refiriéndose a mí—, no hay duda que a este sujeto lo han conchabado por dos o tres níqueles. Este sujeto es un habitante nato de la palmera: si lo estudiáramos en su corte longitudinal y vertical, entenderíamos que se clasifica en la especie de los "giles" inefables. Y bien, ¿se lo decimos?

—¿Decirle qué? —preguntó Magog.

—Todo.

Una ráfaga heroica pareció animar la figura sanchesca de Magog:

—Sí —dijo—, nos cabría "ese honor y esa responsabilidad".

Vencidas ya sus reservas los dos *clowns* me invitaron a que los acompañase hasta un edificio levantado junto a los gallineros y cuya rusticidad me recordó los pabellones de jardinería que se ven en las residencias ilustres. Al entrar, y como ya cerrase la noche, Gog encendió las luces y me advirtió:

—No haga ruido. Las estúpidas gallináceas ya están durmiendo: si despiertan, armarán un escándalo.

Me deslicé como un fantasma en lo que suponía era el cuartel general de los payasos, y me senté con ellos en torno de una mesa tambaleante. Una mirada furtiva me permitió ver que todo allá daba la sensación de un taller mixto, útil a la mecánica y a la electrónica, según lo decían los cables en rollo, las válvulas y condensadores, las herramientas en sus bancos, distribuidos al azar y en un desorden increíble. A foro derecha, como dicen los dramaturgos, vi las camas de los *clowns*, revueltas de cobijas y en verdad miserables. Ya instalados los tres, Gog tomó la palabra y me dijo:

—¿Quiere saber en qué trampera lo han cazado?

Y sin aguardar mi respuesta se volvió a su adlátere:

—Magog —lo volvió a consultar—, ¿se lo decimos o no?

—Sería "una obra de bien público" —le sugirió Magog, rico en lugares comunes.

Gog me contempló un instante con insolencia:

—¿Usted se llama Farías? —me preguntó.

—Tal es mi nombre —le dije.

—No es una recomendación.

—Lo admito.

Satisfecho, al parecer, de mi humildad, Gog expuso, en falso tono de mesa redonda:

—Usted sabe (o mejor dicho no sabe) que la burguesía, desde que usurpó el trono del mundo, ha lanzado a la circulación un tipo de hombres en obscenidad creciente. A su obscenidad de la riqueza (en cierto modo cómica pero nunca inofensiva) el Capitalismo burgués fue añadiendo en el curso de los años otras obscenidades menos inocentes. Y conste que no soy un dinamitero.

—Yo tampoco —intervino Magog con altura—. La nitroglicerina debe utilizarse, a mi juicio, en empresas más nobles.

—Magog es un altruista —me anunció Gog solidario.

Y dijo, prosiguiendo su discurso.

—En su primera etapa el Burgués triunfante se llenó de ridículo al pretender imitar el lujo, la dignidad y aun el despotismo de los grandes. El Burgués nos hizo reír en los escenarios y llorar en las fábricas. Y conste que no soy un anarquista.

—Ni yo —volvió a decir Magog—. A mi entender el total aniquilamiento de la Burguesía es un error económico. ¿Y sabe por qué? Porque los burgueses, cremados en hornos de temperatura uniforme, dan cenizas muy rendidoras en potasio que constituyen un abono ideal para nuestras llanuras cansadas.

—Magog es un patriota vocacional —alabó Gog en éxtasis.

Y retomando la hebra de su exposición dijo:

—Lo triste sucedió cuando el Burgués, al alcanzar el grado último de su refinamiento posible (que no es mucho); se dio a imitar las orgías de Babilonia y los escandaletes romanos. El Capitalismo burgués, justo es reconocerlo, no inventó la pornografía: le faltaba imaginación para ello. Lo que realmente hizo fue "democratizar" la pornografía, que siempre había sido un lujo minoritario. ¿De qué modo lo consiguió el Burgués? Comunicándole su propia y grosera vulgaridad: primero divulgó y universalizó la pornografía; y en última instancia la "industrializó" para servir a su numerosa clientela.

Dolorido era el acento de Gog al formular esas observaciones y consternado el aire con que Magog las iba siguiendo. En realidad, uno y otro se parecían bastante a ciertos moralizadores que yo conocí en su tiempo y que, sin frescura evangélica ninguna, se daban golpes en el esternón y gemían muy a lo vivo ante las aberraciones de la ciudad terrestre.

—¿Y adónde nos lleva esa disquisición de tipo sociológico? —inquirí yo desorientado.

—Nos lleva —me respondió Gog— al Viejo Truchimán Libidinoso y a su cacareado Banquete.

Debió de observar en mí algún rictus incrédulo, porque añadió:

—¿Lo duda?

—No lo dudo —aseguré yo falsamente.

—¡Lo está dudando! —me acusó Magog ante su compinche—. ¡Gog! ¿Lo saco de aquí a patadas?

—No sé qué decirte —vaciló Gog en un remanente de su cautela.

—Nos cabría "ese honor y esa responsabilidad" —le sugirió Magog entusiasmado.

Entendí que una pateadura de los *clowns,* obrada sobre mi humanidad, era ya inminente. Pero Gog se inclinó de súbito a la tolerancia.

—Seamos parcos —le dijo a Magog—. Este sujeto que responde al nombre de Farías es un despistado irredento. El Viejo Truchimán ya le ha representado sin duda su farsa de malandrín arrepentido.

—¡Ayer por la tarde! —le aseguré, lleno de gratitud.

—¡Desconfíe del Burgués cuando le da por la beatería! —me aconsejó Magog en tono fúnebre.

—¿Cómo? —pregunté yo en mi recién admitida inocencia—. ¿Es una farsa?

El semblante de Gog tradujo una mezcla de ira y de perplejidad:

—Una farsa —declaró—, pero con sus muy sospechosos ribetes de masoquismo y de locura exhibicionista. Sí, el Viejo Crápula tiene sus bemoles. ¿Usted se asombraría —me preguntó con aire fanático— si yo le dijera que, fingiendo austeridad cuando tiene público, el hombre se levanta de la mesa sin probar bocado, y que luego, a medianoche, se desliza como un ladrón hasta las refrigeradoras para tragar como una bestia todo lo que allí le ha dejado su infame valet?

—¿Qué valet? —inquirí yo reminiscente.

—Un tal Impaglione —aclaró Magog—. Nosotros lo llamamos El Alcahuete en Fa Sostenido.

Al oír aquel nombre Gog puso en mí sus ojos llenos de inteligencia:

—Si usted escuchó atentamente la farsa del Viejo Truchimán —me dijo—, habrá observado cómo desdobla él su conciencia maldita en ese cretino·de Impaglione.

—¿La conciencia le remuerde por aquellos fundidores ametrallados? —volví a interrogar.

—Eso desearía él que se le creyera —intervino Magog—. Naturalmente, un crimen social no es tan directo como un asesinato vulgar y silvestre.

Gog tradujo un despunte de alarma cuando interrumpió a su adlátere:

—Magog, ¿se lo decimos?

—"Con la verdad ni temo ni ofendo" —cacareó Magog que adoraba las frases hechas—. ¿Es o no una verdad el tercer eucalipto del sector izquierdo?

Y clavándome sus ojos duros me reveló:

—Hay en el parque una doble fila de eucaliptos que usted habrá observado ya. En ciertas medianoches (las del nueve de cada mes) el Viejo Crápula sale a escondidas y se dirige al tercer eucalipto de la izquierda. Una vez allí, se da golpes de pecho, solloza fuerte y hasta el amanecer habla como un poseído. Algunas noches cae de rodillas al pie del árbol y trata de cavar la tierra con las uñas.

"Demasiado truculento" desconfié yo en mi alma cuando dije:

—¿Qué puede hacer allí el Viejo?

Los clowns volvieron a consultarse con la mirada.

—¿Oyó usted hablar de María Confalonieri? —me preguntó Gog al fin.

—La mujer de Severo —admití yo al recordar ese nombre deslizado en la farsa del metalúrgico.

—Dicen que fue un ángel —suspiró Magog en tono elegíaco.

—Naturalmente —me dijo Gog—, el deber nos obligó a realizar algunas investigaciones. ¿Y sabe con qué resultado? Un nueve de agosto María Confalonieri desapareció aquí mismo y en circunstancias más que sospechosas.

—Dicen que fue una víctima —insistió Magog.

—Nadie ignora que el Viejo le dio una vida de perros. ¡Claro, ella lo molestaba en sus fines inconfesables!

—¡Paz en su tumba! —volvió a decir Magog como en una plegaria.

—¿Qué tumba? —rió Gog entre irónico y clarividente.

Y nos gritó su desafío:

—Tome una pala cada uno, vayan al tercer eucalipto de la izquierda. ¡Y si cavan hondo encontrarán la tumba de María Confalonieri!

—¡Gog! —le dijo entonces un Magog dolorido—. ¡Te juego a quién tiene más ganas de llorar!

—¡Pago! —volvió a retrucarle Gog con la flema de un apostador nato.

El doctor Bournichon, que había guiado mis primeras andanzas en el periodismo, solía recomendarme lo que sigue: frente a la iniciación de los hechos, oponerles una objetividad regida por la "desconfianza"; y ante la consecuencia de los hechos, juzgarlos con una "duda" fundamental. En mi entrevista con los *clowns*, y desde su principio, yo estaba siguiendo tan útiles axiomas. En primer lugar había observado que Gog y Magog no alcanzaban a disimular la esencia radicalmente artificiosa de sus palabras y sus gestos, lo cual era comprensible, dado el carácter histriónico de los personajes. Con todo, la oposición belicosa y hasta el odio que manifestaban a Severo Arcángelo eran auténticos y adquirían a veces un patetismo que no dejaba de alarmarme. Y en lo que a mí respecta, no dudé que los *clowns* intentaban un discreto proselitismo, bien que disimulado en cierta parodia de agresividad al modo circense. Decidí entonces que por ahora y hasta que aclarase, mi estrategia consistiría en hacerles el juego.

—Ustedes parecerían estar bien informados —les dije—. ¿Cómo hacen para llegar a la fuente de las noticias?

Una luz entre desconfiada y socarrona iluminó de pronto las jetas de los *clowns*.

—Vea —me dijo Gog eludiendo mi pregunta—. En esta casa todos los rufianes alquilados por el Viejo Truchimán tienen dos historias. Una, la falsa, es la que se divulga con fines propagandísticos; otra, la real, es la que guarda el Viejo Zorro en sus archivos poderosamente blindados.

—Farías —me alertó Magog a su vez—, éste y yo no conocemos aún su verdadera historia. Pero si usted es un prófugo de la justicia, si dinamitó la caja del Banco Central, si lo buscan por asesinato, falsificación o terrorismo, entienda que su prontuario está en la gavetas metálicas del Viejo Capitalista.

—Y que lo leeremos —añadió Gog amenazante.

—¿O lo duda? —protestó Magog otra vez.

Les juré que, desde hacía veinticuatro horas, todo lo aceptaba yo como posible en aquel misterioso inquilinato.

—Por ejemplo —me dijo Gog en abono de su confidencia—, ¿no le han asignado a usted, como ladero, a un homúnculo insignificante que se hace llamar el profesor Bermúdez?

—Eso es —admití yo en alerta.

—Nosotros le decimos Ojo de Lince —me reveló Magog.

—¿Por qué?

—Porque no ve ni la punta de su nariz, aunque use lentes bifocales de seis milímetros. Un día le pusimos una trampa de nutrias junto al gallinero, y cayó en ella como una laucha. Obsérvelo atentamente, y verá que todavía renguea del pie izquierdo.

Me dije que sin duda el profesor era extremadamente cegato, aunque yo no hubiese advertido aún su presunta renguera.

—¿Bermúdez? —opiné—. Una víctima de la Universidad.

—Es un reptil venenoso —definió Gog—. No voy a negarle su cultura; pero le diré que sus aberraciones eran previsibles en una cultura divorciada enteramente de lo humano.

—¿Qué aberraciones?

—Usted, como periodista, ¿no recuerda los estupros en serie que se cometieron en el bañado de Flores? Aunque la policía no dio con el monstruo, sus datos antropométricos, obtenidos en fuentes inobjetables, arrojan para nosotros una luz meridiana.

Sí, pese a lo fantástico de aquella revelación y al artificioso lenguaje de cronista policial con que Gog la enunciaba, me dije que la estructura corpórea de Bermúdez traducía con bastante precisión la idea convencional de un sadista mimetizado entre laureles. Por otra parte, la historia que de sus andanzas ya me había referido el propio Bermúdez, ¿no era quizás una versión "poética" (y despistante) de la muy turbia que Gog estaba sacando a luz?

—Lo repugnante —añadió éste— resulta el extremo servilismo a que lo ha llevado su posición en una casa que lo somete a bajezas incalificables.

—Imagínese usted —me aclaró Magog entristecido— que hasta se deja castigar por el Viejo con un látigo de ocho correas.

—¿No lo cree? —asintió Gog—. Lo hemos oído por el micrófono que instalamos en la oficina del Viejo. Eran muy claros los chasquidos del rebenque sobre la carne desnuda: el profesor lloriqueaba mendigando un perdón que no se le concedía; y el Viejo lo apostrofaba con insultos de foguista borracho.

Imaginé a Bermúdez en tan ridículo trance; y tuve nuevamente la sospecha de que a Gog y a Magog se les iba la mano.

—Usted observará —me dijo Gog adivinando mi reserva— que la flagelación reaparece como un *leitmotiv* del Viejo y su empresa. ¿No le dice nada? Usted mismo será flagelado en su hora, y hemos de oírlo con placer.

Una ola de indignación hizo resquebrajar el dique ya inseguro de mis consignas:

—¡A mí no me flagela nadie! —grité—. ¡Los del sur no entramos en esas agachadas! ¿Olvidan ustedes a Martín Fierro?

—Todos aquí son explotados en alguna tara íntima —dijo Gog estudiándome con zumbona curiosidad—. Vea, si no, el caso del astrofísico que vive con ustedes en el pabellón.

—¿Qué hay con Frobenius? —pregunté—. Me consta que su vicio mayor es el de beber cierto licuado de ananás y champagne.

—¿Juraría usted —me interpeló Magog— que no le añade una buena dosis de clorhidrato de cocaína?

Me sentí nuevamente confundido: ¡el doctor Frobenius, oscilando entre sus depresiones y sus exaltaciones!

—¡Las drogas! —exclamó Gog—. El Viejo las contrabandea en gran escala. Si usted explora esta quinta, dará en sus fondos con el río: el Viejo tiene allí una base oculta de operaciones, con sus lanchas ultrarrápidas y su estación de radio clandestina. Ma-

gog y yo tenemos el plano de la base, la nómina de las embarcaciones y la frecuencia de onda con que trabajan.

—¿O cree usted —añadió Magog— que el Viejo ha redon-
deado su inmensa fortuna en los altos hornos?

—La Fundición Arcángelo no es más que una tapadera —me
dijo Gog—. Tenemos aquí los balances de los diez últimos ejer-
cicios: la Fundición es una "mula" perfecta.

Y prosiguió, desafiándome con sus ojos críticos:

—Volvamos al tal Frobenius: ¿aprueba usted la vida licenciosa
que lleva con esa mujer en el pabellón?

Me sentí lastimado en mis instintos poéticos:

—¡Urania es un ángel! —protesté—. ¡Una hurí de las ciencias
físico-matemáticas!

—No lo dudo —admitió Gog—. Pero ella trabajaba, como
pupila, en un lenocinio de Santa Fe, donde la contrataron los
agentes del Viejo Mandinga para uso del tal Frobenius.

—¿Por qué la buscaron en Santa Fe?

—Porque se requería un tipo entre alemán y criollo —explicó Magog brillante de lógica—. Esa mujer desciende por vía indirecta de los colonos germanos que se establecieron en Esperanza.

Una vez más, utilizando lo absurdo y lo verosímil en una mezcla de hábiles proporciones, Gog y Magog intentaban destruir
ante mis ojos una mitología que sin duda les era odiosa. Y sonreí, con transparente incredulidad:

—¿Usted afirmaría —le pregunté a un Magog otra vez amenazante— que Frobenius padece un erotismo vinculado a la mes-
tización criollo-germana?

Pero Magog, sin contestarme, se puso de pie y giró en torno
de mí una vez y otra.

—¿Qué hace? —le pregunté no sin alguna inquietud.

—Estoy eligiendo el sitio útil de sus nalgas donde ubicar mi
pie justiciero —respondió Magog estudiosamente.

"Sólo un payaso, me dije, y no de mala técnica." Pero Gog
insistía:

—Lo que padece Frobenius —me aclaró— no es un erotismo
acomplejado, sino un resentimiento erótico. Naturalmente, ya le
habrán contado a usted esa historieta de un astrofísico arrojado
a un basural por el demonio de la duda.

—Una "villa miseria" no es un basural —objeté yo.

—Lo que no le han contado es lo que sucedía en el Observatorio de Córdoba —refunfuñó Gog—. Berta Schultze, al fin y al cabo, era una mujer *standard*.

—¡No tentarás a la mujer! —sentenció Magog histriónicamente.

—¿Berta Schultze? —pregunté intrigado.

—La mujer de Frobenius —dijo Gog—. Ella y él, encerrados en el Observatorio. Frobenius divertido, el gran imbécil, con sus galaxias en fuga. ¿Y ella, Magog, y ella?

—¡Ella! —se dolió Magog—. Sola y abandonada, por un lado, a su romanticismo alemán, y por el otro a sus ardores internos de americana libre. ¿Quién se atreve a juzgar? ¿Quién la juzgaría, triste flor euroindiana que languidece a la sombra de los telescopios?

Era evidente que Magog tenía cierta debilidad por el género elegíaco, sobre todo si lo aplicaba él a las congojas femeninas; y no lo era menos que tal inclinación resultaba grotesca en un personaje tan craso y tan sólidamente metido en sus alpargatas de soga.

—Claro está —dijo Gog— que Frobenius no dejaba de advertir las melancolías de su consorte. Y las atribuyó científicamente al costado hispánico de Berta Schultze, el cual, a su juicio, estaba reclamándole a ella un coeficiente de tertulia y verborragia que calculó él en unas tres horas por día. Entonces hizo grabar una serie de discos *long play*, en los cuales insinuaba temas de conversación, abría largos paréntesis de silencio y daba réplicas estimulantes, a fin de que Berta Schultze desahogara junto a un fonógrafo sus cuotas de sonoridad latina.

—Hecho lo cual —apostrofó Magog—, ese idiota de astrofísico volvió a entretenerse con la velocidad de la luz y a enriquecer sus arterias con el colesterol de los churrascos grasientos.

—¡Magog!, ¿y ella? —pareció lloriquear Gog en este punto.

—Sí, ella —dijo Magog así interpelado—. Al tercer día rompió los discos y el fonógrafo. ¿Y qué otra salida le quedaba, ya en la última frontera de la soledad?

—¡Muerta! —grité yo, arrastrado contra mi voluntad por aquel ridículo melodrama.

—No, señor —me dijo Gog—. Berta Schultze, al tercer día se fugó con un electrotécnico del Observatorio.

—Los hombres como el astrofísico son cornudos natos —reflexionó Magog.

Tras de lo cual se dirigió a una especie de trastienda y regresó con una damajuana y tres vasos que llenó amorosamente haciendo reposar la damajuana en su muslo derecho. El vino era superior; y mientras lo bebíamos en el silencio reverente de los conocedores, volví a decirme que los *clowns*, bajo sus engañosas estructuras, disimulaban no sabía yo si un simbolismo, como sugiriera Bermúdez, pero sí una voluntad inteligente que buscaba fines todavía no claros. En primer lugar, y a través de sus últimos gestos, era tan convincente su lógica y tan absurdo su lenguaje, que para darles crédito había que cerrar los ojos y desconocer sus burdas camisetas de frisa. "Por lo pronto —me dije—, con tan enrevesados ingredientes ellos han conseguido tergiversar ante mis ojos tres historias 'oficiales': la de Severo, la de Bermúdez y la del astrofísico." ¿Las tergiversaban o las restituían a su cruda verdad? Lo que resultaba dudoso era que Gog y Magog hubiesen inventado esas historias paralelas. Luego, sus versiones debían de ser las únicas reales. Y si así lo aceptábamos, ¿qué recursos de información o espionaje utilizaban ellos en el organismo del Banquete? Durante la primera libación, y como yo volviese a tantearlos en ese tópico, Gog y Magog dieron señales de un agnosticismo rayano en la idiotez. Ante una segunda entrega de la damajuana, se mostraron como esfinges impenetrables en sus consignas. Pero al tercer vaso las esfinges rabiaban por hablar.

—En este confortable manicomio —dijo Gog al fin— sucedían hechos turbios que necesitábamos aclarar. El nudo mismo del intríngulis ha estado y está en la Casa Grande: allá se atrincheran el Viejo Crápula, sus demonios íntimos y sus técnicos pagados en dólares. Era urgente dominar los accesos de la casa; y entonces, usando el soborno en algunos casos y la guerra psicológica en otros, conseguimos atraer a ciertos hombres de la servidumbre interior. Ellos nos proporcionaron los moldes en cera de las cerraduras; y a fuerza de lima fabricó Magog las llaves y ganzúas que abren todas las puertas de la casa.

—Las exteriores y las interiores —corroboró un Magog enaltecido.

—Ahora bien —añadió Gog—. Necesitábamos oír las deliberaciones íntimas de la organización. Para lo cual hemos instalado micrófonos en las habitaciones claves, ¿entiende? Y desde aquí grabamos todo ese material en alambre; porque Magog es un as de la electrónica.

—Sólo un aprendiz —le corrigió Magog ya lastimado en su modestia.

—Pero quedaban dos incógnitas —me advirtió Gog—: la caja fuerte donde había escondido el Viejo su "pasado"; y el fichero de las gavetas con blindaje, donde guarda él su planificación del "futuro". Cierta noche, Magog hizo volar la caja fuerte con dinamita; porque Magog es un experto en esa materia, y ha cumplido ya siete años de trabajos forzados por esa noble causa.

Rechazó Magog el elogio, con el ademán de quien aleja de su frente un laurel no merecido:

—La dinamita —explicó—: demasiado ruidosa. No sucederá lo mismo con el fichero de gavetas metálicas.

Deduje que Magog no había logrado aún la violación del fichero, y así lo di a entender.

—Necesitamos un método silencioso —me dijo Gog—. No hay que olvidar el contraespionaje.

—¿Sufren ustedes un contraespionaje?

—Naturalmente —admitió Gog traduciendo ya un principio de zozobra.

—Y si no —lloriqueó Magog—, ¿quién adivina nuestras tácticas, destruye nuestras instalaciones, roba nuestras ganzúas y nos apalea junto al gallinero?

En este punto de la entrevista, y por vez primera, no sé yo qué aflojamiento de la intrepidez, qué duda temerosa, qué iniciación del pánico se hizo visible en la máscara de los *clowns*. Al advertirlo, me dije que había llegado el momento de formularles la gran pregunta en torno de la cual giraba todo el mecanismo de aquel galimatías:

—En resumen —inquirí brutalmente—, ¿qué se propone Severo con esta organización? O mejor dicho, ¿qué diablos es o será el Banquete?

Ante mis preguntas los *clowns* guardaron un silencio en el que se traslucía cierta desazón, malestar o asco indefinible.

—Para responderle —tartamudeó Gog al fin—, tendría que

iniciarlo en la doctrina del "hijodeputismo" y de la frontera que separa lo legal y lo ilegal.

—¿Qué frontera? —lo conminé al verlo acorralado.

Magog, no menos confuso, intervino aquí en apoyo de su adlátere:

—La cintura —balbuceó—. Es la línea ecuatorial del hombre. Lo que ocurre al sur de la cintura es ilegal, y lo que ocurre al norte de la cintura es legal.

—¿Y qué tiene que ver en ello el "hijodeputismo"?

—El "hijodeputismo" —volvió a tartamudear Gog— abarca los dos hemisferios.

No dudé ya que Gog y Magog intentaban disimular su ignorancia con un enrevesado sistema filosófico:

—¡Ustedes no saben nada! —los apostrofé.

Náufrago de su angustiosa perplejidad, Gog puso en mí dos ojos consternados:

—Parecería un Banquete. Al menos, todos los detalles de la organización configuran un Banquete. ¡Magog! ¿No es así?

Magog palidecía y trasudaba en antelación de vómito, y gotas de vino regurgitado corrían ya por las comisuras de su boca.

—¡Si usted conociese los planos de la Mesa! —me dijo entre náusea y náusea.

—¿Qué mesa? —le pregunté yo.

—¡La Mesa del Banquete!

No insistí en aquel punto, ya que los clowns, desnudos ahora de su vistoso histrionismo, sólo revelaban una confusión ignorante y un miedo pueril.

—Oigan —les dije—: soy un periodista, y como tal inclinado a las aperturas de la democracia. Todo lo que sea indescifrable o hermético me produce un vómito de oficio.

—¡Es que aquí no hay nada indescifrable! —se atrevió a decir Gog en un intento de restaurar su prestigio.

—No nos forjemos ilusiones —le repliqué—. Ustedes lo ignoran todo, con dinamita o sin dinamita.

Magog volvió a intervenir en un arranque de falsa bravura:

—"Si mi almohada supiese lo que pienso —anunció—, quemaría mi almohada."

—Eso lo dijo San Martín, y en circunstancias más honrosas —le recordé yo mirándolo con severidad.

—¡Gog! ¿se lo decimos? —lloriqueó Magog ansioso de reivindicaciones.

Pero Gog, reintegrado inesperadamente a una dignidad que yo daba por extinguida, me analizó con ojos entre sarcásticos y benignos:

—Todavía no está maduro —sentenció al fin—. Ya le tiramos algunos huesos con mucha carne. Si los digiere bien, en otra ocasión le haremos oír el Monólogo-Clave del Viejo Truchimán.

Poniéndose de pie ambos *clowns* dieron por terminada la entrevista. Y antes de abandonar la choza hice con ellos un pacto nada trascendente, ya que se limitaría en lo futuro a un intercambio neutro de informaciones. Ya en la puerta de la cabaña, el recuerdo de la Viuda me asaltó como un remordimiento:

—¿No han oído ustedes algo sobre una mujer llamada Thelma Foussat? —pregunté a los *clowns*.

Gog y Magog fruncieron las cejas.

—No —dijo Gog.

—¿Esa mujer está en la casa? —preguntó Magog con una chispa de interés en los ojos.

—Todavía no —le respondí—. Sólo sé que figura en una titulada "Operación Cybeles".

—Thelma Foussat —dijo Gog como para retener ese nombre—. Lo averiguaremos.

Nos despedimos bajo las estrellas: los *clowns* regresaron a su choza y yo me aventuré a tientas en el parque anochecido.

Cuando hice mi entrada en el living comedor del chalet advertí que Bermúdez ya estaba sentado a la mesa y que no había rastros ni del astrofísico ni de su musa. Entregado a mis dudas antiguas y a mis nuevas prevenciones, tomé asiento frente a Bermúdez y empecé a cenar sin ganas, presa de un mutismo cerrado que mi acompañante respetó en el curso de los entremeses. De reojo me puse a observar sus actitudes; y dominado tal vez por la "segunda historia" que acababan de referirme los *clowns*, no dudé que Bermúdez, ante los platos, exteriorizaba un furor angurriento y una bestial delectación de muy grave pronóstico. En cuanto a su antropometría, estudiada por mí ahora desde un nuevo ángulo, vi que sin remisión correspondía exactamente al género de los estupradores y vampiros. Me faltaba, sin embargo, una evidencia; y se me dio cuando el hombre, abandonando la mesa, caminó hasta un trinchante y regresó a su asiento con una salsera. ¡Bermúdez renqueaba del pie izquierdo, no mucho, pero renqueaba! ¿O no? Debió él de advertir mi confusión interna, porque, adobando con salsa un muslo de gallina, me dijo plácidamente:

—Le aseguro que jamás he caído en una trampa de nutrias.

Y añadió, ignorando mi asombro:

—También puedo asegurarle que no perseguí a mujeres de ninguna edad, ni en el bañado de Flores ni en ningún otro suburbio. Por otra parte, admitirá usted que la doctrina del "hijodeputismo" no encaja en ningún sistema, ni oriental ni occidental.

Dejé caer mi tenedor en el plato, llena mi alma de inquietud y de vergüenza: mi primer entendimiento con los *clowns* había sido registrado ya por el contraespionaje de la casa. ¡Gran Dios, y con qué precisiones! A menos que... Y una sospecha injuriante me asaltó de súbito y transmutó en ira el bochorno que me dominaba:

—¡Eso no! —protesté, clavando en Bermúdez una mirada furiosa—. ¡No me dirá que también los *clowns* estuvieron recitándome un "libreto" prefabricado!

—Mentiría si se lo dijera —me aseguró él—. Gog y Magog trabajan con absoluta libertad en la iniciativa. Y créame que son fértiles de recursos, vale decir peligrosos.

—Entonces, ¿por qué los han alquilado y los azuzan contra el Banquete?

—Por una razón elemental —me dijo Bermúdez en su abstracta bonhomía—: Gog y Magog constituyen "La Oposición al Banquete".

Sentí que perdía los estribos:

—¡Oiga! —exclamé—. ¿Para qué diablos necesita el Banquete una oposición?

Bermúdez enjugó sus labios con una servilleta y explicó en tono beatífico:

—Toda empresa, divina o humana, se ha realizado siempre y se realiza entre un polo afirmativo y un polo negativo. Así lo vislumbró el gran Empédocles en su hora. ¡Por el gran Empédocles!

Y se mandó a bodega una copa rebosante.

—Severo Arcángelo —prosiguió—, al concebir su Banquete, no podía ignorar esa ley necesaria.

—¡Y oficializó "la contra" en dos payasos de mala muerte! —le dije—. ¿Ahí está el simbolismo de los *clowns*?

Una chispa de orgullo ardió y se apagó en los ojos de Bermúdez:

—Le di un informe —aclaró él—, y un informe no es un simbolismo. Usted ha puesto a los *clowns* en la olla de Ántrax: déjelos que continúen sancochándose.

Me vi otra vez a fojas uno del bodrio en que me habían metido:

—¿Y el Banquete? —le pregunté—. ¿Qué se cocina en el Banquete?

—A mi entender —opinó Bermúdez—, lo han concebido como un juego, inspirándose tal vez en aquello según lo cual el Hacedor "construye y destruye los mundos como jugando". Y usted no lo ignora: en todo juego se pierde o se gana.

Lo miré a fondo y entendí que hablaba con inteligente seriedad. Le pregunté:

—¿Quiere decir que todo esto podría terminar en una catástrofe?

—Naturalmente —me respondió Bermúdez atacando su postre de manzanas.

XI

Los tres días que siguieron a la iniciación de mis tareas no registraron para mí ningún hecho notable. Severo Arcángelo "viajaba", según me dijeron, y era evidente que su desaparición abría una tregua en las acciones y reacciones de la casa. Dentro del chalet el astrofísico y la musa no daban señales de vida; y en cuanto al profesor Bermúdez, lo encontré algunas veces en el living comedor, pero metido en abstracciones que valían tanto como una ausencia. Durante algunas visitas al parque busqué a los *clowns* en el Circo de los Gorriones y en los aledaños del gallinero: parecía que se los hubiese tragado la tierra. Mis ansias de información me llevaron por fin al garaje, donde tuve la suerte de toparme con un chófer bastante comunicativo merced a la frecuentación de cierta botella seguramente clandestina. El chófer me reveló que Severo Arcángelo, en compañía de tres arquitectos, había tomado en Ezeiza un avión cuyo destino se ignoraba: él mismo los había llevado hasta el aeródromo, y juraba (nadie se lo había pedido) que, desde hacía más de un año los viajes del "señor y sus arquitectos eran frecuentes. Mientras él hablaba, recordé los planos y *maquettes* de arquitectura que yo había entrevisto en el gabinete de Severo Arcángelo, y anoté *in mente* su relación posible con los viajes del metalúrgico. Preguntado el chófer sobre si gozaba de cierta facilidad en el acceso a los líquidos espirituosos, me confesó que poseía una llave de la bodega, merced a ciertos amigos cuya generosidad me puso él por las nubes y en los cuales adiviné a Gog y a Magog lanzados a una tarea corruptora. Luego medité y leí bastante, a favor de la calma chicha en que se demoraba el Banquete.

Pero en la mañana del cuarto día vientos de agitación regresaron a la casa. Desde mi dormitorio advertí que nuestro pabellón latía otra vez con las palpitaciones de su existencia laborante. Y el valet a mi servicio me trajo la novedad con el desayuno:

el Viejo Fundidor había regresado. No siendo yo un familiar de los "directivos" (y dudaba de que lo fuese alguna vez), resolví esperar la hora del almuerzo en que Bermúdez, mi "pontífice", no dejaría de comunicarme las nuevas del caso. Me puse a ordenar mis papeles, y en ello estaba cuando una flecha de las que se tiran con arcos infantiles entró por la ventana y cayó a mis pies. Recogí la flecha, y desatando el mensaje que traía descifré lo siguiente: *Hoy, al anochecer, junto al gallinero. Novedades. Gog.* No dejó de asombrarme aquella forma pueril de comunicación, la cual se uniría más tarde a otras manifestaciones de la "puerilidad" que se dio como uno de los síntomas atañederos al Banquete. Destruí la nota, guardé la flecha y me prometí no faltar a la cita: yo estaba lejos de convertirme a la bandera de los *clowns;* pero mi curiosidad innata y mi decisión de no andar a ciegas en aquel plan tenebroso hacían que no desdeñase ninguno de los hilos mezclados a su trama. Circunspección y astucia, he ahí las consignas que yo pensaba seguir en el trámite del Banquete.

Cuando bajé al comedor era mediodía: sentados a la mesa estaban ya un Bermúdez eufórico y una Urania resplandeciente. Me sirvió el profesor un coctel sulfuroso a cuyo primer trago mis consignas parecieron ablandarse: ¿la Musa Urania no ejercía ya sobre mí la virtud piadosa de sustraerme a todos los cuidados? Viniese o no de un lupanar santafesino (como sostuvieran los héroes del gallinero) ella creaba en torno suyo una atmósfera tal, que uno sentía la vocación laudable de morir en sus territorios o de llorar entre sus manos doradas y crujientes como dos mazorcas. "¡Epa!", me reprendí a mí mismo al advertir aquella hemorragia de mi naturaleza lírica. No obstante, y al segundo trago, acaricié los dedos metafóricos de la musa y le pregunté si el astrofísico nos acompañaría en el almuerzo. Ella me respondió que no le sería posible, ya que la urgencia de sus investigaciones lo demoraba junto a la computadora electrónica; y Urania lo dijo en los extremos de una urbanidad tan exquisita, que un dios la hubiese colocado en la estrellada esfera, entre las constelaciones de Orión y del Centauro. "¡Epa!", volví a decirme. Y observé, regresando al abismo de la duda: ¿no me había ella ofrecido sus manos con una "soltura profesional"?

Me volví entonces al profesor Bermúdez y lo hallé presa de una sublimación que, a mi entender, provenía o del coctel sulfuroso en el cual se gozaba, o de sus propios vinos interiores, madurados en un alma no enteramente oscurecida por los filósofos presocráticos. Y la duda volvió a torturarme: ¿la euforia de Bermúdez no se debería tal vez al uso de los alcaloides? ¡Malditos *clowns*, ellos y sus lenguas envenenadas! Pero las cosas venían así, como si el Banquete de Severo Arcángelo debiera caminar sobre dos pies contradictorios, el de lo sublime y el de lo grotesco. Fuese cual fuera el origen de su exaltación, Bermúdez me dijo que Severo Arcángelo acababa de regresar triunfalmente.

—¿De dónde ha regresado? —le pregunté.

—De la Cuesta del Agua —me respondió Bermúdez como en un escalofrío de su delicia.

—¿Con los tres arquitectos? —volví a preguntarle insidiosamente.

—Usted lo ha dicho.

—¿Y qué tienen que hacer tres arquitectos en la Cuesta del Agua?

Bermúdez no contestó a esa pregunta. Observé a Urania de reojo, y vi que sonreía en blanco, al parecer tan ignorante como yo.

—Naturalmente —dijo Bermúdez—. Las cosas andan tan bien allá, que se ha decidido imprimir un movimiento de aceleración al Banquete. Y a propósito —añadió, clavando en mí una mirada que traducía su respeto—, los directivos han estudiado su informe sobre la "Operación Cybeles". Están muy satisfechos.

—¿No me aplicarán multas? —inquirí yo entre irónico y halagado.

—¿Multas? —exclamó Bermúdez—. ¡Usted ya está metido en la gran carrera! Puedo adelantarle algo: el Viejo Fundidor lo recibirá otra vez esta semana.

—¿Para qué?

Bermúdez pareció dudar entre su entusiasmo y su discreción:

—Entiendo —me dijo al fin— que le van a encomendar un "texto clave".

Acabado el almuerzo volví a mi habitación, donde analicé las nuevas perspectivas que se me daban. El polo positivo del Banquete, vale decir el que nucleaba Severo Arcángelo, me prometía cierta dilatación del horizonte que me ahogaba, en un segundo encuentro a celebrarse con el Fundidor de Avellaneda: o yo desconocía en absoluto al profesor Bermúdez o la naturaleza del nuevo trabajo que según él pensaban encomendarme los directivos me abriría, no la puerta mayor del arcano, sino alguna claraboya desde la cual pudiese yo dirigirle una mirada sin velos. A su vez el polo negativo del Banquete, centralizado en los *clowns*, me rendiría ese mismo anochecer los primeros frutos de un pacto que mi conciencia no me reprochaba.

Cuando salí del chalet, anochecía sobre la casa, los árboles y el mundo. Pero no era todavía la hora de los *clowns;* por lo cual decidí hacer tiempo visitando un sector del parque, tal vez el más recóndito y silvestre, cuyo desaliño había llamado mi atención en una residencia tan ordenada como la de Severo Arcángelo. ¿Daría ese lugar al río y a la base naval de los contrabandistas? Por entre cañaverales y malezas, y a la triste luz del poniente, me abrí paso en el área desconocida y llegué a una cerca de alambres erizados de púas. Estudiaba yo la manera de cruzar por entre los alambres, y había elegido ya el segundo y el tercero, fiel a la táctica sureña, cuando me sobresaltó un dúo de gruñidos bestiales que se acercaban a mí por el frente. A través de los alambres vi dos enormes dogos que me clavaban ya sus dos pares de ojos ardientes y me gruñían, exhibiendo colmillos agudos como puñales en sus jetas de un frunce ominoso. Entonces me retiré de la cerca, desanduve la espesura y me orienté hacia los gallineros, en la seguridad de que los *clowns* me ilustrarían sobre aquella Zona Vedada, que tal nombre le di luego en mi topografía del Banquete. La puerta de la choza, herméticamente cerrada, me hizo temer que Gog y Magog no estuviesen allí según lo convenido. Pero no bien mis dedos redoblaron en sus tablas rústicas, la puerta se abrió cautamente y vi a Gog que, desde adentro, me iluminaba con el haz de una linterna sorda.

—Eso de la linterna —protesté—, ¿no es demasiado folletinesco?

—Todo tiene su razón en esta inmunda pocilga —refunfuñó Gog haciéndome pasar al interior de la choza—. El gallinero está enfrente: si las estúpidas gallináceas vieran algo de luz, creerían que ya es el amanecer y armarían su escándalo. ¡Qué bestias monótonas!

El *clown* cerró la puerta y encendió las luces del techo. Entonces me fue dado ver a Magog, el cual, junto a un hornillo a gas de querosene, revolvía con un gran cucharón el contenido humeante de una olla. "¿También se dedicarán ellos a la magia negra?", me pregunté. No, el de la olla no era un olor de brujería, sino de puchero de ave con su apio y su albahaca. Identificado lo cual, les dije:

—Tenía entendido que ustedes, como funcionarios de la Organización, usaban nuestra cocina general.

—Nos hemos independizado —me contestó un Magog sombrío.

—¿Desde cuándo?

—Hace ya doce horas —intervino Gog olfateando el puchero con nariz crítica.

Sólo entonces advertí que ambos *clowns* mostraban profundas ojeras y verdores enfermizos en el relieve de sus máscaras.

—Vamos a ver —les dije—. ¿Por qué rechazaron ustedes la cocina común?

—En defensa propia —me respondió Gog—. Nos han hecho víctimas de una represalia innoble.

—¿Quiénes?

—Los rufianes —declaró Magog—. Los tristes hijos de puta.

Ante mis instancias los dos *clowns,* en una letanía de insultos, lamentos y consideraciones filosóficas, me narraron su desventura: días atrás, y a raíz de una incursión afortunada que realizaron ellos, el Enemigo había deslizado en la cena de los *clowns* (que se preparaba en la cocina general) una dosis formidable de aceite de ricino, jalapa o sal inglesa (ellos ignoraban aún el carácter de la droga), operación traicionera que, durante un día y una noche, los lanzó a una colitis desenfrenada.

—Pagan bien —dijo Magog—. Pero no son caballeros.

—¡Y están perdidos! —amenazó Gog en tono fanático—. ¿Sabe por qué? Porque uno se agranda en la lucha. Ellos han violado las leyes de la elegancia, y en adelante no habrá cuartel.

—¡Está jurado! —aseveró Magog con toda la belicosidad que su puchero le consentía—. ¿Sabe usted lo que se anda cocinando en esta olla? ¡La gallina *Plymouth Rock* del Viejo Avaro!

Magog inició en torno de su olla lo que me pareció una danza ritual de caníbales:

—¡Una gallina campeona, del más ilustre *pedigree*! —canturreó triunfalmente—. La robamos en el gallinero, le retorcimos el cogote, la desplumamos al desgaire del aire. ¿Dónde quedó su orgullo de raza? ¡Esta noche la cena de Magog le costará veinte mil patacones al Viejo Capitalista!

Admiré tan sabrosa venganza y el alarde coreográfico de Magog. Pero Gog se mostraba impaciente.

—Vayamos a lo nuestro —me dijo—. Ellos han introducido a una mujer en la Casa Grande.

—¿Thelma Foussat? —inquirí sobresaltado.

—No conozco su nombre —me respondió Gog—. Pero la fotografiamos desde una ventana, subidos a un árbol que da justamente a la planta superior.

Tras hojear el voluminoso contenido de una carpeta, extrajo una fotografía:

—Sí, aquí está —me dijo—. Es bastante confusa: desde aquel árbol no podíamos usar el magnesio.

Estudié la cartulina, y en aquel borroso claroscuro reconocí el semblante de Thelma Foussat, su expresión de vacío irredimible.

—¿Han averiguado alguna cosa más? —les pregunté sin disimular mi consternación.

—La mujer está complicada en cierta "Operación Cybeles" —me dijo Gog.

—Eso es —asentí yo, tenso como una cuerda.

—Y esa Operación se vincula directamente con un equipo de cirujanos que trabaja en los laboratorios del sótano.

—¿Qué tiene que hacer la cirugía con una viuda sin consuelo? —protesté.

Ni Gog ni Magog me contestaron, sin duda porque ignoraban la respuesta. Y desconociendo mi zozobra, Gog me interpeló brutalmente:

—Informe por informe. Cuando el Viejo Farsante lo recibió en su despacho, ¿no vio usted algo parecido a un taller de arquitectura?

—Eso me pareció —le dije—, aunque lo disimulaban con una gran cortina de felpa.

—¿Se abrió la cortina en algún momento?

—Efectivamente, se abrió cuando Impaglione hizo su entrada en escena.

—¡El sonoro Alcahuete! —refunfuñó Magog.

—¿Qué vio usted al descorrerse la cortina? —insistió Gog.

—Algo así como la *maquette* de una construcción o monumento.

—¿Observó en la *maquette* alguna forma reconocible?

—Ninguna. Me pareció algo sin pies ni cabeza.

Gog y Magog cambiaron una significativa mirada.

—¡Vamos a fotografiar esa *maquette*! —dijo Gog exultante.

—¡Robaremos los planos! —asintió Magog, blandiendo su cuchara de bruja.

La excitación de ambos me dijo que yo acababa de darles una pista en la investigación de algún secreto que los tenía intrigados, el cual se relacionaba presumiblemente con los viajes del Fundidor y sus arquitectos. Animado por aquella euforia de los clowns, decidí continuar aquel juego de toma y daca.

—Informe por informe —les dije a mi vez—: ¿conocen ustedes la Zona Vedada?

—¿Qué Zona Vedada? —me preguntó Gog en alerta.

—La que se defiende con seis alambres de púa.

Tuve la sensación de que uno y otro, heridos en alguna cuerda íntima, se arrugaban de pronto y envejecían debajo de sus máscaras. En mis relaciones aún superficiales con Gog y Magog, yo había observado cómo reaccionaban ellos ante los oscuros temas del Banquete: algunos, como si fuesen "pan comido", los hacía sonreír con una suficiencia insultante; otros los embarcaban en una furia investigadora casi alegre; por último, había temas (como el que yo les insinuaba recién) que parecían descorazonarlos hasta el anonadamiento.

—Usted no habrá tocado los alambres —me sondeó Magog en su flaqueza.

—¿Por qué no? —le respondí con arrogancia.

—Están electrizados.

Pero Gog resucitaba ya de su propia ceniza, y me preguntó, visiblemente receloso:

—¿Más allá de los alambres no vio usted al Monaguillo?

—¿Quién es el Monaguillo? —inquirí a mi vez.

—¡Un pincharratas! —insultó Magog—. ¡Un ser malentrazado que anda por ahí con una escopeta de dos cañones!

—Cortar seis alambres electrizados —explicó Gog— y envenenar dos perros dogos no es gran cosa. Y al Monaguillo lo bajaría Magog de un solo izquierdazo. Lo peliagudo está en saber a qué se arriesga uno más allá de los alambres y los perros.

—¿Qué hay más allá? —lo desafié.

—Hum —dijo Gog eludiendo la respuesta—. En este berenjenal no sabe uno cuándo está en el grado último de la inmundicia. Por ahora, tenemos otro rompecabezas: el Vulcano en Pantuflas está por jugar una carta importante.

—¿Cuándo?

Gog buscó y extrajo de su carpeta una ficha que leyó con perplejidad:

—Hace falta —me dijo— que coincidan una noche de luna nueva y un boletín meteorológico favorable. ¿Le parece claro?

—Como la tinta —le respondí—. Y yendo a otro asunto, ¿cuándo me harán oír el Monólogo Clave del Viejo?

—Usted querrá decir del Viejo Crápula —me corrigió Magog irritado.

—Eso dije —lo apacigüé.

—¡No lo dijo! —gritó él, amenazándome con su cucharón.

—Los monólogos del Viejo Crápula serán tres —me reveló Gog—. El Viejo Farsante pone de a tres, como los teros.

Me sentí herido en mi esencia folklórica:

—Los teros ponen de a cuatro —le advertí—. Eso lo sabe cualquier jugador de bochas.

—De los tres monólogos ya tenemos dos —repuso Gog sin oírme—. No bien el Gran Farsante pronuncie el último, nos reuniremos para discutir su hermenéutica.

Tanto la prepotencia de Magog, que insistía en hacérseme el gallito, cuanto la suficiencia de Gog, tan aparatoso en su ignorancia, concluyeron por irritar mi ánimo. De suerte que, sin añadir ni un adiós, abandoné mi asiento y me dirigí a la salida. Ya en el umbral de la cabaña, me volví a los payasos: Magog probaba en su cucharón un adelanto de la olla; Gog tendía un mantel floreado sobre la mesa rústica. Sí, como si yo no existiese, como si jamás hubiera existido para ellos.

Al entrar en el living comedor del chalet advertí que la mesa estaba sola. Junto a ella nuestro valet se mantenía rígido, con su blanca servilleta en el antebrazo: me comunicó discretamente que Bermúdez y el astrofísico cenarían en la Casa Grande y que habían salido ya con sus fracs de protocolo. Agradecí en mi fuero íntimo la soledad que se me brindaba, comí algunas frutas, bebí una copa de vino siciliano, y ocupé luego un sillón junto a la chimenea en la cual ardían las dos o tres brasas que aún requería el frescor de una primavera naciente.

Y en mi síntesis mental de la tarde, consideré primero a los clowns tal como se me habían presentado en el segundo encuentro. Esta vez, por debajo de sus exterioridades grotescas, más allá de sus petulancias y desmoronamientos, yo había observado la constante de una "línea dura", inflexible y pertinaz, que se daba tanto en Gog, la mente directriz, cuanto en Magog, el brazo ejecutivo de "la resistencia". Y al reflexionar en que aquella oposición al Banquete había sido calculada por sus mismos organizadores, me sobrecogió un malestar indecible que sentí luego muchas veces en el transcurso de mi aventura y que definí más tarde como "el pavor del símbolo". Pensé a continuación en Thelma Foussat y en los cirujanos que ahora trabajaban con su materia vacante (si el informe de los clowns no mentía); y en ese punto me asaltó un enjambre de reminiscencias atroces relacionadas con la vivisección y la factura de monstruos humanos. Pero ahuyenté de mi fantasía esas inquietantes moscas literarias, y me detuve al fin en la consideración de la Zona Prohibida, cuya existencia yo acababa de conocer: verdad era que los clowns, a ese respecto, me habían sugerido un *modus operandi* a utilizar contra las alambradas y los dogos; pero también era indudable que Gog y Magog habían soslayado el asunto, como si lo vinculasen a una "instancia final" del Banquete, acaso la más repugnante o la más temible para ellos. Lo que les urgía de verdad, a mi entender, era la "carta importante" que, según sus atisbos, estaba por jugar Severo Arcángelo y acerca de la cual sólo poseían ellos algunas referencias meteorológicas. No dejaba yo de advertir que Gog y Magog, a pesar de sus tesoneras actividades, manifestaban una incapacidad absoluta cuando tenían que dar el salto metafórico entre dos hechos distantes y al parecer no relacionados entre sí. Y en esa "privación" se cifraría más tarde la terrible ceguera que los clowns mostraron no pocas veces ante los acontecimientos. Por mi parte, junto a la chimenea, decidí considerar el acertijo de una noche sin luna y un boletín meteorológico favorable. Una noche de luna nueva —me dije— y un cielo despejado, según el anuncio de un parte meteorológico, reunían las condiciones indispensables a una buena observación astronómica. Pero, ¿quién se dedicaba, entre nosotros, a las estrellas? El doctor Frobenius: ¿Y por qué, desde hacía cuarenta y ocho horas, el astrofísico no nos acompañaba en el living comedor? Sí, la carta brava que jugaría Severo Arcángelo en el próximo novilunio era sin duda el Primer Concilio del Banquete. ¿Cuándo se daría ese plenilunio? Busqué un almanaque y lo hallé muy luego en la pequeña biblioteca del chalet: el próximo novilunio estaba fijado para dentro de setenta y dos horas.

XII

Los dos primeros días (y eran tres los que faltaban aún) transcurrieron para mí en un ocio y en una soledad muy favorables a los tironeos de la impaciencia: me sentía como ajeno y olvidado en la víspera de una fecha trascendental. Recuerdo la noche que precedió al tercer día y durante la cual sólo dormí a intervalos, ya que la inminencia del acontecimiento me hacía poner el oído en el corazón de la casa tras el intento de sintonizar alguna pulsación reveladora. Me levanté al alba, y abriendo las dos hojas de mi ventanal pude advertir en el cielo dorado la promesa de un día radiante: ¡se nos daba también la condición meteorológica! Me vestí apresuradamente y bajé al living comedor: estaba desierto, como parecía estarlo el chalet en su muda totalidad. Sin embargo, la cocina me alentó con la presencia del valet: mientras bebía yo una taza de café negro, intenté sondear al hombre del chaleco rayado; pero nada sabía él en su visible inocencia. Entonces me lancé al parque matinal, a sus nacientes verdores y al clamoreo de sus pájaros recién amanecidos. "Es evidente —me dije, consolado por la hermosura edénica de los jardines—: el Viejo Cíclope, intoxicado al fin de hullas y metales, intentó parodiar aquí una suerte de Arcadia." Y si no, ¿por qué se desvanecían allí mis fundadas reservas? ¿Y por qué las admoniciones de Gog y de Magog sonaban ahora tan a hueco en mis oídos?

En el parque no se veía ni un alma: llamé a la puerta de los clowns, y no dieron señales de vida. Me dirigí entonces al garaje, donde alentaban algunos rumores de actividad: en su playa dos lavacoches hacían caer el chorro de sus mangueras en los chasis de tres automóviles embarrados. El chófer dipsómano con el cual yo había establecido relaciones en otra oportunidad me dijo que durante la noche y hasta el amanecer habían llegado a la casa muchos forasteros, y que se desconocía en el garaje la razón de un hecho tan insólito. Abandonando al chófer, me acerqué por fin a la Casa Grande: me pareció hermética y silenciosa como una ciudad alquímica. Luego, al rodear la mansión, vi la Terraza del Este (que así la nombra mi topografía), en cuyo centro se había erigido esa noche un anfiteatro de butacas azules y una tribuna o púlpito a su frente. Aquella novedad me pareció bastante significativa: muy caviloso regresé al chalet, y en su living comedor vi a Bermúdez atareado con un suculento desayuno. El profesor mostraba el semblante marchito, como si hubiera pasado muchas horas en algún calabozo; pero todo en él traducía la satisfacción de una jornada meritoria. Tomé asiento en la mesa y le dije:

—¿Qué significado tienen las butacas azules y la tribuna del parque?

Detrás de sus gruesos vidrios los ojos de Bermúdez chisporrotearon su malicia:

—Esta noche —me respondió— Frobenius ha de lanzarse al espacio.

—Naturalmente —repuse con sangre fría—. La Musa Urania estará probándole ahora su casco espacial y su traje de berilio contra las radiaciones.

Bermúdez me clavó una mirada entre socarrona y admirativa:

—No crea usted —me dijo— que Severo dejó de pensar en un traje cósmico. Pero el doctor Frobenius ha rechazado ese recurso teatral con respetuosa energía.

—¿Y cuándo se hará ese lanzamiento?

—A medianoche —respondió Bermúdez enfrentándose con una tortilla de acelgas.

Y al observar que yo permanecía inactivo ante los platos, me aconsejó:

—Es necesario que coma usted. Hoy no habrá en la casa ni almuerzo ni cena.

—¿Por qué razón? —inquirí.

—Porque los asistentes al Concilio deberán estar en riguroso ayuno.

Al filo de la medianoche, y envuelto en una oscuridad absoluta, fui llevado a la Terraza del Este por el mismo Bermúdez, el cual me instaló al tanteo en una de las butacas y tomó asiento a mi derecha. Un rumor de conversaciones en sordina me dio a entender que muchos asistentes nos rodeaban ya en el anfiteatro; pero la sombra era tan densa, que me resultó imposible distinguir sus rostros ni aun sus figuras. Ahora bien, si la noche, abajo, lo disolvía todo en una suerte de caos universal, manifestaba en las alturas un cielo pavoroso de estrellas, y lo hacía con el nítido rigor de un mapa celeste. Aguardábamos la iniciación del espectáculo, ceremonia o ritual (aún ignoraba yo qué se traían ellos), cuando se produjo el primer incidente del Concilio. Dos *flashs* relampagueantes, unidos a sus cámaras fotográficas, rompieron de súbito la tiniebla y agitaron en sus butacas a los incógnitos asistentes.

—Gog y Magog en la lucha —me sopló Bermúdez al oído.

No dudé que los clowns intentaban fotografiar a los del anfiteatro, con vías a ominosas identificaciones y al chantaje subsiguiente. Pero no lo concretaron, ya que agentes del orden, según entendí, los arrancaron de la platea y los devolvieron al exterior, insensibles a sus airadas protestas que resonaron en la noche. Restablecidos la calma y el rumoreo del anfiteatro, le susurré a Bermúdez, con alguna impaciencia:

—¿Se hará o no ese lanzamiento?

—Estamos por alcanzar el segundo crítico —me respondió él.

Y en efecto, de pronto, en lo alto de la tribuna que teníamos al frente, se encendió una lamparilla semejante a las que alumbran el atril de los directores de orquesta. Seguidamente, oímos un fragmento de música electrónica integrado por cierto ulular de válvulas y filtros. Y a continuación, en un ambiente de tensa expectativa, nos fue dado ver al doctor Frobenius que se presentaba en la tribuna vestido con un impecable overol blanco. Cesó al punto la disonancia electrónica; y a favor de un silencio total el astrofísico habló de la siguiente manera:

· —Señores aspirantes al Banquete: no hay duda de que nosotros, los bípedos humanos, constituimos una especie cuya dignidad (exaltada, como es notorio, por sus mismos detentores) le ha valido el indiscutible liderazgo del planeta Tierra. Ignoro a qué grado de vanidad pomposa o de ingenua ilusión pudo llevarnos esa gratuita jefatura. Pero, señores, aun en el caso de que fuese verdadera, ¿cuál es el decoro efectivo del planeta que habitamos? Nuestro mundo es un pequeño sólido mineral que, según las últimas investigaciones, no tiene ya la gracia esferoidal que alabaron los pitagóricos, sino la forma decepcionante de una pera Williams. (*Conato de hilaridad en la platea.*)

En este punto Bermúdez exteriorizó alguna inquietud:

—Frobenius está descarrilándose —me susurró—. ¿Le habrá escondido Urania la botella, tal como se le había ordenado?

Una voz tranquilamente imperiosa se dirigió al conferenciante:

—Doctor —le dijo—. No se pierda en divagaciones. Y si alguna resultase necesaria, que sea poética y no irónica. *Prego!*

—Así lo haré —contestó Frobenius desde su tribuna.

Y volviéndose a la platea retomó su discurso:

—¿Ustedes han reído? —preguntó—. Yo no lo haré. O esferoide o pera, el agreste cascote que habitamos, junto con ocho planetas no más felices, constituye el Sistema Solar de cuyo centro, el sol, estamos a una distancia de 150 millones de kilómetros. Nuestro sol, estrella de quinta magnitud, unido a otros 200.000 millones de soles, integra la Vía Láctea, simple coágulo de materia cósmica, la cual, sin abuso de lenguaje, constituye nuestro vecindario íntimo, aunque sus estrellas ardan a miles de años luz de nosotros. Para calcular la distancia de un año-luz, reduzcan ustedes un año a segundos y multipliquen esa cifra por 300.000 kilómetros o sea la velocidad de la luz. (*Murmullos en el anfiteatro.*) Ahora bien, la galaxia que integramos es una de las tantas que, todavía en número desconocido, llenan el espacio sideral a distancias literalmente astronómicas. La galaxia 221, por ejemplo, se mueve a 700.000 años luz de nosotros; la 4473 a seis millones de años luz, y la 319 a 23 millones de años. En el observatorio de Mullard se captaron ondas de galaxias que se ubican a 8.000 millones de años luz, vale decir, casi en el límite del Universo cuya extensión total se calcula en 10.000 millones de años lumínicos.

En aquel instante una voz amplificada con un megáfono y proveniente de afuera gritó:

—¡Almas excelentes, no escuchéis a ese astrofísico de utilería! ¡Trabaja con números falsos!

—¡Miente! —respondió Frobenius, dirigiéndose a la voz que había resonado a su derecha.

Pero una segunda voz, lanzada con megáfono desde la izquierda, explicó irónicamente:

—Sus guarismos no sirven. Nosotros, los de la Oposición, hemos deteriorado su computadora electrónica.

En las dos voces reconocí a Gog y a Magog que volvían a la carga. Y en el semblante del astrofísico vi cómo se traducía el azoramiento.

—¿Cuándo se realizó ese acto de sabotaje? —preguntó él a la voz de la izquierda.

—Hace quince días —le respondió Magog—. Yo mismo alteré las conexiones eléctricas.

Trasudando de angustia Frobenius releyó las anotaciones que tenía en su atril:

—¡No puede ser! —exclamó—. Los guarismos que obtuve yo en esa computadora son exactamente iguales a los de Cambridge.

—¡Cambridge es una mula! —vociferó Gog desde su tiniebla—. Y aunque los guarismos coincidan, usted no tiene derecho a encajarles esa puñalada numeral a unos infelices hotentotes engatusados con la ilusión de un Banquete pantagruélico.

Sentí que a mi alrededor se alborotaban los del anfiteatro; y no pude contener la ola de solidaridad que las observaciones de Gog habían levantado en mí.

—¡Tiene razón el oponente! —grité, sobre los tormentosos murmullos de mis vecinos.

—¡Gracias, pueblo! —me saludó Gog alborozado.

—¡La ciencia moderna —insistí— nos tiene hartos con sus guarismos de veinte ceros!

—¡Que se levante la sesión! —propuso a la izquierda el grito estereofónico de Magog.

—¡Que los echen! —exclamaron en torno de mí algunas voces indignadas—. ¡Afuera con los agitadores!

Un timbre de alarma comenzó a sonar al pie de la tribuna, mientras que la Voz Tranquilamente Imperiosa ordenaba:

—¡Silencio los del anfiteatro! ¡Silencio los de la Oposición! No estamos en una mesa redonda. ¡Que prosiga el disertante!

Restablecida la calma, Frobenius pudo continuar:

—Señores —dijo—, he revelado esas magnitudes enormes con el solo fin de patentizar un contraste realista. Traduzcan ustedes en metros los 10.000 millones de años luz, y comparen la cifra obtenida con la estatura media del bípedo humano, un me tro sesenta, o con la longitud normal de su paso, que sólo cubre una distancia de setenta centímetros. La desproporción es aterradora. ¿No debería el bípedo humano reducirse a la más estricta modestia, frente a la inmensidad aplastante del cosmos?

Desde sus negruras derecha e izquierda respectivamente, Gog y Magog lanzaron dos resonantes carcajadas.

—Ese astrofísico de opereta —rió Gog— hubiera debido formular tan sabias comparaciones a su mujer Berta Schultze, antes de que la infortunada le decorase la frente, según es notorio, con una cornamenta digna de los más robustos cabrones renanos. (*Murmullos y risas en la platea.*)

—Su propio veneno derrotista, lanzado a la noble humanidad —explicó Magog a su vez—, está revelando en ese doctor el resentimiento típico de los cornudos inefables. (*¡Muy bien! ¡Muy bien!*) ¿Por qué no se lanza él al espacio en un cohete Mercury? Nos dejaría en paz, uniéndose a los cosmonautas de U.S.A. cuyos frontales están igualmente comprometidos.

—¡Es una calumnia! —se dolió Frobenius—. ¡Y una parcialidad antiyanqui! También los rusos viajan al espacio exterior.

—Pero se casan al regresar del viaje —le replicó Gog lleno de cordura.

Protestas, risas y silencios anunciaban en el anfiteatro la división de los asistentes en tres grupos ideológicos: la "derecha" o sector oficialista del Banquete; la "izquierda" opositora, excitada ya por las intervenciones de los clowns; y el sector del "centro", dubitativo y cambiante. Observando Frobenius aquella fluidez de clima, dijo con melancólica dignidad:

—Señores, la calumnia y la risa fueron y serán dos acicates de la ciencia. Y pregunto: ¿una verdad científica deja de ser verdad porque se haya revelado a fuerza de cuernos? En cuanto a la risa, es un recurso fácil que suele utilizar el hombre para esconder sus miedos ante lo pavoroso. ¿Se han asustado los unos y reído los otros al escuchar mis cifras? Oigan: hay algo más terrible que las dimensiones del espacio. ¡Levanten sus ojos a las estrellas!

Tuve la impresión de que todas las narices, en torno mío, dibujaban un arco hacia la bóveda celeste.

—¡Ahí están! —exclamó Frobenius—. ¡Astros y galaxias! En su aparente quietud los teólogos y los poetas vieron una imagen de la estabilidad consoladora, frente a las trágicas mutaciones que conmovían al bípedo humano. ¡Qué ilusos! Porque todo, señores, está en movimiento, arriba y abajo, en lo microscópico y en lo macroscópico, desde los electrones del átomo que giran en torno de sus núcleos hasta las nebulosas que huyen en el espacio a velocidades increíbles. La galaxia 221, por ejemplo, se mueve a razón de 191 kilómetros por segundo; la 4473 a 2250 kilómetros y la 319 a 5500 kilómetros por segundo.

La noción de tan altas velocidades hundió a los del anfiteatro en un clima de vértigo; y hasta los clowns enmudecían en sus tinieblas exteriores.

—¿Cuándo se inició este movimiento? —preguntó Frobenius—. ¿Y cuándo terminará? He ahí el interrogante que nos planteamos los astrofísicos. Y nos respondemos con dos teorías, una dinámica y otra estática. Nuestra lección dinámica, que llamaremos "explosiva", concibe un gigantesco átomo primordial cuyo diámetro era de unos 500 millones de kilómetros, y cuya densidad era tan formidable que su materia pesaba 250 millones de toneladas por centímetro cúbico, a una temperatura de millones de grados. No bien este núcleo gigante alcanzó el punto crítico de su densidad y temperatura, el gran estallido se produjo: la materia cósmica, lanzada violentamente al espacio, se dividió en pregalaxias y en galaxias, con sus millones de soles, de sistemas planetarios y de mundos que siguen expandiéndose como las esquirlas de una granada, y seguirán haciéndolo hasta llegar al límite·último de su expansión. Ahora bien, cuando ese límite universal haya sido alcanzado, las galaxias iniciarán su movimiento de retorno al centro inicial de la explosión, hasta reunirse todas y reconstituir el átomo primero.

Era obvio que los oyentes de la platea, sin dejar de admirar el bien aceitado mecanismo de aquella doctrina, experimentaban ya en sus huesos el frío inherente a toda maquinaria. Y no lo era menos que los clowns, en sus negruras de la izquierda y la derecha, iban levantando una presión manifestada en gruñidos y risas cuya densidad creciente sólo era comparable a la del átomo que acababa de pintar el doctor Frobenius tan a lo vivo.

—Esta enseñanza —prosiguió el astrofísico— tiene un solo defecto: no explica el origen de la materia cósmica, ya que la da como eterna en el átomo primordial. Afortunadamente, nuestra segunda teoría salva tan desagradable omisión: el origen de la materia está en el átomo de hidrógeno, que nace en el espacio yo diría que por generación espontánea.

—¡El átomo de hidrógeno es un pez indigerible! —tronó Gog desde su frontera.

—¡Pero cómodo! —ironizó Magog desde la suya.

Risas de la "izquierda" saludaron aquel nuevo ataque.

—No crean ustedes —explicó Frobenius— que el átomo de hidrógeno se da en el espacio con tanta facilidad. Por ejemplo: en el vacío de una botella común se produciría un átomo de hidrógeno cada 500.000 años.

—¿Qué botella? —protestó Gog ofendido—. ¡Abajo la condenada botella!

—¡Estrangulemos al átomo de hidrógeno! —vociferó un Magog solidario.

—Ahora bien —concluyó Frobenius—. En un espacio cuya extensión se calcula en 10.000 millones de años luz, nacen 100 mil sextillones de toneladas de hidrógeno por segundo.

Los del anfiteatro tuvimos la impresión agobiante de que todas esas toneladas caían sobre nuestros hombros. Pero los clowns habían llegado al límite de sus paciencias:

—¡Imbéciles! —nos apostrofó Gog desde su atalaya invisible—. ¿Hasta cuándo soportarán esa grotesca danza de sextillones? ¿No ven ustedes que un astrofísico a sueldo, y por otra parte absolutamente mamado, quiere atomizar en su computadora la salud mental del presente Concilio?

—¡Muchachos! —nos arengó entonces Magog—. ¡No sean los idiotas útiles de un Régimen podrido hasta la médula!

Volvió a sonar la campanilla de alarma, y la Voz Tranquilamente Imperiosa dijo:

—¡Silencio afuera! ¡Que la Oposición se limite a la órbita puramente científica del asunto!

Aquella voz aún sin identificar pareció herir a los clowns en sus fibras más hondas.

—Ese que habla —preguntó Gog—, ¿no es un tal Severo Arcángelo, que mató a su mujer y la enterró secretamente junto al tercer eucalipto de la izquierda? ¿No es el mismo que organiza un Banquete inmundo para estrangular las voces de una conciencia tan abominable como el origen de su fortuna?

—¡Diga el acusado —gritó Magog a su turno— si es verdad que reúne a una pandilla de hombres obtusos y mujeres livianas, con el solo fin de iniciarlos en las degeneraciones antiguas!

Reinó en el anfiteatro un silencio tirante, a cuyo auspicio habló de nuevo la Voz Tranquilamente Imperiosa:

—La Oposición abusa de sus fueros —dijo—. ¡Que se la desaloje de sus bases!

—¿No estamos en una democracia? —protestó Gog con fines demagógicos.

—Estamos en una democracia —repuso la Voz—. Y cultivamos todas las libertades.

—¡Hasta la de fusilamiento! —le censuró Magog enardecido.

Desde nuestras butacas entendimos cómo invisibles agentes perseguían a los clowns, les daban caza en la noche y los hacían desaparecer en un mutis violento. La última voz que oí fue la de Magog que protestaba:

—¡Nos retiramos al imperio de las bayonetas!

Junto a mí Bermúdez rió discretamente:

—El clown exagera —me sopló—. No hay en toda la casa ni un triste matagatos.

Pero el astrofísico retomaba su discurso:

—Bien, señores —explicó—: el hidrógeno, constituido en unidad de la materia, producirá el helio, el litio, el carbono, el oxígeno, todos los elementos, en fin, que se ordenan en la Tabla periódica de Mendelejev; y así se forman las galaxias integrantes del Universo. Como ustedes ven, esta segunda teoría es muy completa. Y trae una ventaja más: no sólo explica el origen de la materia cósmica, sino también su disipación final. Ya dijimos que las galaxias huyen en el espacio a velocidades asombrosas. También lo admite nuestra segunda teoría, pero con un añadido: esa velocidad inquietante va *in crescendo*, a medida que las galaxias se aproximan al límite de la expansión universal. Ahora bien, está probado que un sólido en movimiento contrae su masa en razón directa de su velocidad. Y el punto máximo de su contracción se daría cuando el móvil alcanzase la velocidad de la luz, vale decir 300.000 kilómetros por segundo: entonces el móvil perdería literalmente una dimensión, y no entraría ya en el mundo corpóreo, que se manifiesta por tres dimensiones. Quiero decir que las galaxias en fuga, no bien alcanzan la velocidad de la luz, abandonan su estado corporal y entran en la cuarta dimensión.

—¿Qué hay en la cuarta dimensión? —preguntó la Voz Tranquilamente Imperiosa.

—No lo sabemos —respondió el astrofísico, revelando en su tono viejas y enconadas angustias.

Los desconocidos oyentes del anfiteatro parecieron abismarse ahora en el enigma de aquellas aniquilaciones galácticas. Hasta entonces los dos clowns, en su opositora tenacidad, habían servido a los oyentes como dos anclas que los retenían y los afirmaban en este mundo. Pero Gog y Magog habían sido eliminados, y la platea navegaba sin lastres hacia el vértigo de una dimensión abismal. Y el pánico de los navegantes aumentó cuando Frobenius, al transmutar su angustia en cierto encono retrospectivo, nos aclaró lo siguiente:

—Podría suceder que ustedes, arrellanados en sus butacas lujosas, permanecieran aún en la ilusión de ser ajenos al drama estelar que acabo de referirles, tal como si asistiesen divertidos a la función mecánica de un planetario. ¡Y no es así! Porque todos nosotros, aquí y ahora, volamos rumbo a la nada y a una velocidad de miles de kilómetros por segundo.

—¿Por qué y para qué? —volvió a inquirir la Voz Tranquilamente Imperiosa.

—Lo ignoramos —rezongó Frobenius desde su tribuna.

Y en aquel instante se alzó una voz entre patética y falsa que lloriqueó en tono de elegía:

—¡Hemos inventado ultramundos y dioses para combatir esta frialdad cósmica y éste vacío en que nos agitamos! ¡Y ahora resulta que nuestro dios único y verdadero es el átomo de hidrógeno!

Sentí en mi alma el fuego de la cólera que habría dominado a Gog y a Magog si hubiesen permanecido en escena. Porque, ¿no era la de Impaglione aquella voz de falsete que parecía levantar antífona en una liturgia mecanizada? Otra voz que llamaré "de tuba", y no menos artificial que la del Alcahuete en Fa Sostenido, se lamentó entonces:

—¡Ante su increíble finitud, el bípedo humano (que así lo llamó con justo desprecio el sabio de la tribuna) concibió un Infinito donde reparar su lamentable naturaleza!

—¡Los infinitos no existen! —le gritó Frobénius iracundo.

—¿Y los del Tiempo y el Espacio? —inquirió la Voz de Tuba.

—El Espacio y el Tiempo —rezongó Frobenius— no existen sin la materia que se instala y dura en ellos. Cuando toda la materia se destruya, el Espacio y el Tiempo volverán a la nada.

Se disponía él a nuevas argumentaciones, cuando una explosión formidable sacudió la terraza, hizo bambolear la tribuna y dio con el astrofísico en el suelo. Gog y Magog habían lanzado su ataque final. La ola expansiva del estallido nos conmovió a todos en nuestras butacas: oí voces de pánico y un redoblar de talones en fuga. Como pude, me libré de un asiento que me oprimía, y salí fuera de la terraza, buscando en la noche los caminos del chalet. Al entrar en el living comedor no vi a nadie. Y sin esperar el regreso de los sobrevivientes, tomé una botella de whisky, subí a mi dormitorio y me asomé a la ventana: luces de antorchas corrían en el parque, buscando, según deduje, a las víctimas de la explosión. Entonces me serví una doble medida de whisky, lo apuré con furia y me dejé caer en la cama, entre divertido, maldiciente y roto.

XIII

A la luz de la mañana, y tras un buen paréntesis de sueño, me fue dado analizar el Concilio de la víspera sin interferencias de pasión alguna. En el comienzo de la síntesis me dije que la ceremonia se había cumplido bajo el sello de una teatralidad que, según todas mis observaciones, parecía ser la "marca de fábrica" del Banquete. Hasta se había intentado, con Impaglione, la introducción de un coro griego en el cual, según averigüé más tarde, se presentarían la Última Cena de Cristo, el Banquete platónico y el Ágape de Trimalción, realizándose a lo vivo en este fangal de planeta que huye con su galaxia en el espacio a una velocidad de 200.000 kilómetros por segundo. Afortunadamente, la bomba de los clowns había hecho fracasar ese toque ridículo. Pero, ¿qué buscaban los organizadores del Banquete al exponer una cosmogonía brutal a los individuos anónimos que la escuchaban en el anfiteatro? Desde luego —me respondí—, se quería ubicar a esos hombres en el Espacio, de modo tal que sus conciencias retuviesen una "imagen terrorífica" de semejante ubicación. ¿Y dónde radicaba el terror de la imagen? Se lo había logrado merced a un truco infantil: el de las relaciones puramente numéricas establecidas entre la dimensión corporal del hombre y las magnitudes abismales que se dan en el cosmos. Durante mi niñez, en las noches del sur, yo admiraba el enjambre de las estrellas que se me ofrecía como un universo familiar y al alcance de mis manos; hasta que un pedagogo rural, embebido en el tóxico de las aritméticas, me robó ese mundo caliente de la esencialidad para darme un abismo en que jugaban helados pavores numerales. Y fue, sin duda, la memoria de aquella estafa lo que me había lanzado, en la noche anterior, a la única protesta que levanté cuando el astrofísico barajaba millones como un tahur delirante.

Pero —volví a reflexionar—, ¿con qué propósito se inventaba el terror en la conciencia de algunos hombres destinados a ocupar la mesa de un Banquete? Alguna vez, en mis risibles ensayos poético-filosóficos, había sostenido que la existencia del hombre se desarrolla ordenadamente merced al equilibrio de dos "presiones": una que obra desde su "adentro" hacia su "afuera", y resiste la presión del mundo externo, que sería la otra. Si la presión interna es debilitada, se produce un desequilibrio en virtud del cual el mundo exterior invade al hombre y lo desaloja de su entidad íntima: se da entonces en él un "vacío" favorable a todas las irrupciones externas. ¿En el Primer Concilio del Banquete, no se habría intentado producir un vacío semejante, con el propósito de embarcar a los hombres del anfiteatro en alguna ilusión desesperada? Y en tal caso, ¿a qué tendía el Banquete del Viejo? Recordé al punto que Frobenius, en síntesis, había lanzado algo así como una "metafísica de la nada". ¡Gran Dios! —me dije—. ¿No será el Banquete una saturnal de cuño existencialista?

El valet que me trajo el desayuno mostraba en su semblante las huellas de una triste meditación. Al inquirirle las razones de tan inusitada gravedad, me respondió que había escuchado el desarrollo del Concilio, mediante un receptor instalado en la cocina. Cuando bajé al parque y recorrí sus frondas, vi la misma preocupación en el tostado rostro de los jardineros; y obtuve una respuesta semejante a la del valet al preguntarles el origen de sus melancolías. Luego, al visitar el garaje, di con chóferes abstractos que me parecieron otras tantas figuras de la tristeza en uniforme gris. Entonces no dudé que toda la servidumbre de la casa, de algún modo, había participado del Concilio. ¿Qué significaba esa indirecta participación? ¿La servidumbre también entraría en el Banquete, como un grupo exotérico no iniciado en sus interioridades, pero igualmente sometido a una gran desolación colectiva?

Envuelto en esas reflexiones me acerqué a la choza de los clowns, bien que sin esperanzas de hallar a esos obstinados luchadores. Mi asombro no tuvo límites cuando los vi junto al gallinero, tendidos largo a largo en la tierra dura y sujetos de pies y manos a otras tantas estacas de madera. Entendí al punto que Gog y Magog sufrían en aquel instante un castigo por su acto dinamitero de la noche anterior. Y comprobé que lo aguanta-

ban con una entereza digna de los mejores elogios. Claro está
que yo, personalmente, al estudiar su condición de matreros estaqueados, los habría preferido de botas de potro y chiripá, según la manera criolla, o con los torsos desnudos, a lo Migue.
Ángel, y no envueltos, como los vi, en detonantes piyamas a
bastones amarillos y verdes.

—El Viejo Pirata —me dijo Gog— tiene un marcado gusto
por las torturas medievales.

—Peor es el aceite de ricino —filosofó Magog con una ecua-
nimidad enteramente grandiosa.

Lleno de indignación y de piedad, intenté librarlos de sus
ataduras. Pero Gog me detuvo con un gesto de reproche, como si
yo intentara escamotearle su palma de martirio. Entonces les
pregunté si querían agua o cualquier otro líquido estimulante,
pues la literatura me había enseñado que los cuerpos tendidos
al sol experimentan deshidrataciones agudas; y ambos clowns
rechazaron mi oferta con una dignidad sólo comparable a la que
tal vez exhibió San Lorenzo en la parrilla de los infieles. Pero
Magog, que fumaba como una chimenea, me pidió tímidamente
que le acercase un cigarrillo: encendí uno, se lo metí en la boca,
y Magog aspiró el humo con afán. Mientras le ponía y le quitaba
el cigarrillo según los movimientos alternados de su aspiración
y espiración, mantuvimos el coloquio siguiente:

—A decir verdad —se disculpó Gog—, el mitin, o como lo
llamen esos hijitos de puta, nos tomó de sorpresa. Magog y yo
tuvimos que improvisar el ataque sobre la marcha. Elegimos dos
árboles, uno a la izquierda y otro a la derecha del anfiteatro: subidos a sus copas, y con nuestros megáfonos, podíamos intervenir en el debate. La máquina explosiva fue instalada por Magog en la tribuna sólo como recurso extremo.

—¡Y ahora dicen —rió Magog entre dos pitadas— que hi-
cimos estallar una bomba de gran poder, cuando sólo era un
petardo vulgar y silvestre de los que se tiran en Buenos Aires
a los opositores de comité!

—Sí —admitió Gog—. El Viejo Cretino está exagerando
adrede nuestra "máquina infernal". Porque los idiotas que lle-
naban su anfiteatro se hicieron humo, como gallinas que son,
al oír una triste bomba de quermese.

—¿Cuántos murieron en el desastre? —les pregunté.

—Son veinte que desaparecieron anoche, a favor de la humareda —respondió Gog—. Y diez tránsfugas más que desertaron en automóvil al amanecer.

—¿Está seguro?

—Me lo dijeron los muchachos del garaje.

—¿Saben ya cuántos han de ser los comensales del Banquete?

—No todavía —refunfuñó Gog—. Hay un núcleo principal de doce tragaldabas. Ahora están eligiendo a los otros por eliminación, como en un seleccionado de boxeo. ¿Se da cuenta del enorme ridículo?

En aquel instante mi solidaridad con Gog y Magog era casi perfecta:

—¿Consiguieron ustedes alguna identificación por las cámaras fotográficas? —inquirí.

—¡Nos arrebataron las cámaras! —protestó Magog dolorido—. ¡Extrajeron los rollos de película y los quemaron con fósforos! ¡Así trabajan las dictaduras que juegan a la democracia y las democracias que juegan a la dictadura!

Justiprecié aquella sentencia del mártir estaqueado. Pero Gog esbozó un rictus amenazante:

—Ya tendremos la filiación de todos —me anunció—. Las fichas están en el archivo metálico del Viejo. Hay que forzar la cerradura lo antes posible: las acciones van a tomar ahora un ritmo acelerado.

—¿Cómo lo sabe? —pregunté.

—Imagínese —me reveló Gog— que la cocina del Viejo ya está proyectando los manjares del Banquete.

—¡Y los vinos trucados! —añadió Magog con una repugnancia invencible.

Me parecía estar en un sueño. No era mucho digerir un Concilio de fantasmas celebrado a medianoche con óptima escenografía: lo que resultaba difícil era dar crédito a las abominaciones que predecían dos clowns estaqueados en el suelo, a plena luz del sol y en una gloriosa mañana de primavera. ¿No estarían ellos embarcados en la difusión de una "leyenda negra", con turbios fines disolventes? Los estudié un instante. ¡No! Algo de sublime traducían esas dos figuras castigadas, y una seguridad que se adquiere sólo en el ejercicio de las virtudes heroicas.

—¿Saben ustedes algo de Thelma Foussat? —les pregunté.

—¿La Viuda? —memorizó Gog—. Sí, ahora, en el laboratorio, la llaman "el Vacío Creciente".

—Necesito su historia clínica —insistí yo conturbado.

—La tendrá no bien forcemos el archivo —me aseguró Gog—. Pero, créame: la fotografía de la *maquette* nos resultará más útil.

—¿Y el tercer monólogo del Viejo?

—No tardará en producirse —dijo Magog—. El Viejo Crápula está excitado como nunca.

—Los monólogos —añadió Gog—, estudiados a la luz del Concilio, nos acercarán bastante a la solución del problema.

—¿Usted ya ve algo claro? —le dije.

—¡Todo! —me respondió Gog, sibilino entre sus estacas.

Me despedí de los clowns y los dejé tirados en el suelo, resistentes a la humedad y ejemplares como dos filósofos de la escuela cínica. De regreso al chalet no dejaba yo de calcular el impacto que los acontecimientos de la noche anterior habrían logrado en sus habitantes. Pero al entrar en el living comedor hallé a un Bermúdez fresco, liso y jacarandoso, el cual, ofreciéndome un Martini seco, me saludó con la siguiente perorata:

—"¡Ah, si no viviera yo en esta generación de hombres, o si hubiera muerto antes o nacido después! Porque ahora es la Edad de Hierro. Los hombres estarán abrumados de miserias durante los días y serán corrompidos durante las noches, y las Divinidades les prodigarán amargas inquietudes. Los padres viejos han de ser despreciados por sus hijos impíos: el uno saqueará la ciudad del otro: no habrá piedad alguna ni justicia ni buenas acciones, porque sólo el violento e inicuo será respetado."

No disimulé mi asombro ante aquellas amenazadoras palabras dichas con cierto aire histriónico por un hombrecito calvo que lucía pantalones de golf.

—¿Alude usted al atentado de anoche? —le pregunté.

—Son palabras del gran Hesíodo —me ilustró él—. Figuran en el libro primero de *Los Trabajos y los Días*.

—¿A qué se refieren?

—A la Edad de Hierro.

—¿Y qué tiene que ver la Edad de Hierro con este manicomio?

Por única respuesta Bermúdez recitó:

—"Entonces, volando de la anchurosa tierra hacia el Olimpo, y abandonando a los hombres, Eros y Némesis, vestidas con trajes blancos, han de unirse con la raza de los Inmortales."

Intenté desentrañar en aquellos recitados algún sentido profético que los hiciera inteligibles. Como no lo hallara, conjeturé que Bermúdez, entre copa y copa, sólo era víctima de alguna reminiscencia profesoral. Sin embargo, ¿no había en su tono algo así como un despunte de fanatismo? Estaba yo por interrogarlo acerca de su tirada erudita, cuando Frobenius descendió por la escalera y se acercó a nosotros: vestía un conjunto matinal, y todo en él era sano e íntegro, con excepción de tres curas plásticas que lucía en la frente y nos recordaban su forzoso descenso de la tribuna. Invitado a sentarse con nosotros a la mesa, el astrofísico nos declaró que acababa de tomar un piscolabis en su laboratorio, y que salía en busca del sol, a pesar de la influencia congestiva del astro en sus posiciones equinocciales. Como nos interesáramos por la Musa Urania, Frobenius nos anunció que había tomado ella unas cortas vacaciones (ya previstas en el reglamento del Banquete para los trabajos insalubres), y nos reveló de súbito, y en tono elogioso, que Urania se nutría literalmente de violetas alpinas y agua destilada. Sacó luego de un bolsillo su armónica venerable y nos abandonó por la gran luz que lo llamaba desde afuera: oímos en seguida los acordes agrestes de su instrumento que se alejaban en el parque.

—No hay duda —observé yo dirigiéndome a Bermúdez— que al regresar del cosmos el astrofísico ha entrado en una serenidad asombrosa.

—Una verdadera catarsis —asintió Bermúdez clavando su tenedor en una pierna de gallina.

Tomé un alón del ave, y mientras le dividía las coyunturas observé cómo el profesor devoraba su presa. ¿Estaría resarciéndose de su ayuno anterior? Pero Bermúdez, como si adivinara mi conjetura, me clavó sus ojos miopes y me dijo:

—Aquí donde me ve ahora, estoy despidiéndome del comedor.

—¿Nos abandona usted? —inquirí en mi sorpresa.

—Debo eclipsarme —anunció él—. Ha llegado mi turno.

Apuró un vaso de vino, con cierto aire de tierna despedida:

—Esta noche —añadió— me internarán en la Casa Grande.

—¿Para qué?

—Debo cumplir mi entrenamiento.

—¿Con qué fin?

—El Segundo Concilio del Banquete.

—Espero —le dije yo— que no sea otra barbaridad.

Como si, de súbito, la perspectiva de su entrenamiento y el fuste de la nueva empresa le cortasen todo el apetito, Bermúdez arrojó los cubiertos en el plato:

—El Segundo Concilio del Banquete —me aclaró— se ha de realizar a puerta cerrada.

—¿Y cuánto durará su entrenamiento?

—Siete días justos. Cuando yo termine, usted empezará.

—¿Qué me quiere decir? —le pregunté sin ocultarle mi azoramiento.

—Ya le anuncié —me recordó Bermúdez— que Severo Arcángelo le concederá una segunda entrevista.

—¿Por qué?

—¡Feliz mortal! —me aduló Bermúdez—. Usted lo tiene intrigado.

En aquel momento, y con bastante sorpresa, vimos cómo el doctor Frobenius entraba en el living comedor: no había cambiado su aire de recién lograda beatitud; pero algo en él traducía los resquemores de una culpa.

—¿Ya de regreso? —le preguntó Bermúdez.

—Al parecer —dijo Frobenius— mi armónica ya no gusta.

—¿Sucedió algo?

—Los jardineros me han corrido a pedradas, los chóferes me silbaron, y los hombres de cocina me han reducido a silencio.

—¿Por la armónica? —inquirí yo.

—Por la armónica —me aseguró Frobenius—. Como si yo estuviese profanándoles una tristeza.

XIV

No era la profanación de una tristeza común lo que había lanzado contra Frobenius a la servidumbre, sino el asesinato de la "confianza vital" que había sostenido a esos hombres desde su cuna. Y las horas que siguieron al Primer Concilio gravitaron sobre todos con el peso de una desolación que se traducía en sus gestos y en sus palabras. Ahora bien, si ello acontecía en la chusma exotérica de la organización, en el grupo esotérico que habitaba la Casa Grande se debatía simultáneamente un conflicto inesperado que amenazaba con trastornar el curso de las obras: el Primer Concilio había suscitado un "disidente" cuya importancia era fundamental. Me lo anunció el propio Frobenius, al siguiente día y en el living comedor: el astrofísico había renunciado a su catarsis y sofrosyne consiguiente, para entrar en una rabia sorda que lo devolvía sin remedio a los batidos de frutas con champagne. Interrogado por mí sobre la naturaleza del "disidente", me dijo que se trataba de un tal Andrés Papagiorgiou, de ascendencia griega, propietario en El Tigre de un minúsculo astillero que había recibido en herencia de su progenitor y en el cual armaba embarcaciones de poco tonelaje.

—En rigor de verdad —se dolió Frobenius—, es un loco náutico. ¡Y a este país le dicen "el crisol de las razas"! Vea: un crisol auténtico funde metales y los combina en aleaciones útiles. ¡Pero aquí los metales humanos continúan en su feroz individualismo!

Justamente (según me advirtió Frobenius en la tarea de pulverizar al refutante de su tesis), Papagiorgiou había manifestado ese individualismo étnico al lanzarse a una triste carrera de Navegante Solitario, en una chalupa de su invención y engreído con la idea por demás anacrónica de imitar a su antepasado Ulises. Claro está que Papagiorgiou, en sus tres intentos de circunnavegación terrestre, había hecho tres papelones de resonancia casi mundial: en su primer viaje fue recogido frente a las Azores por un barreminas inglés; en el segundo, un pescador caboclo del norte de Brasil consiguió rescatarlo de las voraces pirañas; y durante su tercera navegación fue salvado por un destróyer argentino, cuando el hombre intentaba llegar a las Malvinas con el fin de ocupar esas islas personalmente y según los derechos de la enseña nacional que ondeaba en el mástil único de su chinchorro.

—Eso, más que locura, es patriotismo —le hice observar a Frobenius.

—¡No lo defienda! —me censuró él—. ¡Ese constructor de botes no es un patriota sino un megalómano! En toda su carrera sólo buscó la publicidad: todo el mundo sabe que se muere por ver sus fotografías en rotograbado. Naturalmente, sus actividades no habrían ido más allá, si al tal Papagiorgiou no le hubiese dado luego por la "cultura", basándose, como era de temer, en su antecesor Pericles.

Lleno de saña iconoclasta, Frobenius continuó su metódica demolición de Papagiorgiou, refiriéndome cómo el Navegante Solitario, movido por la facilidad de las vías acuáticas y a la vez por su inclinación a los tangos de Filiberto y a las pinturas navales de Quinquela Martín, había fundado la Universidad Libre de la República de La Boca, entidad geopolítica esta última que, según Frobenius, era otra manifestación del sectarismo nacional, ahora de cuño genovés. Ocioso resultaba decir los abusos en que había incurrido Papagiorgiou como rector de la Universidad Libre, máxime cuando los respaldaba con todas las lecturas incoherentes que había realizado durante las calmas chichas del trópico.

—¡Me revientan los francotiradores de la cultura! —rezongó Frobenius al terminar su retrato de Papagiorgiou—. ¡Y ese botero es quien se atreve a interpelarme!

—¿Cuándo tendrá lugar la interpelación? —inquirí.

—Hoy mismo, en la Casa Grande —me respondió Frobenius—. Usted ha de presentarse a las diecinueve horas.

—¿Yo?

—Debe reemplazar a Bermúdez, que sigue internado.

Traté de sonsacarle alguna otra noticia. Pero el astrofísico, en contacto alarmante con la ponchera, se abismó en un silencio preñado de amenazas.

Durante la siesta, y recluido en mi dormitorio, me pregunté si la lealtad inherente a un pacto de caballeros no estaría obligándome a comunicar a los clowns la nueva del *match* Frobenius-Papagiorgiou. Haciendo abuso de la lógica, de la moral y de la siesta, me dije al fin que tal comunicación era inútil, dada la urgencia del tiempo y el vedado lugar en que se realizaría el combate. Ya tranquilo de conciencia, me pregunté si yo asistiría en carácter de mero espectador, o como *jury* del *match,* con voz y voto. Ciertamente, si se me daba el segundo caso, yo sería un *jury* viciado de parcialidad: ya dije que la tesis del Primer Concilio me había presentado a un Frobenius detestable; y su acusación de sectarismo racial, esgrimida recién contra el Navegante Solitario, me pareció ahora un bumerang que daba en la propia cabeza del astrofísico, ya que su locura cientificista lo denunciaba poseedor de un "bocho" eminentemente germánico, pese a sus incursiones en nuestro folklore musical. Por contraste, la ubicación de Papagiorgiou en el cuadrilátero de la pelea me resultaba no sólo defendible sino altamente simpática: él era, como yo, un autodidacto del humanismo; y sus arrestos de navegante solitario, unidos a los ya famosos de un Vito Dumas o un Uriburu, revelaban, a mi entender, no un inútil robinsonismo flotante, sino la tendencia heroica de los argentinos a universalizarse y universalizar sus esencias. Además, Papagiorgiou tenía para mí la seducción de haberse logrado como nauta, pese a sus tres hundimientos, cuando yo, presa de la misma vocación, sólo había navegado en la tapa de un baúl roto, durante mi niñez y en verdes mares de trébol y gramilla.

Con tales disposiciones de ánimo, y siendo las diecinueve de aquel día, llegué a la Casa Grande y fui conducido hasta un pequeño estudio sólo habitado en aquel instante por un Impaglione ceremonioso. En el estudio no se veía más que una mesa redonda, con sus asientos en torno, una cámara de televisión y dos reflectores aún apagados. Como esos últimos enseres despertaran mi curiosidad, Impaglione me dijo que la "interpelación" sería televisada en aquel mismo estudio y en circuito cerrado, y que los "ilustres huéspedes" la verían desde sus habitaciones, a fin de asegurar el incógnito de cada uno y prevenir los "excesos de la Oposición". Aunque (dicho sea en su elogio) Impaglione traducía en aquel momento una benevolencia casi humana, no dudé que sus aclaraciones también respondían a un texto dictado. Me preguntaba yo cuál sería la intervención del valet en aquella justa, cuando se hicieron presentes el operador de la cámara y dos iluminadores, los cuales tomaron la ubicación técnica de sus oficios. No bien todo estuvo en su lugar, la puerta del estudio se abrió ante Severo Arcángelo, a cuya derecha e izquierda venían el doctor Frobenius y el para mí desconocido Andrés Papagiorgiou.

Vestidos los tres de negro absoluto (aunque sin las levitas y galeras convencionales), ostentaban el rigor circunspecto de tres duelistas literarios. Y, como era natural, mi atención recayó en Papagiorgiou, cuya semblanza me había trazado ya Frobenius con tan visible mala leche. A excepción de su recia textura y el color marítimo de su piel que recordaba el de los moluscos y las esponjas, ningún detalle parecía singularizar al Navegante Solitario, como no fueran ciertos desbordes expresivos de los que configuran una "cara de loco" tradicional. Y me bastó ese análisis breve para entender que Frobenius tendría en su interpelante a un rival temible.

Una vez instalados en la mesa redonda Severo Arcángelo, Papagiorgiou, el astrofísico y yo, la cámara enfocó a Impaglione que, según entendí, oficiaría como locutor o maestro de ceremonia.

—Señores televidentes —anunció él—, a raíz del Primer Concilio, ha llegado a esta Mesa Directiva una solicitud urgente de interpelación, cuyas instancias dramáticas nos han inducido a enfrentar al interpelante con el interpelado. Señores, con ustedes el interpelante.

La cámara enfocó entonces a Papagiorgiu, quien empezó a decir:

—Una doble objeción a la tesis del Primer Concilio me ha llevado a formular esta protesta. Señores, el orador del Concilio, aquí presente, al darnos una visión unilateral del cosmos nos revela que sólo ha mamado en las tetas agrias de la Universidad materialista.

Frobenius acusó este primer "gancho" de Papagiorgiou:

—¡Un momento! —dijo—. ¿Las alusiones personales han de ser admitidas como armas de controversia?

El maestro de ceremonia intervino aquí, fiel a sus consignas:

—En este debate —aclaró— se han de permitir todos los recursos lícitos, hasta los de la desvergüenza.

—¿Qué debemos entender por "desvergüenza"? —insistió Frobenius.

—Que los dos púgiles hablarán "a calzón quitado", según la exquisita metáfora española. ¿Queda entendido?

—Entendido —contestaron Frobenius y Papagiorgiou.

—Bien —concluyó el maestro de ceremonia—. El interpelante continúa en el uso de la palabra.

Otra vez enfocado, Papagiorgiou habló así:

—Mi primera objeción recae sobre la malsana delicia conque nuestro interpelado, en su discurso, barajó, sopesó y aduló la materia cósmica. Naturalmente, se unió a los nuevos ricos de la materia, y el exceso de harina le impidió ver los tallarines. Esta figura culinaria pertenece a los escolásticos de la Vuelta de Rocha.

—¿Ellos? —protestó el astrofísico—. ¡Son una manga de borrachines!

—¿Quién lo duda? —reconoció el navegante—. Pero sus borracheras tienen dignidad filosófica. Señores televidentes, dije lo que dije porque atomistas como el interpelado se vanaglorian de tener sus antecesores en Leucipo y Demócrito de Abdera, mis ilustres tatarabuelos.

—¡Si el señor es tataranieto de Leucipo —gritó el interpelado—, yo soy biznieto del Gran Turco!

—¡De la gran "turca"! —le corrigió Papagiorgiou, aludiendo venenosamente a la dipsomanía del astrofísico—. Ahora bien, el único fragmento que conservamos de Leucipo dice así: "Nada se produce vanamente, sino a partir de una Razón y en virtud de una Necesidad." ¿No es una patada en el mismo culo de la atomística moderna?

—Señor —lo exhortó aquí el maestro de ceremonia—, le rogamos que modere su lenguaje.

Papagiorgiou lo envolvió en una mirada llena de humanidad:

—Hablar "a calzón quitado" es peligroso —le dijo—. Nos indica un blanco tentadoramente visible. Sin ofender el trasero augusto de la Ciencia, le preguntaría yo al interpelado: ¿sabe que Demócrito, el atomista, era un alegre reidor? Y si lo sabe, ¿me dirá por qué reía?

—¡Porque se mamaba con los tintillos de Abdera! —le respondió Frobenius.

—¡Miente! Demócrito reía porque no ignoraba esa Razón y esa Necesidad que su maestro Leucipo vio en las combinaciones atómicas. Pero los atomistas de hoy no se ríen, como no sea leyendo las "tiras cómicas" (¡así las llaman!) de los rotativos norteamericanos.

—Señor —le dijo aquí Frobenius—. La literatura no es mi "especialidad".

Y aquí Papagiorgiou dio alguna señal de cólera:

—¡Su especialidad! —exclamó con desprecio—. ¡Este señor es un falso ídolo!

—¡Y este señor —acusó a su vez Frobenius— es un humanista "pasado por agua"!

—¿Qué me quiere decir? —lo desafió el navegante.

—Que la nómina de sus naufragios no cabría ni en los ochenta volúmenes de Salgari.

Era visible que Frobenius acababa de hacer impacto en la infraestructura de Papagiorgiou; el cual, bien enfocado por la cámara, no disimuló su agonía:

—Es verdad —confesó, valiéndose de una reminiscencia clásica—. Yo he naufragado en el Ponto cruel. ¡Neptuno me mostró su hígado furioso! Pero este señor ha naufragado en sus nebulosas como una laucha en una escupidera. ¿Y con qué frutos? Aquí viene mi segunda objeción a la tesis del Concilio: este señor, engolosinado con la pulpa cuantiosa de sus galaxias, ha incurrido en la insolencia de menoscabar a nuestro mundo, llamándolo "cascote" o "adoquín" terrestre. ¿Acaso, en su insania, pretende llegar a otros mundos habitados por entes más geniales? Ignoro si existen esos mundos; pero, si existieran, ¡que Dios los libre de los astrofísicos! Hoy por hoy, y como aborigen de la Tierra, este señor es un apátrida cósmico y un cipayo de la Vía Láctea. ¿Qué intenta? ¿Favorecer, como quinta columna, una invasión de los marcianos a nuestro planeta? ¿O se ha vendido a los intereses del uranio que, según dicen, abunda en Saturno?

La verba del navegante se levantaba ya en un crescendo peligroso, cuando Frobenius intervino con mentida indulgencia:

—Señores —dijo—. No dudo que ya captaron ustedes la

envergadura mental del interpelante. O es un producto asombroso del folklore boquense, o sus tres remojones en el Ponto (según lo llama él con flagrante arcaísmo) le han ablandado la sesera. Recordarán los televidentes que mi exposición del Concilio se limitó a señalar las terribles desproporciones que se dan en las masas cósmicas. En cuanto a la Tierra, insisto en que se trata de un mero cascote sideral; y lo demostraría sólo con dar aquí las dimensiones de su ecuador y de sus ejes, y hasta su peso en toneladas.

Como accionado por el resorte oculto de una mística, Papagiorgiou se puso de pie, y avanzó hacia la cámara, tendiendo un brazo más implorante que amenazador:

—¡Señores televidentes! —exclamó—. ¡La ceguera numeral del interpelado nos conduce al nudo mismo de la cuestión! ¡Oigan ustedes, ya estén ahora repantigados en sus butacas íntimas, o rasurándose frente al espejo con la increíble afeitadora eléctrica "Rapidex", a tres velocidades!

Calló de pronto, y se mordió los labios:

—Perdón, señores —dijo—. Acabo de insinuar una tanda publicitaria, movido inconscientemente por este milagro de la televisión. ¿Dónde iba? Sí, este astrofísico pone ahora en duda mis facultades mentales. Y no estoy loco, según lo verán ustedes en un futuro no lejano. Lo que me sucedió es que cierta mañana, en la esquina de Pinzón y Gaboto, me encontré con el pato marrueco de la lógica. ¿Y qué hice? Lo desplumé cuidadosamente, lo tuve doce horas en maceración de vino blanco, y lo cociné a fuego lento en su colchón de cebollas. Entonces, al morder su pechuga, me sentí el Hombre Nuevo; y al mirar hacia el río, vi que la primavera llegaba recién a la Boca en un remolcador enchapado en oro de veintitrés quilates.

Papagiorgiou guardó silencio, y un primer plano de su rostro, visto en el monitor de la sala, tradujo los desbordamientos del éxtasis. El cameraman recogió en seguida un primer plano de Frobenius, que sonreía ya en su triunfo sobre la demencia, y otro de Severo Arcángelo, cuyo semblante me pareció el de la Justicia frente a la balanza. Luego, Impaglione arrancó de su éxtasis a Papagiorgiou y lo condujo hasta el asiento que había desertado en su vehemencia.

—Continúe usted —lo invitó.

Y el Navegante Solitario retomó la palabra:

—Volviendo a nuestro cascote —dijo—, el interpelado lo mide y lo pesa como si se tratara de un melón santiagueño. ¡Ignora que su cascote no es más que un escenario giratorio, que en tal escenario viene representándose una tragicomedia, y que la tragicomedia tiene un protagonista, el Hombre!

Papagiorgiou hizo caer su puño cerrado sobre la mesa:

—¡El Hombre! —chilló con voz fanática. Y aquí viene una tercera objeción: ¡ese astrofísico de laboratorio se permitió calificar al Hombre de "bípedo humano"! ¿Advirtieron ustedes cómo una ciencia deshumanizada puede caer en la zoología más irreverente?

Aquí Papagiorgiou señaló a Frobenius con un índice acusador:

—¡Observen ustedes a esa máquina de calcular! —exigió—. ¿Afirmarían ustedes que alguna vez ha mordido un pezón materno? ¿Podrían jurar que se ha entregado él a la frescura de una noble amistad o de un tierno amor?

—¡Protesto! —dijo Frobenius—. ¡El pobre náufrago quiere impresionar a la teleplatea con un golpe de furca sentimental!

Papagiorgiou lo consideró un instante, como rindiéndose a un tirón de la misericordia:

—Un pseudomarciano —lo calificó—. ¡Pero a la mesa del Banquete se han de sentar hombres, y no esos monstruos que nos endilga la fantaciencia como seres de otros mundos, y que parecen atorrantes deshilachados!

Volvió a incorporarse, y dirigiéndose a Impaglione lo sacudió por los hombros:

—¡Oiga! —le dijo—. ¿Serán hombres o no los que han de asistir al Banquete? Dígamelo con toda franqueza, o "me abro" del Banquete y regreso a la Universidad Libre.

Impaglione le dio todas las garantías con respecto al tenor humano del Banquete. Y entonces Papagiorgiou, enfrentándose con la cámara, dijo así, patético de rostro, exuberante de mímica:

—Pues bien, señores: ¿les gustaría saber qué cosa es el Hombre, o el "bípedo humano", o el Monstruo Dual? Escuchen ustedes: lo definimos por una existencia desarrollada entre dos "actos límites" que no entran en su voluntad: un nacimiento y una defunción. De tal modo, el "bípedo humano" ignora su "antes" y su "después" de hombre. Según el existencialismo, el hombre sería un entreparéntesis abierto en la nada, o un chorizo existencial encajado a manera de sándwich entre dos rebanadas de vacío absoluto. En cambio, las hipótesis metafísicas lo entienden como una "estación humana" del ser, entre las estaciones "prehumanas" que vivió el ser antes de mojar un pañal terrestre y las estaciones "posthumanas" que vivirá luego de su instalación en un sarcófago. Señores, me limito a exponer las tesis, ya que la Universidad Libre de la Boca repudia todo sectarismo doctrinal y no grita ni "¡Abajo Sartre!" ni "¡Abajo los curas!" Eso sí, debo aclarar que a mí, personalmente, y sin comprometer a la Universidad Libre, me importa un pito el antes y el después del Hombre. Yo lo miro aquí y ahora. ¿Me van siguiendo?

En el monitor del estudio, y en primeros planos, vi sucesivamente la cara perpleja del Fundidor, la irónica de Frobenius, y la mía, sin expresión alguna, como la de un convidado de piedra.

—Bien —continuó el Navegante Solitario, al parecer satisfecho—. Lo que me interesa es el "tiempo existencial" del Monstruo Humano (que así lo llamaré cariñosamente): la sucesión temporal que transcurre desde su nacimiento hasta su muerte, y que el Monstruo Humano deberá cumplir y sobre todo "calificar". Ahora bien —me preguntaré—: ¿con qué llena ese tiempo el Monstruo Humano? Y me responderé: con las funciones inherentes a su naturaleza de monstruo. ¿Qué funciones? Amigos, la respuesta se me dio una vez en mi piragua, frente a las costas de Haití, mientras comía un ananá traído por la corriente del golfo. La designé con el nombre de Respuesta del Ananá, y dice así: "El Monstruo Humano ha nacido para el Conocimiento y la Expresión." Naturalmente, señores, estas gangas no se consiguen papando satélites en el Observatorio de Córdoba.

Directamente aludido, Frobenius interrumpió aquí al navegante.

—Señores —dijo—, no insultaré la inteligencia de los que nos están viendo y escuchando, al advertirles lo que ya es notorio. Haciendo uso de una metáfora porteña bien significativa, diré tan sólo que mi refutador tiene un corso a contramano en la pensadora. ¿Origen del mal? La coincidencia nefasta de una Universidad Libre y un sol tropical, incidiendo en un cráneo y en un ananá flotantes.

Nos guiñó Frobenius a los de la mesa un ojo sobrador, en la esperanza de recoger algún estímulo a su contraataque. Pero ninguno de nosotros correspondió a su muda solicitud, ya que seguíamos observando a Papagiorgiou, quien, sin dar señales de haber escuchado al astrofísico, prosiguió así:

—El Monstruo nace para conocer: eso dice la Respuesta del Ananá. Desde que abandona el claustro materno·hasta que lo descienden a la fosa helada, sus cinco sentidos exteriores, como cinco bocas, chupan la sonoridad, los colores y volúmenes, los olores y sabores, las formas y temperaturas del mundo que lo rodea y al cual llegó como peludo de regalo. Quiero decir que nace para tomar conciencia de un mundo externo y a la vez conciencia de sí mismo; o con más exactitud, para tomar conciencia de sí mismo en·su relación con un mundo de afuera..Porque, señores, gracias a su sentido interno el Monstruo averigua experimentalmente si las cosas del mundo lo joden o no lo joden. Y utilizo el verbo "joder" en su asombrosa versión argentina, porque no hay otro tan sutil como él para exteriorizar las justas reacciones del Bípedo Humano. De tal modo va sabiendo él si las cosas lo deprimen o exaltan, si son verdaderas o le mienten, si lo construyen o lo destruyen. Ahora bien, cuando sus experimentos lo llevan a inquirir los "por qué" y los "para qué" del mundo y de sí mismo, el Monstruo Humano cae sin remedio en la Filosofía: ¡que Dios los libre y los guarde! Conclusión: el Monstruo Humano es un animal omnívoro que traga y asimila todo su mundo con el aparato digestivo de su cuerpo mortal y el aparato digestivo de su alma inmortal. Cierto mediodía se lo dije a Quinquela, y lloró de ternura; se lo dije a Filiberto, y me llamó "colifato".

Papagiorgiou se detuvo un instante; y a juzgar por el fruncimiento de sus cejas, trató de recordar la línea exacta de su discurso, a la cual no le dejaban ajustarse sus frecuentes caídas en la divagación.

—Sí —dijo al fin—, ya sé dónde iba. Si el Hombre ha nacido para el Conocimiento, ha nacido igualmente para la Expresión: eso afirma la Respuesta del Ananá en su segundo término. ¿Segundo? ¡Bah! El Conocimiento y la Expresión se dan casi a la vez en el Monstruo Humano: a su conocimiento de una fruta responde su mordiscón; al conocimiento de una ofensa responde

su cachetada, su odio responde al conocimiento de un odio y su
amor al conocimiento de un amor. Desde que hace impacto en
este mundo, gracias a una percusión de la vulva maternal, hasta
que lo visten de madera en un ataúd con manijas reforzadas, el
Hombre no deja de expresarse con la voz, el gesto y el ademán;
con el trabajo y el ocio, con la guerra y la paz, con el sexo y la
lira. ¡Todo él es un grito vivo, un canto, una risa, una gesticulación, una protesta, un sollozo en este cascote vagabundo!

Como alucinado, Papagiargiou se restregó los ojos frente a
la cámara. Luego exclamó, en borbotones intermitentes de canilla
descompuesta o de vómito difícil:

—¡Monstruo contradictorio! Se lo dije a Quinquela, y lagri-
meaba; se lo dije a Filiberto, y quiso ponerle música. ¡El Hombre!
Habla santamente con los pájaros de Umbría, como Francisco
de Asís; o hace morir a sus congéneres en una cámara de gas cia-
nuro. Gira en una cápsula espacial, con fines de ciencia, derro-
tando las limitaciones de su condición terrestre; o hace caer un
proyectil atómico sobre una ciudad indefensa, bien arrellanado en
la butaca pullman de su bombardero. Se desgarra el buche, como
el pelícano, para nutrir a sus pichones; o se almuerza en el Congo
a un misionero belga de carnes tiernizadas por el bautismo. Contrae la lepra, curando a los parias de Oriente; o descuartiza con
método a su padre y oculta las piezas anatómicas en lagos o jardines idílicos. Roba el pan del huérfano y el chalón de la viuda;
o distribuye su haber entre los pobres y se interna desnudo en el
desierto para buscar a su Dios. Construye para sí o para los otros
abismantes infiernos; o intenta paraísos de frutas regaladas. ¡He
ahí al Hombre sublime y asqueroso, al hombre llamado Sí, al
hombre llamado No, al hombre llamado Quizás, al hombre llamado Aunque, al hombre que ignora todavía la hondura exacta
de sus bajezas posibles y la altura exacta de sus posibles exaltaciones!

Aquí el Navegante Solitario rompió en un sollozo incontenible; y la cámara registró fríamente sus ojos derretidos en
llanto, la hiel de su boca y sus narices aleteantes de piedad. Entonces el maestro de ceremonia lo tomó de la mano y lo devolvió
a la mesa, donde Papagiorgiou fue recibido por un Severo Arcángelo paternal que le restañó las lágrimas con su pañuelo de
bolsillo, que lo sonó de narices y le hizo beber un trago de

naranjada. Tras de lo cual, y otra vez desde su asiento, el navegante retomó aquel discurso invertebrado:

—La teleaudiencia —dijo, haciendo aún pucheros— ha de perdonarme sin duda el *shock* emocional que acabo de sufrir. Desde que tuve uso de razón fui descubriendo y admirando la "teatralidad" del Hombre. Siendo yo muchacho, durante las cenas y tertulias de mi casa, uno de mis juegos consistía en mirar a los asistentes como si yo hubiera sido un espectador y ellos los actores de una comedia: la sensación teatral que me daban era tan viva, que algunas veces me pareció advertir en los actores una indecible "falta de naturalidad". El segundo paso del juego lo di más tarde, cuando entendí que no era yo un simple mirón del sainete humano, sino que me hallaba comprendido en él hasta la verija, como un actor más. Y di el tercer paso de mi juego al sentir, ¡cosa extraña!, que no difería yo mucho de los otros actores, y que todos ellos, en lo sublime o en lo ridículo, eran otras tantas versiones "posibles" de mi propia entidad. Entonces, y recién entonces, conseguí amar al Monstruo Humano. ¿Saben por qué? Porque sólo entonces pude amarlo bíblicamente "como a mí mismo".

Papagiorgiou clavó en Frobenius una mirada crítica:

—Por eso —le dijo—, al oír sus inquietantes mediciones de la substancia cósmica, decidí reivindicar a esa molécula de reducido tamaño que se llama El Hombre. Señor, por otra parte, y sin desconocer la importancia de la generación atómica, no me negará usted que, como "fenómeno", un estornudo humano es más interesante y más complejo en su mecánica.

—Usted está loco —le respondió Frobenius ya sin acritud—. A mi juicio y al de cualquier psiquiatra, usted no debió estrangular y comerse luego el pato de la lógica. Es muy indigesto.

—¿Y quién lo niega? —repuso el navegante, condescendiendo a la urbanidad—. Pero si usted no lo digiere tome las famosas grajeas "Hepatogastril", y se sentirá como nuevo. ¡Excúseme! Otra interferencia publicitaria.

Intervino aquí el maestro de ceremonia para decir:

—Advierto al interpelante y al interpelado que no les es lícito dialogar. Sírvanse dirigirse a la Presidencia en todos los casos.

—Lo haré —acató el navegante— sólo para insistir en la teatralidad vistosa del Monstruo Humano. El hombre de ciencia que nos habló en el Primer Concilio del Banquete pareció extasiarse con el dramatismo de las galaxias en fuga. Yo me limitaré a recordar el sainete que se representa, hoy mismo y aquí, en este zumbante moscardón del espacio, en este cascote de honda, en este huevo fugitivo que llamamos Globo Terrestre. ¿A ver? Traten ustedes ahora de mirarlo a vuelo de gorrión o de astronauta. Sí, a estas horas 4.000 millones de hombres labran una tierra ya en agotamiento, ahondan las minas exhaustas, cosechan el viejo mar con redes primitivas o con superballeneros capaces de convertir en aceite al mismo Neptuno si lo arponearan; o, esclavos de la industria, fabrican en serie objetos útiles e inútiles, junto a maquinarias devorantes y ciegas como ídolos. Claro está que son los hombres anónimos, los hombres números, los hombres herramientas, la comparsa del sainete. Pero veamos a los otros, a los que ostentan un nombre gritón en las rotativas.

Aquí Papagiorgiou dio muestras de concretarse y apretarse como un demonio de la síntesis:

—Ahora mismo —prosiguió—, e instalados en este lujoso cascote, gesticulan los protagonistas que siguen. Mao Tse-Tung está escribiendo un poema lírico, fumando (si es que fuma) su bolita de opio, y sublimándose con la idea de lanzar una tempestad amarilla sobre Occidente. A su vez Kruschev sueña con la misma tempestad, pero la quiere de tez blanca y con música de Shostakovitch. El Presidente de la U. S. A., recostado a la sombra del capitalismo, exige dólares a los contribuyentes internos y externos, para derrotar a los rusos en la maratón de la luna y tranquilizar a los millonarios del norte y del sur. A la misma hora, el Papa, en su Vaticano, escribe una encíclica donde recuerda las terribles exhortaciones del Evangelio. Por su parte, Nehrú, De Gaulle y Nasser piensan en un Tercer Mundo que veinte años antes se atrevió a idear un argentino ahora en el destierro. Entretanto, mientras Hiroshima se cura las radiaciones y el Pacífico se desintoxica del estroncio 90, reactores ocultos preparan día y noche los isótopos radiactivos de las futuras catástrofes. Y mientras en África y Asia y Sudamérica pueblos enteros agonizan de hambre, los banqueros de Walt Street, de Londres o de Amsterdam se reúnen en su banquete rutinario para festejar los dividendos crecientes del último ejercicio.

El Navegante Solitario, al calor de los focos, enjugó su frente sudorosa con el pañuelo del Metalúrgico.

—Señores —dijo al fin—, este color humano, este sonido humano, este sabor humano es lo que yo defiendo ante la mineralogía en bruto que se nos ofrece en el Primer Concilio del Banquete. Drama o comedia, está representándose ahora, en este viejo tabladillo giratorio, con actores que "agonizan" dieciséis horas, cuando el tabladillo está en su cono de luz, y duermen otras ocho y olvidan, cuando el tabladillo entra en su cono de sombra.

Y mirando a Frobenius, le preguntó:

—¿Quiere usted que le describa mi Alucinación de las Bahamas?

—¿Es muy necesario? —rezongó el astrofísico.

—Estaba yo una noche a bordo, frente a las islas y anclado no lejos de la costa —narró Papagiorgiou—. Entonces me puse a estudiar la luna llena, su cara de astro muerto, su aridez terrible, su desnudo esqueleto mineral. Y de pronto imaginé a nuestro planeta igualmente difunto, sin verdores ni sonidos, como la luna, sin ontologías animadas ni entes capaces de inteligir y de expresar. Y en mi alucinación vi a la Tierra como un libro de texto ya borrado, sin palabras ni lectores. ¿Entienden?

Papagiorgiou nos miró, uno por uno, con desafiante angustia:

—¿Entienden? —volvió a decir casi gritando—. Si no lo entienden, me importa un pito.

—¿Ha terminado usted? —le preguntó el maestro de ceremonia.

—Nunca se termina —rezongó Papagiorgiou—. Si hubiese aquí algún hombre capaz de subirse a un cascarón flotante y de saber que flota, yo le revelaría la Oración de Reynaldo.

—¿Qué Reynaldo? —inquirió Severo con una chispa de interés en sus ojos.

—Reynaldo de Montalbán —aclaró el navegante—. Yo trabajaba entonces en un teatro de marionetas de la Boca, donde se ponía en escena el "Orlando Furioso", con títeres y libretos italianos. El director, un alma renacentista de Nápoles, me había favorecido con el honor de manejar al héroe Reynaldo; y noche tras noche, desde mi tablón de arriba, yo accionaba los hilos del paladín y lo hacía declamar sus tiradas heroicas.

Papagiorgiou vaciló un instante, como arrepentido de haber iniciado aquella revelación.

—Una tarde —prosiguió al fin—, mientras yo lustraba con puloil la vieja armadura de Reynaldo, el héroe, que colgaba de su percha, me habló, no en el idioma de Ariosto, sino en el suyo de muñeco trajinado. Yo era su motor invisible, y lo que me dijo esa tarde fue algo así como una Oración desesperada, mezcla de ruego, de gratitud y de reproche.

—¿Qué le dijo? —volvió a preguntarle Severo Arcángelo.

Papagiorgiou lo miró desde secretas lejanías:

—¡Nada! —le respondió al fin—. Lo que me dijo Reynaldo quedará entre Reynaldo y yo.

El navegante se aflojó todo en su butaca; y el alivio de una distensión completa se tradujo a la vez en su entidad corpórea y en su entidad anímica. Visto lo cual Impaglione, dando por concluido el alegato del interpelante, se volvió al interpelado Frobenius y lo invitó a la cátedra, recordándole su derecho a la réplica. El astrofísico no dio señales de querer usar ese derecho, tan abismado estaba en las reflexiones que tal vez le sugería la ciencia o la locura del Navegante Solitario. Entonces el maestro de ceremonia dio por acabada la interpelación. Se extinguieron los focos y se inmovilizó la cámara.

XV

Ignoraba yo los efectos que la interpelación del navegante habría conseguido en los huéspedes incógnitos de la Casa Grande, a cuya intimidad yo no pertenecía de momento. En cambio, y durante cuarenta horas más, pude advertir cómo se adensaba en sus hombres externos la atmósfera de iracundo vacío que los envolvió, según dije, al finalizar el Primer Concilio del Banquete.

Y de pronto algo nuevo comenzó a bullir en la casa. Fue al principio un rumor elogioso de origen ignorado, que iba trenzándose a otros rumores igualmente felices y que los hombres de cocina dejaban caer en la oreja de los chóferes y éstos en la de los mucamos y los peones de jardín. Esa gran ilusión tenía su nombre, y acaso no era más que un nombre: la Cuesta del Agua. Tras la sensación de oquedad que había dejado en las almas el discurso de Frobenius, la gente parecía entregarse a esa ilusión con el alivio del náufrago que se agarra de pronto a un barril flotante.

La Cuesta del Agua, según comprobé muy luego, tenía para todos la significación de un lugar geográfico, entendido como existente, pero dudoso en su verdadera ubicación. Lo que generalmente importaba era el carácter "edénico" asignado a la Cuesta por los rumores, y la noción de frescura dichosa que sugería inevitablemente. Lo que diversificaba esa noción era la obra personal de fantasía que todos y cada uno edificaban sobre tan débil soporte: por el momento, la Cuesta del Agua sólo tenía la endeble consistencia de un substrátum ofrecido a las arquitecturas de lo posible. Más tarde registré dos modificaciones que se introdujeron en tan vaga ilusión: según la primera (que se dio no bien los moradores afianzaron sus íntimas credulidades), la Cuesta del Agua ya no era un paraíso teórico regalado a los ensueños de la imaginación, sino una realidad tangible que podía merecerse y alcanzarse. Algún tiempo después una segunda modificación vino a complicar el dibujo: la Cuesta del Agua, si poseía una entidad concreta, no se daba ya como una fundación reciente que se pareciera, en cierto modo, a una colonia de vacaciones, sino como una heredad perdida y olvidada, en cuyo descubrimiento y restauración estarían trabajando ahora competentes arqueólogos.

Aquella novedad me sorprendió en circunstancias desventajosas: Bermúdez no salía del eclipse o encierro que me anunciara él mismo en su almuerzo final; también había desaparecido el doctor Frobenius, reclamado, según los chóferes, por actividades externas. No me quedaban, pues, otros agentes informativos que los clowns, y los busqué un atardecer en las inmediaciones del gallinero: no estaban allí, pero en la choza, cuya puerta se veía cerrada, me pareció advertir los ecos de una gran actividad interior. Llamé a la puerta, y mi llamado resultó inútil. Entonces volví al chalet, que usufructuaba yo ahora exclusivamente, y en su living comedor tejí las deducciones que siguen:

a) La Cuesta del Agua se resolvía en una leyenda cuya "fabricación" resultaba indiscutible. b) Su germen inicial provenía de la Casa Grande (activo laboratorio del Banquete), y desde allí se lo había lanzado al exterior, por el vehículo de las "sugestiones" controladas. c) Base del operativo era la vocación natural del hombre por la felicidad, revelada en sus búsquedas repugnantes o sublimes, como habría dicho Papagiorgiou, y que tradicionalmente se manifestaba en la noción de una tierra dichosa o en la de un vaso escondido y no roto de la delicia. d) Luego, en el origen íntimo de la idea, en su transmisión oral efectuada por los inocentes destinatarios y en el tiempo de germinación que se le había concedido afuera se revelaba un "método" tan seguro como inexorable. e) En la Cuesta del Agua (frescuras y verdores) aparecía otra vez la "obsesión arcádica" del Viejo Pelasgo, del Metalúrgico estéril, de aquel Cíclope tambaleante que se llamaba Severo Arcángelo. f) Y la Cuesta del Agua, con su terrible fuerza de ilusión, no podía tener más objetivos que los de "canalizar" nuestras esperanzas en la dirección de un intento cuya esencia ignorábamos aún.

Las horas que siguieron no podían sino extremar las efusiones de aquella esperanza: los hombres de cocina desertaron sus ollas y sartenes; abandonaron sus herramientas los peones de jardín; en el garaje los chóferes y los mecánicos desatendían sus oficios para salir al aire libre y juntarse con sus camaradas de ilusión. Los espié a todos, y los vi reunidos a la sombra de los bosquetes y entregados a pláticas lírico-grotescas en las cuales debatían su fervor colectivo. Mediante una transposición de mi fantasía, los imaginé vestidos con los trajes de la égloga literaria, y el efecto me resultó dramático y risible a la vez. Les faltaba sólo la música (zampoñas y caramillos); y la tuvieron cuando, sobre todo al alba y al atardecer, grabaciones fonoeléctricas empezaron a difundirse con intervalos e intensidades bien calculadas. Traté de identificar los trozos; y no lo conseguí, a pesar de que sus estilos me resultaran vagamente familiares (luego supe, merced a los clowns, que sólo era un *potpourri* de melodías arcaicas frangolladas por cierto músico del Conservatorio Nacional). Durante la última transmisión fueron insinuados en el *potpourri* algunos ritmos folklóricos del norte. ¿Qué se pretendía? ¿Sugerir indirectamente una "localización" de la Cuesta del Agua? Lo cierto fue que yo mismo concluí por abandonarme a tan pegajosa ilusión, y en mi cuaderno de notas la describí entonces con las palabras que siguen: "Es como si, de pronto, lo arrancasen a uno de las contingencias del siglo, para llevarlo a ciertas fuentes olvidadas, en un regreso matinal." Nuestra sugestión colectiva llegó a tal extremo, que las últimas horas de la "operación" me hallaron en la cocina del chalet, discurriendo a lo sublime con el mucamo de turno, hasta llorar de gloria en su chaleco a rayas negras y amarillas.

Aquella locura sufrió un tirón de riendas cuando, en la mañana siguiente, los panfletos de Gog y Magog aparecieron clavados a los árboles y distribuidos con profusión en todos los sectores de la casa. Era un volante impreso al mimeógrafo, y decía lo siguiente:

MANIFIESTO

"Se hace saber a los desprevenidos habitantes que la Cuesta del Agua no existe. Sólo es una engañifa cocinada por el Viejo Explotador de Hombres, con el fin de adormecer a la masa y hacerla servir a su plan tenebroso. ¿Qué se desea sugerir con el mito ingenuo de una Cuesta del Agua? La promesa de una rica pensión final, en pago de servicios humillantes. Así obra el Capitalismo Burgués: un sector minoritario copa y usufructúa el Festín de la Vida, y a los trabajadores le arrojan el hueso pelado, la cáscara vacía de una ilusión jubilatoria. ¡Compañeros, no se dejen pescar con tan sucia lombriz! La Cuesta del Agua es el opio del pueblo. Y el Banquete del Viejo Crápula, si es que se realiza, no tendrá ningún sobreviviente. Firmado: Gog y Magog."

Dediqué toda esa mañana y esa tarde a la captación de los impactos que aquel Manifiesto de los clowns hubiera conseguido en los habitantes de la casa. Lo primero que advertí en ellos fue la nublazón de la duda: se habría dicho que una serpiente sutil acababa de instalarse recién en el paraíso teórico de aquellos hombres. Unos mostraban semblantes abatidos, como si alguien les hubiera robado un juguete sublime; otros parecían trastabillar en una cuerda floja, oscilantes aún entre su desilusión y su esperanza; y algunos, ya decididos a la rebelión, exteriorizaban su furia y tendían puños amenazadores a la Casa Grande. Solidario con tanta inquietud, aguardé la hora oportuna, resuelto a entrevistarme con los clowns, así tuviera que arrancar la puerta de la choza.

No fue necesario. Al caer de la tarde los encontré junto a un macizo de tacuaras que erguían sus lanzones frente al gallinero. Los clowns, instalados en familiares reposeras, tomaban mate con la beatitud silenciosa de dos caudillos en vacaciones: Gog tenía en la diestra un porongo misionero, con su bombilla de latón; a los pies de Magog yacía una gran pava de culo tiznado. Y es verdad que sus aires tranquilos y socarrones evocaban ahora la inocencia de dos malevos frutales en tren de picnic.

Me tendí junto a ellos en la verde gramilla, y les dije:

—Sí, el Manifiesto es contundente.

Gog y Magog no dieron señales de haberme oído siquiera.

—Pero confuso —añadí en son de crítica.

Tras una chupada sonora, Gog devolvió el recipiente vacío.

—Magog —le preguntó con dulzura—, ¿no te parece que Farías es "el asco"?

—Sí —admitió Magog—, Farías puede ser "el asco".

Los enfrenté sin ira:

—Oigan —les dije—, ¿cuándo van a perder ese feo hábito de correr a la gente con la vaina? Ya resulta monótono.

—¿Cree usted —me censuró Gog— que habrían podido televisar al griego del bote, si la Casa Grande no hubiese contado con un sistema electrógeno independiente?

No cabía duda: Gog estaba refiriéndose a Papagiorgiou, a la sesión televisada y a mi flagrante "deslealtad" para con ellos, mis fieles aliados. Intenté urdir algunas razones que justificasen mi conducta; pero Gog las rechazó con un ademán altivo.

—En esta pelea —me aclaró— luchamos nosotros, los "comprometidos". Usted es un "no comprometido": en buen criollo, usted no es ni chicha ni limonada, ¿entiende? Y no crea que nos asombra: la de ser "no comprometido" es una vocación natural, como la de ser morocho, inteligente o cornudo. Pero, ¡atención! El "no comprometido" está en el centro de la batalla, y recibe "leña" de los dos bandos en trifulca.

Me sentí rabioso, no tanto por el son amenazante de sus últimas palabras, cuanto por la definición (¡tan certera!) que había dado Gog de mi actitud en los planteos del Banquete.

—Y ya delimitadas nuestras posiciones —concluyó él—, díganos: ¿qué ve de confuso en el Manifiesto?

—El Manifiesto —le respondí venenosamente— no es más que un pastiche de literatura roja, con lugares comunes que ya no usaría ni el ácrata más obtuso de Mataderos. Además, ¿por qué aseguran ustedes en el Manifiesto que nadie ha de sobrevivir al Banquete?

—"Si es que se realiza" —me recordó Magog en tono premonitorio.

—¿No se realizará? —le pregunté.

Recelando tal vez una indiscreción de su adlátere, Gog se apresuró a decirme:

—No tenemos la bola de cristal. Pero, haya o no haya Banquete, nosotros no seremos idiotas útiles.

—Y si hay que ser idiotas —añadió Magog con arrogancia—, ¡seremos idiotas libres!

Dicho lo cual volvió a llenar el mate a lo resero.

—Por lo pronto —me anunció Gog—, hace dos noches entramos de nuevo en la Casa Grande, hasta el atelier del Viejo Gorila.

—Desconectamos los timbres de alarma, y las ganzúas hicieron lo suyo —explicó Magog ofreciéndome su mate.

Rechacé la calabaza y di señales de una indiferencia que no dejó de inquietar a los clowns.

—¡Hemos fotografiado la *maquette*! —insistió Magog con una punta de ansiedad.

—Y abrimos el archivero metálico —añadió Gog—. Allí estaba su famosa Operación Cybeles: es una ficha rosada que tomamos en microfilm. Yo que usted no me haría ilusiones con ese documento.

Me puse de pie y fingí un bostezo de can aburrido:

—¿Qué contiene la ficha? —pregunté sin entusiasmo.

—Un bodrio —me dijo Gog, abandonando su reposera y encaminándose a la choza.

Magog y yo lo seguimos hasta los interiores de la casucha. Mientras que Gog buscaba en una carpeta y Magog escondía los chirimbolos del mate, descubrí el mimeógrafo en el cual se había tirado el Manifiesto y a cuyo pie se amontonaban aún las copias inservibles.

—Aquí está —dijo Gog al fin, tendiéndome una fotografía de la tarjeta rosada—. Si consigue sacar algo en limpio, no le ocultaré mi admiración.

Guardé la fotografía en mi bolsillo.

—Y aquí está la *maquette* —volvió a decir, presentándome otra fotografía sin ocultar su desconcierto.

Reconocí la masa de arquitectura que yo había entrevisto en el atelier de Severo Arcángelo; y el microfilm en ampliación destacaba los relieves comunes de un edificio, con sus plantas, accesos y ventanales. Ahora bien, lo que sorprendía y desconcertaba era la "forma" increíble de aquella edificación potencial, sus volúmenes, ángulos y líneas que no se ajustaban a ningún estilo arquitectónico ni tradicional ni moderno

—¿Qué le sugiere? —me preguntó Gog abismado.

—Por ahora, nada —le contesté—. O es un feto de la Arquitectura o una pesadilla del vanguardismo abstracto.

—Usted ha sido periodista —me rogó el clown—; ha utilizado archivos con millares de fotos. Concéntrese.

Volví a estudiar la *maquette*. Y una luz muy vaga se hizo de pronto en mis recuerdos:

—Acaso lo tenga —dije—. ¡No! Sería fantástico.

—¡Dígalo! —volvió a pedirme Gog como sobre ascuas.

—Esta mole —aventuré yo— se parece a la de un gran barco en construcción fotografiado en su astillero.

—¡Estamos locos! —protestó Magog desconsoladamente.

Pero Gog consideraba otra vez la fotografía:

—Sí —dijo—, se parece a una construcción naval. ¿Para qué demonios querrá el Viejo Mandinga una casa en forma de barco?

—No lo sé todavía —respondí—. Pero no lo duden: la clave de todo se halla en esta *maquette*.

Sin darle trascendencia, pero consciente del triunfo que yo acababa de lograr ante sus ojos, felicité a los clowns y les agradecí el modesto aporte que habían hecho a la investigación del caso. E intentaba ya un mutis de Gran Jefe, cuando Gog me detuvo en el umbral de la choza:

—¿Le interesaría conocer —me preguntó adulatoriamente— la última novedad que registramos en nuestros micrófonos?

—¿Vale la pena? —inquirí en mi abstracción.

—Los rascatripas han llegado a la Casa Grande.

—¿Qué rascatripas?

—Los que han de integrar la Orquesta del Banquete.

—¿No es demasiado pronto?

—Usted comprenderá —me dijo Gog— que no se trata de una murga cualquiera. Ensayarán en el subsuelo de la Casa Grande.

Salí de la choza; y bajo un cielo crepuscular me dirigí al chalet por entre los jardines que ya se vestían de sombra. Pensaba yo que aún tendría esa noche de soledad para la meditación de los hechos, ya que Bermúdez proseguía en su clausura y el doctor Frobenius en su ausencia. Pero al entrar en el living comedor me hallé con el astrofísico ya sentado a la mesa. No lo había vuelto a encontrar desde su justa con Papagiorgiou; y me cuidé muy mucho de aludir al Navegante Solitario. Políticamente, le di mi congratulación por su regreso al chalet; y el astrofísico, que no estaba de buen talante, se rindió empero a las leyes de la urbanidad.

—He pasado estos días en la Fundición Arcángelo —me dijo sobriamente.

—¿Qué hacen allá? —le pregunté como al descuido.

—Están construyendo la Mesa del Banquete.

No pestañé siquiera.

—¿Y qué tiene que hacer un astrofísico en esa operación? —inquirí sin interés visible.

—La Mesa del Banquete —me respondió Frobenius— ha de ajustarse a ciertos "ritmos planetarios".

No dijo más; y la cena, que fue breve, transcurrió en un silencio muy agradable. Tras de beber una infusión de boldo, el astrofísico subió a sus habitaciones. Lo imité al punto; y encerrado en mi dormitorio leí la ficha de la Operación Cybeles que guardaba en el bolsillo. He aquí su texto escrito en menuda letra dactilográfica:

"El Sujeto, desprovisto ya de casi todas las diferenciaciones individuales, está muy cerca de reducirse a la *substancia pura* que necesitamos presentar en el Banquete. Hay que despojar al Sujeto de sus últimos vestigios *esenciales*, para que la *substancia*, ya en estado absoluto de 'no determinación', adquiera su máximo de *receptividad*."

Volví a leer la ficha una y otra vez, comparando su texto con la imagen de Thelma Foussat que yo evocaba minuciosamente. ¿Sería ella el Sujeto de la operación que se ordenaba en la tarjeta y cuyo trámite se asemejaba tanto a una "putrefacción alquímica"? ¿O era sólo un jeroglífico-trampa destinado humorísticamente a los clowns y a su despiste? Una congoja mortal se abatió de pronto sobre mi ánimo, al verme preso de un Banquete que se resolvía en fórmulas abstractas y en mecanismos helados. Abandoné la ficha, me dirigí al ventanal, y abriendo sus dos hojas me asomé a la noche de primavera. Ceceos de follaje, aromas de flores mojadas, bullir de golondrinas que se agitaban en sueños, allí cerca, en el tejado del chalet; toda esa gracia viviente me llegó como un bálsamo de antiguas y entrañables farmacopeas. E hizo más honda mi soledad, ya que me trajo un recuerdo de noches parecidas, y gozadas a la vera de mujeres y hombres tan lejanos ahora. ¿Por qué la Enviada Número Tres no vendría esa noche hasta mi desconsuelo, fresca y sedante como un racimo de glicinas bajo la lluvia? Fue mi primera crisis, y mi primera tentación de renunciar al Banquete.

XVI

El sueño de aquella noche me indujo en una pesadilla reiteradora: soñé que Thelma Foussat era pulverizada en un mortero gigante, sometida luego a enérgicas disoluciones y destilada por fin en un alambique monstruoso: cuando me angustiaba en espera de la nueva forma que tomaría la Viuda, estallaba el alambique, y la operación se repetía obstinadamente una vez y otra. Y escuchaba o me parecía escuchar en sueños las voces de algunos personajes terribles que yo había visto en los grabados de un libro de Alquimia tragado y nunca digerido por mí durante mi feroz autodidáctica. Y los personajes decían ritualmente: *"solvemus, putrefacemus, sublimemus"*.

Al colorear de la aurora me despertó un batir de alas. Abrí los ojos, miré hacia el ventanal que yo había dejado abierto la noche anterior, y vi dos palomas que se acababan de posar en el alféizar y seguían arrullándose como en un dúo ya iniciado en los jardines exteriores. Traté de no aventurar ningún movimiento, a fin de no interrumpir el idilio de las aves: desde mi cama vi cómo la luz matinal reía en sus buches atornasolados, y gocé la paz de sus arrullos viejos y flamantes como la tierra. De pronto algo entró zumbando por el ventanal, ahuyentó a las palomas y cayó sobre mi frazada: era un cascote de ladrillo, atado al cual venía un papel cuya función y origen me resultaron evidentes. Maldije a los clowns por su doble herejía de asustar a las palomas y distraer mi ensueño. Y desatando el papel vi que se trataba, en efecto, de un mensaje de Gog, cuya garabateada letra decía lo siguiente: "El Vulcano en Pantuflas acaba de recitar su tercer Monólogo. Reunión y crítica hoy, a la hora de la siesta. Es para llorar."

Confieso que la perspectiva de hallarme otra vez con Gog y Magog en tan breve plazo me resultaba desagradable: la frecuentación de los clowns ya me había enseñado que, pese a la variedad cambiante de sus gestos exteriores, Gog y Magog actuaban sólo con dos o tres recursos primarios que se hacían aburridos en su reiteración. Por otra parte, sin dudar que Severo Arcángelo hubiera dicho su tercer Monólogo Clave, sospechaba yo que la urgencia de Gog no se debía tanto a su fiebre investigadora, cuanto a su rencoroso afán de reivindicarse frente a mí, luego del triunfo que yo le había refregado en las narices al interpretar la *maquette*. Sin embargo, la importancia de los Monólogos Claves era tan evidente para mí, que sacrifiqué mis prejuicios y resolví no faltar a la cita.

Después del mediodía y de haber almorzado solo en el living comedor, llamé a la puerta de la choza y me abrió un Magog ceremonioso que me condujo hasta la mesa, donde me fue dado ver el aparato grabador en cuya cinta se registraban sin duda los Monólogos, tres pocillos destinados al café, una botella de coñac en sus alambres y tres copas ventrudas. Busqué a Gog en el recinto penumbroso, y lo vi acostado en su catre de campaña, inmóvil todo él y con una bolsa de hielo en la cabeza

—¿Está enfermo? —le pregunté a Magog.

—Recibimos y grabamos el Monólogo a las veintitrés de anoche —me respondió él—. En seguida el Maestro se acostó para entregarse al raciocinio. El Maestro no ha pegado un ojo desde aquella hora, y le cambio el hielo cada treinta minutos.

Aunque no ignoraba yo el desnivel jerárquico establecido entre los clowns, me asombró la nueva de que Magog diese ahora el pomposo título de Maestro a su yacente camarada. Pero Gog, que había registrado mi presencia, abandonó simultáneamente su bolsa de hielo, su raciocinio y su catre de campaña:

—Siéntese —me dijo en tono cortante, y se dejó caer en una de las sillas que rodeaban la mesa.

Vertió Magog un café aromático en los pocillos y una dosis de coñac en las copas. Entonces Gog, que rezumaba en sí todo el sudor especulativo de la hermenéutica, inició el exordio siguiente:

—Óigame bien. Y no me diga Maestro. Es imposible considerar la substancia de los Monólogos que ha de oír usted ahora sin antes conocer la esencia del Viejo Truchimán que los ha recitado. Y no me diga Maestro, por favor.

—No le dije Maestro —le advertí yo serenamente—. ¿Cuál es, a su juicio, la esencia del monologador?

—El Viejo Cíclope —definió Gog— es un farsante nato.
Y dirigiéndose a Magog le hizo esta pregunta conminatoria:

—¿Es o no un farsante vocacional?

—Un actorzuelo de mala muerte —le aseguró Magog, copa
en mano.

—¡Júralo!

—¡Sí, juro!

—Está jurado —me acotó Gog en un despunte de fanatismo—. Ahora bien, según la documentación obtenida en el archivo donde guarda o entierra él su oscuro pasado, el Viejo
Truchimán desarrolló ese berretín histriónico desde su primera
juventud.

—¿Qué documentación hay en ese archivo? —le pregunté.

—Viejos programas de funciones teatrales que se realizaron
en tabladillos de mala reputación cultural. Y recortes de perio-
dicuchos de barrio, donde se comentan esos "divismos" del Vulcano en Pantuflas.

Entre consternado y humorístico, Gog expuso ese risible his-
torial de Severo Arcángelo, no con el fin de aclarar los Monólogos (que según vi luego no lo necesitaban), sino con la intención maligna de arrojar otra botella de alquitrán sobre la fama
del Viejo Metalúrgico. El cual había hecho su debut a los dieciséis años, en un teatrito de Quilmes, donde protagonizó al *Juan
José* del español Dicenta con tal exceso de patetismo, que le valió
una generosa cosecha de tomates y demás frutos de la estación.
Dos años más tarde Severo había encarnado al héroe de *La Cena
de las Burlas,* en un sótano del Gran Buenos Aires: El "Eco de
Lanús" refirió que media platea lloraba honradamente las des-
venturas del personaje, y que a su vez la otra media reía sin
pudor ninguno; y como la mitad llorante se creyera burlada por
la mitad riente, una y otra mitad se vinieron a las manos, en
plena función; de modo tal que la cortina debió ser interpuesta
entre los actores de la obra y sus espectadores en batalla. Pese a
su adversidad Severo acariciaba desde hacía tiempo el designio
ambicioso de vestirse con la ropa y el drama de Hamlet. Lo con-
cretó al fin en una sala de Avellaneda, con un elenco "experi-
mental" y frente a un auditorio integrado casi enteramente por
los obreros de la fundición y sus abigarradas parentelas. Y sucedió que la mayoría dormitó beatíficamente durante los cuatro

primeros actos, al par que una minoría en consternación trataba
de seguir los incidentes de la tragedia con el alma en un hilo.
Todo fue bien hasta que Severo, en el monólogo de Yorik, avanzó
hacia el proscenio con una calavera en la mano: se aterrorizó
la minoría expectante, y al huir despertó a la mayoría durmiente
que la siguió en su pánico; y el drama no llegó a la carnicería
del acto quinto. Ese Hamlet había terminado con la carrera teatral
de Severo, el cual, bajo las amenazas de su colérico progenitor,
hubo de renunciar a las tablas y volver a la "Fundición Arcángelo".

—Esa locura histriónica no lo abandonó jamás —concluyó
Gog—, y explica los tres Monólogos que usted ha de oír. ¿Sabe
cómo los pronunció el Viejo Cretino? Absolutamente solo en su
estudio, él y su alma corrompida, frente a un gran espejo.

—Vestido hasta los pies con una túnica griega y coronado de
laureles —añadió Magog ensombrecido.

—¿Cómo lo saben? —inquirí yo sin lograr digerir la túnica
ni los laureles.

—Nos lo contó un espía que tenemos en la Casa Grande —me
dijo Gog.

—Lo de la túnica —le sugerí—, ¿no será una "idea estética"
de Papagiorgiou?

—El griego chiflado no está en la Junta del Banquete —me
respondió Gog—. No, los Monólogos y su *mise en scène* son
obra exclusiva del Vulcano en Pantuflas. ¡Y ahí metió las de
andar hasta el encuentro!

—¿Por qué? —le dije yo.

—¡Porque, sin darse cuenta, vomitó su entripado! —exclamó
Gog—. ¿No le dije a usted que se trataba de monólogos claves?

Magog levantó aquí un índice profesoral:

—El pez muere por su boca —sentenció—, y el estilo es el
hombre.

—Oigamos esos Monólogos —los urgí sin comprometerme.
Fue Magog, el técnico de la pareja, quien hizo andar el aparato grabador. Y al instante oí la voz de Severo Arcángelo grabada con mucha nitidez en la cinta magnetofónica:

"¿Volveré a jugar mi alma? ¿La jugaré a estos dados brillantes?
Mi vida entre la espada y la pared: entre una espada hostil que
me acosa de frente y una pared idiota que me agarra de atrás.

¿Y si diese yo el brinco de costado, a la derecha o a la izquierda? Nunca me gustó la oblicua ni el camino más corto entre dos puntos: la mía es una raza constructora de laberintos para héroes astutos que traen ya su carretel del hilo conductor, y para necios que deambulan estrellándose contra los muros y los enigmas. Yo prefiero salir con la hebra de Ariadna, y no con el dudoso armatoste de Ícaro. Severo Arcángelo me llaman, o el Quemador de Hombres: deberían saber que sólo yo fui el quemado absoluto, y que sólo importa el bello monstruo que nacerá de mi ceniza. ¿La estirpe de Caín? Ella descubrió la metalurgia y edificó la ciudad secreta: Caín mató, y 'el que mate a Caín será castigado siete veces'. ¿Volveré a jugar mi alma? ¿La jugaré a estos naipes de colores? Feliz el que interprete un día este Monólogo del Fundidor."

Concluida la primera pieza, Magog detuvo la máquina.

—En este Monólogo —dijo Gog— se traduce la soberbia del Viejo Truchimán, revelada en una megalomanía que no deja de tener sus ribetes cómicos. ¿No pretende, acaso, vincularse a ilustres dinastías mitológicas? Ya lo sabíamos de antemano: el Viejo es un mitómano sin abuela. ¿Observó usted ese hipo de remordimiento que se deja oír entre líneas? Pues bien, lejos de turbar su conciencia, ¡ese hipo le da ocasión de inflar el buche de su orgullo!

Como yo nada le objetase, Gog ordenó a Magog que volviese a poner en marcha la grabadora. Y oímos el segundo Monólogo, que decía lo siguiente:

"La persona que más odio se llama Severo Arcángelo. Desde que abrí mis ojos a este mundo la estudié yo en mil espejos exteriores e interiores. Admiré primero su estructura sólida y su tiranía ejercitada en longitud, en latitud y en profundidad: yo era Severo Arcángelo, y me admiré a mí mismo, ¡vidalitay! Hasta que descubrí la verdad aterradora: Severo Arcángelo sólo era un número en solidificación o un garabato de la ontología. Y al despreciar su esencia me desprecié a mí mismo, ¡ay, vidita! Y estoy de nuevo entre la espada y la pared, yo, el quemado absoluto, y con los ojos puestos en mi ceniza. Lo que importa es el monstruo admirable que ha de nacer allí, ¡vidalitay!"

Detenida otra vez la grabadora, Gog me consultó con su mirada. Y ante mi silencio dijo en tono fanático:

—Sí, el segundo Monólogo nos da ya una clave preciosa, descontando ese folklorismo de mal gusto que se intercala en la pieza oratoria. El Viejo Truchimán está revelando aquí un impulso "autodestructivo" que abre a nuestras investigaciones una puerta segura. ¿Entiende?

—No —les dije yo, en el comienzo de un indefinible malestar.

—El que se autodestruye —me explicó Gog— se autodesespera. Y la desesperación le obliga entonces a dar el gran salto. ¡Qué formidable cretino! ¡Y oiga las consecuencias!

Arrebatado en su fiebre, Gog hizo andar por sí mismo la máquina, y se abrazó a ella como si quisiese tragarse la cinta magnetofónica. Entonces oí el tercer Monólogo que decía:

"Todas las palabras han perdido ya su valor originario, su tremenda eficacia de afirmar o negar; todos los gestos han perdido su energía ritual o su fuerza mágica. Lo perdieron en nosotros; en nuestras bocas que hoy parecen duras cajas de ruidos y en nuestros pies de bailarines automáticos. No obstante, las palabras de vida están aún en nosotros, ¿lo están o no, mi alma? Sí, lo están, pero como en instrumentos grabadores que las repiten mecánicamente sin entenderlas ya, sin morder su vieja pulpa inteligible. ¿Qué hará Severo Arcángelo? ¿Qué haría él para resucitar las muertas raíces del júbilo? Crear otras palabras, que digan lo mismo, pero sin lastres de cansancio: inventar otros gestos, que digan lo mismo, pero con fuerza de liturgia. Entre la espada y la pared, Severo Arcángelo medita su gran obra en laberinto."

Detuvo Gog la máquina y se volvió a mí con aire de triunfo:

—¿Se da cuenta? —me dijo—. ¡La "gran obra" del Viejo Truchimán! Estos Monólogos alborotarían a Freud en su tumba.

Sentí que mi desazón aumentaba, y le pregunté:

—¿Me dirá que ha gastado usted esas bolsas de hielo para llegar a una versión psicoanalista de los Tres Monólogos?

—No, señor —protestó él, como si yo acabase de insultar su inteligencia—. Ni Magog ni yo digerimos a los psicoanalistas: entendemos que su negocio es bastante rudimentario.

—Su negocio consiste —me explicó Magog— en hacerles creer a las viejas platudas que tienen aún problemas de orden sexual. Por eso, una vez, Gog y yo arrancamos en Buenos Aires las chapas de bronce de todos los psicoanalistas y las vendimos como chatarra.

—Mi versión de los Tres Monólogos —aclaró Gog todavía lastimado —se basa en la Historia Universal de la Pornografía.

—¿Quiere decir que volvemos al Hijodeputismo? —inquirí yo desolado.

—Naturalmente —asintió Gog—. El Hijodeputismo, como toda filosofía natural, no es un sistema cerrado, sino abierto y perfectible.

—¿Cómo perfectible?

—Se perfecciona en la medida en que los hombres van haciéndose más hijodeputizantes.

—¿Y es el caso del Viejo Fundidor? —le pregunté sólo por tirarle la lengua.

Olfateó Magog en su copa ventruda la nueva dosis de brandy que acababa de servirle Gog, el cual se mantenía de pie a su lado como un discípulo junto a su maestro.

—En alguna oportunidad —me recordó Gog— le comuniqué mi pensamiento acerca de la Pornografía en su relación histórica con el Capitalismo Burgués. Es peligroso democratizar un arte minoritario, como lo es la Pornografía; y el Capitalismo, ansioso de refinamientos, lo consiguió totalmente. ¡No me interrumpa! Estamos en el reino universal de la Pornografía. ¡No me interrumpa, señor!

—No lo interrumpo —le hice notar en mi desconcierto.

—Y no crea —me advirtió Gog sin escucharme— que le formulo aquí una simple cuestión de moralismo: ni Magog ni yo estamos con la moralina.

—La moralina —pontificó Magog— es el antibiótico en grajeas del burgués taciturno.

—Tampoco —insistió Gog noblemente—, al hablar del Hijodeputismo, entiendo rozar ni con la uña el honor de las abnegadas matronas que nos llevaron nueve meses en sus flancos bienhechores.

—Madre hay una sola —lloriqueó Magog con una lágrima en cada ojo.

—Lo que sí he de sostener a muerte —dijo Gog— es que la Pornografía, en su democratización burguesa, lo ha invadido todo: las artes, las literaturas, las filosofías, las modas y las costumbres. Es una Pornografía *standard* y "en cadena", según los métodos burgueses de la industria.

Lo vi desnudo y brutal en su fanatismo de sistema:

—¿No está exagerando la nota? —le pregunté—. ¡Usted no me ha dejado títere con cabeza! ¿Es que todo cayó bajo la Pornografía universalizante?

—¡Imbécil! —me insultó Gog en su entusiasmo—. No he dicho que todo: faltaba la Ciencia. ¡Y el Viejo Truchimán Libidinoso está metiéndola en la Pornografía!

Sudaba Gog y se estremecía en su furor especulativo:

—¡Ahí tiene usted el "gran brinco" —me reveló—, la "gran Obra", el "gesto nuevo" que intenta el Vulcano en Pantuflas! El muy ladino, en su ansia escandalosa de organizar un Banquete, sabe muy bien que la ingenua pornografía francesa, la visceral pornografía germánica, la solemne pornografía inglesa y la fúnebre pornografía española ya no conmueven ni a los niños de jardín de infantes, hoy sólo interesados en la fisión nuclear. ¿Y entonces qué hace? ¡Acude a la Ciencia! ¿No ha observado usted el arsenal de recursos científicos que aporta el Viejo Truchimán a la organización del Banquete?

Peligroso en su frenesí, Gog me dirigió un zarpazo a la cara, tal como si desease arrancar de mis ojos una telaraña invisible:

—¡Oiga, sordo y ciego! —me apostrofó—. ¡El Banquete será una orgía científica, una bacanal innoble, a base de electroshocks e isótopos radiactivos!

Se derrumbó sobre la mesa y su frente resonó en los duros tablones. Entre Magog y yo lo arrastramos hasta su catre de campaña: lo acosté y abrigué con las cobijas, al par que Magog, llorando de piedad, renovaba en la heladera los cubos de la bolsa.

Dejé a los clowns en su cabaña y salí al parque desierto a esa hora de la siesta. El sol, en su equinoccio primaveral, ardía lo bastante como para derretir ya en aromas las resinas y suscitar un preludio temprano de cigarras. Me tendí al pie de un cedro, con el fin de meditar a solas en los tres Monólogos de Severo Arcángelo: siempre fui vulnerable a las primeras impresiones, en cierta blandura de mi alma que me había llevado a frecuentes equívocos; hasta que la prudencia me aconsejó al fin el hábito de no aceptar ningún hecho sino a través de un análisis *posteriori,* tal como se habrá notado en lo que llevo de mi narración y se notará en lo que sigue. No me asombraba la interpretación, a mi entender fantasiosa, que Gog había dado a los Monólogos: el clown, en su aparatosidad endeble, había tejido, como de costumbre, una hipótesis a base de lo más externo y literal. Por mi parte, sin desconocer la inferioridad y nebulosa en que mi autodidáctica me había dejado, no había podido menos que advertir en los Monólogos cierta filiación con algunos textos que yo había transitado en mi juventud, bien que sin entender una jota y a la manera de un turista ciego. Y el malestar indefinible que yo había sentido ante la perorata de Gog era muy semejante (ahora lo veía claro) al que uno siente cuando sospecha la profanación o el manoseo de una substancia cuya virtud se desconoce. Lo que me resultaba claro en los Monólogos era el anuncio de una construcción en forma de "laberinto". El Banquete de Severo Arcángelo, ¿no venía presentándose a nosotros como un laberinto al cual se nos había lanzado y que ahora recorríamos a ciegas? Y entrar, correr y salir del laberinto, ¿no era una experiencia individual e intransferible que cada uno de nosotros debería realizar por sí? Desde aquella tarde anduve con más tiento en las cosas del Banquete.

XVII

Cierta mano que me tocaba el hombro me arrancó de mi sueño en la siguiente mañana: entreabrí los ojos, y vi entonces a Bermúdez que apadrinaba mi despertar con una solicitud casi tierna. El profesor volvía de su clausura en la Casa Grande; y todo en él revelaba las afinaciones de un riguroso entrenamiento, desde la expresión ascética de su rostro macerado hasta la disminución visible de su relieve abdominal. Por otra parte, Bermúdez ya no lucía el conjunto de golf que otras veces había simulado en él un rigor deportivo absolutamente increíble, sino un traje oscuro, abotonado hasta el cuello, que le daba un si es no es de prosopopeya clerical.

—Vengo de la Casa Grande —me anunció—. Se vive allá en una notable aceleración operativa.

—Y aquí también —le dije yo bostezando.

—¿Se refiere a las maniobras de la Oposición? Yo que usted no les llevaría el apunte. Oiga: la imagen exterior del Banquete sólo es el "reflejo a la inversa" de su imagen interior.

En el tono con que Bermúdez recitó la sentencia me pareció advertir un énfasis pedantesco de lección recién aprendida.

—¿Eso es lo que se debatirá en el Segundo Concilio del Banquete? —le pregunté sin entusiasmo.

—El Segundo Concilio del Banquete —me respondió él— aclarará un asunto más importante.

—¿Qué asunto?

—La ubicación exacta de la humanidad en el Tiempo.

—¿Con qué fin?

—Lo ignoro.

Y Bermúdez lo ignoraba realmente, como yo, como Frobenius, como la masa total de los conchavados en la organización. Se habría dicho que trabajábamos "en cadena", tal como lo sospechara Gog, independiente cada uno de nosotros en la forja

del eslabón que se nos había encomendado y sin otro indicio
de su finalidad que la promesa de un Banquete dado como sín
tesis y fruta de la operación común. Bermúdez pareció adivina
ese curso de mi pensamiento:

—Así es —me dijo— y hay que remar. El Viejo lo espera
en la Casa Grande, hoy, a las diecisiete horas en punto.

Y abandonó mi dormitorio, en un mutis alado (lo compare
a un Mercurio de ópera bufa que ya dio su mensaje y vuelve a
Olimpo).

Sin embargo, y pese a mis descorazonamientos, la perspectiva
inmediata de volver a enfrentarme con Severo Arcángelo suscitó
en mí una excitación alentadora. Desde mi primera entrevista
con el Viejo Fundidor yo había permanecido fuera de la Casa
Grande, vale decir entregado a las muchas y engañosas exterio
rizaciones del sainete o el drama en que vivíamos todos. Era,
pues, natural que la Casa Grande, vista de lejos y como inacce
sible, hubiese cobrado ante mí un prestigio casi mitológico, algo
así como el de un Parnaso donde reían y tronaban oscuras divini
dades. Hasta el atardecer, y sin bajar al living comedor, estuve
preparándome para la entrevista. Faltaba una hora cuando, frente
al espejo, me hallé vestido con una rígida meticulosidad que no
había buscado ciertamente: lleno de asombro y de indignación
me reprendí a mí mismo, preguntándome si me vestía para un
lance de amor o para un duelo a pistola. Resolví entonces la
estrategia que seguiría yo esa tarde frente a Severo Arcángelo
Dos tendencias operaban en el Banquete, la de los adictos incon
dicionales y la de los opositores intransigentes: yo me ubicaría
entre una y otra, como un legislador en la bancada del "centro"
Por lo tanto, lejos de ser un "no comprometido" (según me ha
bía calificado Gog con fines de insulto), yo aportaría un tercer
elemento al teorema: la acción equilibrante de "la duda".

Empero, me tamborileaba el corazón a las diecisiete horas
cuando llamé a la puerta de la Casa Grande. Un lacayo abrió y
me introdujo en el gran vestíbulo que ya conocía: me pidió, con
un gesto, que aguardase, y desapareció a foro izquierda. Un
segundo redoble de corazón me sobrevino cuando, por la escalera
central, descendió la Enviada Número Tres, airosa y volante como
una sílfide. Me adelanté hacia ella; pero la Enviada, sin dete
nerse, posó en mí dos ojos neutrales, como si nunca me hubie-

ra visto; además, el perfume que arrastraba en su descenso ya no era el de mis glicinas australes, sino el de una loción fuerte, del peor gusto, destinada quién sabe a qué náufrago indecible. Meditaba yo, no sin amargura, en aquella "prostitución de los aromas", cuando el mismo lacayo me condujo al *atelier* del Viejo Truchimán Libidinoso, como le decían los clowns y recordaba yo en aquel instante con un asomo de turbio resentimiento.

El *atelier* presentaba una fisonomía igual a la de la vez anterior, excepto el gran cortinado de felpa que, por estar corrido, no permitía ver la *maquette* ni los planos de arquitectura. Sin levantarse de su butaca, Severo Arcángelo me saludó con una leve inclinación de su cabeza y me hizo tomar asiento en otra butaca similar a la suya: vestía él un overol azul de mecánico, dentro del cual alojaba su montón de huesos pecaminosos; y ya no lucía el aire de santón que yo le viera en otra oportunidad, sino la máscara sin gestos de un empresario de obras. Con la suya, trató de hacerme bajar la mirada; pero, en mi hostilidad creciente, resistí a ojo firme.

—Duro de pelar, ya lo veo —comentó al fin, esbozando una sonrisa pétrea—. Señor Farías —me dijo—, ¿sabe usted por qué lo hemos incorporado a nuestra organización? Por su agradable inconsciencia y su feliz versatilidad.

—Si es un elogio, se lo agradezco —repuse yo dignamente—. Y si es un insulto, le respondo con mis reservas mentales, que no lo favorecen gran cosa.

—Por ejemplo —insistió el Metalúrgico sin darme beligerancia—, su informe acerca del Proyecto Cybeles es una pequeña obra de arte.

Su desenfado me sacó de las casillas.

—¿Qué han hecho aquí de Thelma Foussat? —le pregunté conminatorio.

—Cierto —recordó él—. Se llamaba Thelma Foussat.

—¿Dice que "se llamaba"? Por tanto, ha muerto. ¡Y sin duda en la mesa de operaciones!

—¿Qué importa su muerte —filosofó el Metalúrgico— si le sigue una hermosa resurrección? Pero no se trata de Cybeles: ha llegado la hora de que usted justifique su entrada en la empresa. Farías, lo necesitamos.

—¿Para qué? —le dije yo sin bajar la guardia.

—Le habrán comunicado —explicó él—, que deberá usted escribir un libreto.

—No soy un dramaturgo.

—Ya lo sé. Aunque, según el expediente, usted ha intentado fecundar a las Musas, bien que sin ulterioridades.

Me vi ridículo en mi antigua y fracasada vocación poética; y a la vez entendí que Severo Arcángelo, al recordármela, no traía ninguna intención maliciosa. Por el contrario, adiviné súbitamente que, a la manera de los domadores, intentaba él sacarle a mi orgullo las "primeras cosquillas", tras un fin serio que yo ignoraba por ahora.

—¿Un libreto? —le dije—. ¿Para qué?

—Será representado en el *show* del Banquete —me respondió— y en el centro inmóvil de la Mesa.

—¿Con qué asunto?

—El libreto ha de tratar sobre la Vida Ordinaria.

—¿Y qué tengo yo que ver con la Vida Ordinaria? —me resistí aún.

—Usted es la Vida Ordinaria —me definió el Metalúrgico.

Y calculando en mí el efecto negativo de aseveración tan rotunda:

—No lo tome a mal —dijo—. Sabemos que durmió usted quince años en la Vida Ordinaria: otros duermen en ella todo su tiempo existencial. Afortunadamente, usted ha despertado: si así no fuera, mal podría escribir un argumento para el Banquete.

Nada repuse, fluctuando aún entre mi recelo y su fascinación.

—Se llamaba Cora Ferri, ¿no es verdad? —me insinuó el Viejo con extrema dulzura.

—¿También lo sabe? —protesté—. Sí, era mi mujer, ¡y no perteneció a la Vida Ordinaria!

—No al comienzo —admitió él—. Algunos empiezan en el idilio, y a usted no le faltó esa delicia. Yo no la tuve: ¿oyó decir que asesiné a mi esposa?

—Una calumnia —le dije yo inquieto.

—Naturalmente. Pero si no fui su asesino, fui su victimario. ¿Y sabe por qué? Porque la Vida Ordinaria me tomó indefenso, ¿entiende?, sin esa prehistoria lírica de los matrimonios frutales, a la cual puede uno acudir si el amor ha existido y peligra. Yo no conocí el idilio.

—Lo deduje cuando usted sostuvo ante mí aquel diálogo
isible con Impaglione.

—Tampoco me fue dado, como a usted, un aroma de glicinas
a que aferrarme si las papas quemaban. Yo no tuve un aroma,
ino un olor.

—¿Cuál?

—El de los metales: el olor del hierro, el olor del bronce y
el olor del estaño. ¿Sabe a qué huelen? A infierno.

El Metalúrgico de Avellaneda estaba desnudando ante mí una
umanidad casi aterradora:

—El idilio —me dijo—: usted lo conoció, ¿recuerda? ¡Tiene
que recordar, o no ha de sentarse a la mesa del Banquete!

—Lo recuerdo —admití yo fascinado—. Cora se parecía en-
onces a una región de frescura.

—Hermoso —ponderó él—. ¿No sucedió una noche, allá, en
os jardines de Palermo? Cora y usted habían levantado sus ojos
asta las estrellas de Orión. Y no dudaban que Orión había nacido recién y que ustedes eran los primeros amantes que lo descu-
rían. Ignoraban ustedes que Orión era tan viejo como la fatiga
del mundo, y que millones de ojos enamorados lo habían seguido
antes en sus vueltas y revueltas de cazador nocturno, millones de
etinas que nacieron del polvo y al polvo regresaron. ¿Fue así o no?

—¡Así fue! —reconocí yo dolorido—. En el patio andaluz col-
gaban mil racimos de glicinas, y Cora y yo estábamos en una
especie de borrachera.

—Y más tarde —prosiguió Severo—, ¿no recorrían ustedes la
ran alameda que conduce a Plaza Italia? ¿Y acaso no entendían
que sus talones recién inauguraban todos los caminos? ¡Dígalo!
Sí o no?

—¡Sí! —exclamé yo en mi encantamiento—. Bordeábamos la
erca del Jardín Zoológico, rugían los leones, y el mundo se nos
resentaba como nuevo y salvaje.

—Sin embargo —refutó Severo—, millones de pies igualmen-
e ilusos habían herido ya la tierra sin memoria que pisaban us-
edes, millones de tarsos redoblantes, que fueron y no son.

En su tirada última el Metalúrgico había parecido entregarse
un ensañamiento más necesario que cruel. Así lo entendí yo,
in preguntarme, como hubiera sido lógico, de dónde había saca-
o él todas aquellas informaciones atinentes a Cora y a mí.

—Usted y Cora Ferri —me dijo— habían tocado la esfera de "lo sublime". Y cuando se toca lo sublime quedan sólo dos caminos: o morir de sublimidad o caer en la Vida Ordinaria. Ni usted ni Cora murieron de sublimidad.

—Ella murió quince años después —le dije yo, atormentado por los recuerdos—. Un cáncer de intestino.

—¿Y qué hicieron ustedes en esos quince años? —repuso el Fundidor—. Si lo sabe, dígalo. ¡No lo sabe! ¿Quiere que busquemos juntos en el subsuelo?

Apagó todas las luces del *atelier* menos la de cierta lámpara verde que dio al estudio una sedante claridad de gruta. Luego acercó a la mía su butaca, tomó asiento en ella y empezó a decirme con voz neutral:

—Relaje los músculos del cuerpo. Así. Distienda los resortes del alma. Bien. Cierre los ojos, y entremos en el archivo de su memoria. Está oscuro, ¿verdad? Expedientes muertos u olvidados; pero en orden y listos, como para responder en cualquier momento a una revisión juiciofinalista. Muy bien. Ahora insistamos en la pregunta: ¿qué hicieron usted y Cora Ferri, en los quince años transcurridos a partir de la sublimidad?

—No veo claro —murmuré yo entregándome del todo a su juego.

—Usted y Cora Ferri —me dijo él— se pusieron a construir esa trampera minuciosa que llamamos la Vida Ordinaria.

Y continuó, trasladándome a un "presente del indicativo" que me llenó de alucinaciones:

—Están edificando su Vida Ordinaria como quienes realizan el "sueño de la casa propia". Se meten adentro, refuerzan sus paredes, inmunizan sus techos contra la humedad exterior; defienden sus puertas y ventanas con cerrojos en clave y pasadores internos. Cora y usted se han atrincherado en la Vida Ordinaria: dígame lo que sienten.

—Ahora recuerdo —le dije—: es una sensación muy confortable.

—¿Sensación de qué?

—De seguridad.

—¡Bravo! —me alentó el Metalúrgico—. ¿Y sabe usted cómo se fabrica esa ilusión de seguridad? Volvamos al subsuelo. Cora y usted viven una existencia de relojería: todo está previsto y calculado. La cocina eléctrica, de reciente invención, asa un pollo en veintitrés minutos exactos; la licuadora puede atomizar en ocho segundos trescientos gramos de substancia comestible.

—¡Cora tenía unas manos de ángel para la mayonesa! —le dije yo arrastrado por entrañables recuerdos.

—No lo dudo —admitió él—. Además, figuran en el cuadro su lavadora mecánica, su aspiradora y enceradora, su quemador automático de basura, su refrigeradora, su acondicionador de aire, todo garantizado por escrito en la duración y el *service*. Por otra parte, Cora y usted se han librado ya de todas las contingencias desagradables, con pólizas de seguros, abonos a servicios médicos (la operación incluida) y exequias fúnebres de primera clase. Diga si no fue así.

—Exactamente —asentí yo, rojo de vergüenza.

—Y al evocarlo ahora, ¿qué siente?

—La noción de un enorme ridículo.

—Y no era todo —añadió Severo Arcángelo—. Dígame: ¿tiene usted eso que se ha dado en llamar "un alma"?

—Presumo que sí.

—¡Admirable presunción en un hombre del siglo! ¿Recuerda usted si la Vida Ordinaria incidió en esa presunta molécula de su entidad?

—No recuerdo bien —le dije—. Todo está en penumbra.

—Concéntrese —me ordenó el Viejo—. Y diga si es verdad que, solicitado por urgencias anímicas bien regimentadas, acudía usted a grabaciones fonoeléctricas de música *standard*. Señor, diga si es verdad que, según un horario preciso, usted enfrentaba su televisor para nutrirse de historietas cómicas o dramáticas, series yanquis de pistoleros o *cowboys*, programas de cocina o de modas, *shows* de aulladores tropicales y mesas redondas en que se debatían estruendosos lugares comunes, todo ello industrializado y servido en dosis homeopáticas.

—¡Lo confieso! —gemí yo en un despunte de angustia.

—Porque usted —insistió Severo— había olvidado sus inclinaciones lírico-filosóficas y devoraba sólo novelas policiales y diarios a granel.

—¡Como que yo los escribía! —dije aquí a manera de disculpa.

—No lo felicitaré por ello —declaró el Metalúrgico en tono de pena—. ¿Qué se había hecho de las horas fervientes en que usted proyectaba escribir un drama incaico en verso, con su Atahualpa escarnecido y sus Vírgenes del Sol llorando a toda vela?

—¡Sólo fue una locura de juventud! —exclamé yo aterrado.

—¿Y cuál fue su cordura de hombre adulto? Escribir editoriales y notas con temas prefabricados e intereses ajenos. Usted sólo era una máquina de escribir al servicio dactilográfico de la Vida Ordinaria. También en la Redacción todo venía previsto: sueldos e ideas, viáticos y fervores.

—¡El doctor Bournichon era un demonio! —admití yo en alas de una cólera retrospectiva.

—No lo adule tanto —repuso el Viejo Fundidor—. Lo cierto es que la Redacción y sus conexiones públicas lo confirmaban a usted en aquella seguridad aparentemente indestructible que usted y Cora Ferri habían organizado en su departamento. Ahora bien, esa clase de seguridad sólo tiene una expresión: la insolencia.

—¿La insolencia?

—Eso digo. ¿Cree usted que lo inspiraba otro sentimiento cuando, por la mañana y bajo la ducha, escupía usted al mundo su confort entonando a gritos el aria de *Rigoletto*?

—¡No era el aria de *Rigoletto!* —protesté aquí en naufragio— ¡Era el brindis de *Cavalleria Rusticana*!

—Eso fue al principio —admitió Severo—. Más tarde, y con un entusiasmo diabólico, se dedicó usted a entonar los *gingler* de la televisión, sobre todo uno en el cual se glorificaban las excelencias de unas píldoras laxantes.

—¡No es verdad! —grité yo despavorido.

—¿Quiere que se lo recuerde? Usted iniciaba el *gingler* en el cuarto de baño, y Cora Ferri lo contrapunteaba desde la cocina.

Entendí que Severo Arcángelo, fiel a una exigente metodología, no me daba cuartel en aquella minuciosa y degradante reconstrucción de mi Vida Ordinaria. Y me sentí acorralado en mi asiento y bañado en sudores de angustia y de ridículo. El Metalúrgico pareció entender aquella zozobra:

—No se atormente —me dijo—: ya estamos en el final. Usted había caído en la trampera de la Vida Ordinaria, y se creía seguro. El sólido techo de la trampera lo aseguraba en lo alto contra la lluvia de los dioses, y el piso de concreto, en lo bajo, contra la infiltración de los demonios. A su frente y a sus espaldas, a su izquierda y a su derecha cuatro muros de fórmulas convencionales lo aislaban y protegían de cualquier factor desconocido. La ratonera parecía invulnerable; y usted, encerrado en ella, se imaginaba libre y obedecía en realidad al sólo convencionalismo de la ratonera. ¿Entiende?

—¡A pesar de todo, yo conservaba mi fuero íntimo! —exclamé, intentando un arranque de rebeldía.

—Imposible —me aclaró él—. Su fuero íntimo estaba desplazado ya por los editoriales *standard*, las mesas redondas y los *ginglers* de la televisión. Y en tales condiciones, manejado por estímulos ajenos, ¿qué cosa era usted? Un robot.

—¿Un robot?

—Usted era un robot, y Cora Ferri era un robot. Y eran robots mecánicos todos los que se agitaban con usted en la ratonera, seguros y unánimes como si obedeciesen a un control electrónico. Ahora escuche: la Vida Ordinaria, en su aparente seguridad, sólo es una formidable ilusión colectiva. Un hecho libre, cualquier influjo no previsto que se infiltrara en la ratonera destruiría su organización ilusoria, como un grano de arena paraliza todo un mecanismo perfecto. Dígame: ¿cuál fue su grano de arena?

—La muerte de Cora —le respondí.

—Para usted la muerte de Cora, para mí una rotura de vértebras y una meditación en el corset de yeso —recapituló el Metalúrgico—. Y quedamos fuera de la Vida Ordinaria, ¿no es así? Entonces, ¿qué sucede? Que fuera ya de la Vida Ordinaria, el hombre vuelve a escuchar el llamamiento de "lo extraordinario". Usted lo escuchó, al intentar aquel Descenso a los Infiernos, ¿recuerda?

—Fue sólo en imaginación y poesía —le concedí yo—. Estaba solo, y me sentí un Orfeo de tamaño natural. ¡Una de mis tantas frustraciones!

—¿Y qué importa? Lo sintomático es que usted intentó bajar al Infierno para rescatar el alma de Cora: era la sublimidad que otra vez lo reclamaba. Por mi parte, me arrastré como una bestia y hundí mi cara en el fango del chiquero.

El Viejo Fundidor se puso de pie, volvió a encender todas las luces del estudio y me dijo con voz fanática:

—Escriba todo eso: póngalo en una tragedia, o mejor dicho en un sainete.

Se dirigió a la cortina de felpa y la descorrió en su totalidad.

—¡Impaglione! —llamó—. ¡Impaglione!

Detrás de la *maquette* hundida en las tinieblas vi cómo se levantaba la figura histriónica de Impaglione:

—¡*Subito!* —declamó él, avanzando hacia nosotros.

—Impaglione —lo interrogó Severo—, ¿un robot puede asistir al Banquete?

—"Señor —dijo Impaglione—, un robot puede asistir al Banquete si antes logra destruirse como robot."

—Muy sensato —aprobó el Metalúrgico—. Impaglione, instale al señor Farías.

Y tras dirigirme un saludo abstracto hizo mutis en el taller de arquitectura.

XVIII

Si en función de "la escena" Impaglione resultaba ser un actor plausible aunque amanerado, en otras funciones reducía su coturno a la estatura de un valet eficiente, rápido y silencioso. No bien el Metalúrgico de Avellaneda hubo desaparecido tras la cortina del *atelier*, Impaglione me vendó los ojos, con un gran pañuelo de seda floreada que había traído él, sin duda, para tal fin. Luego, tomándome de un brazo, me condujo por no sé yo qué laberinto de corredores y escalerillas, hasta cierto lugar donde me quitó la venda. Nos hallábamos en un cubículo semejante a un calabozo medieval o a una celda monástica, extremadamente limpio y desnudo. A la luz de cierta lamparilla ubicada en el techo advertí los detalles que siguen: un ojo de buey protegido con barrotes de metal, que daba presumiblemente al exterior; debajo del mismo, una camilla sin almohada, sobre la cual yacían un poncho salteño y un piyama doblados. En el centro del cubículo una mesa rústica y sin mantel sostenía medio pan, un vaso de agua y tres nueces; la celda o calabozo tenía una sólida puerta de acero con cerrojos de bronce un tanto espectaculares.

Hecho de una mirada ese inventario, me dirigí a Impaglione y le dije:

—¿A qué viene toda esta escenografía de conspiración italiana?

Sin abandonar su mutismo Impaglione comenzó a desvestirme con la ciencia de un valet entrenado: al hacerlo, retuvo mi corbata, mis ligas, mi cortaplumas y mis tiradores que guardó en sus bolsillos.

—¡Oiga! —le advertí—. Están locos allá si creen que puedo suicidarme.

Atento a su oficio Impaglione tomó el piyama que había catalogado yo sobre la camilla, y sin violencia me forzó a vestirlo. Ya enfundado en la prenda, vi que gruesas rayas horizontales lo decoraban en todo su paño, lo cual me daría, según colegí, un aire de presidiario convencional muy a tono con el recinto.

—¡Bravo, Impaglione! —le dije yo al saborear aquel detalle.

Pero el valet, atrincherado en su reserva, me saludó fríamente, abandonó el calabozo y cerró tras de sí la puerta de acero. "¡Atención! —me dije—. Ahora rechinará el cerrojo: ¡tiene que rechinar a lo clásico!" No lo hizo: algo fallaba en la *mise en scène*.

Prisionero de la Casa Grande, me acerqué a la mesa y consideré el medio pan, el vaso de agua y las tres nueces. "Esto significa penitencia o castigo" —reflexioné—. Y sin tocar nada me dirigí a la camilla, hice una cabecera con el poncho salteño y me acosté largo a largo. ¿Se me sometía tal vez a un rito penitencial? Y si yo había dado en la tecla, ¿no reaparecía muy luego Impaglione, cinturón en mano, para darme una tunda metodizada, con la lonja y la hebilla, semejante a las que administraba él a Severo Arcángelo en sus horas de ascética? Naturalmente, aquella posibilidad era del todo ingrata, computando su molestia y su ridículo: al fin y al cabo, yo sólo era un industrial de la pluma llamado a escribir un número para el *show* del Banquete. Sin embargo, a juzgar por el análisis a que me había sometido el Viejo, yo debía comprometer algo más que mi estilográfica en aquella labor increíble, y era mi propia substancia de hombre, que el Viejo Capitalista (como lo llamaban los clowns) había manoseado recién y escarnecido hasta la tortura. Y no era yo el único: según lo sospechaba, el profesor Bermúdez y el doctor Frobenius habían sufrido un trato igual en ese laboratorio dedicado, al parecer, a una minuciosa disección de almas; y ello sin incluir a Thelma Foussat, cuyo deceso en la Operación Cybeles me acababa de insinuar el Viejo con una impavidez científica verdaderamente insoportable. ¿No habrían acertado Gog y Magog al definir el Banquete como un pasatiempo de cierta oligarquía del dinero, la cual, en el grado último de su descomposición, intentaba jugar ahora con el espíritu de los hombres, así como había jugado antes con sus miserias corpóreas? Y sin embargo, ¿por qué razón Severo, jefe visible de aquella oligarquía, entraba en el juego con el mismo "rigor" que nos imponía él a nosotros los asalariados?

En las vueltas y revueltas de tales cavilaciones me dormí a la larga. Y caí en un sueño extraordinariamente vívido: Cora y yo

estábamos en una gran ratonera, junto con otros ratones que poseían caras humanas y roían, como nosotros, duros pedazos de
queso. A intervalos regulares nos deteníamos para chillar en coro
el *gingler* de las píldoras laxantes; luego volvíamos a roer, y más
tarde a chillar, según un ritmo cuya estupidez mecánica no tardó
en despertarme. Al abrir los ojos tuve la sensación de que alguien me observaba fijamente desde algún punto ubicado en el
interior del calabozo. Me volví hacia la derecha; y allá, precisamente bajo la lamparilla, vi una figura de hombre que se mantenía de pie, que no recordaba yo haber visto jamás y que seguía
mirándome como desde una fabulosa distancia. Me senté de un
salto en la camilla.

—Está refrescando —me dijo él—. Póngase usted ese poncho.

Hice lo que me sugería, y el poncho salteño disimuló entonces
mi piyama carcelario. Visto lo cual el hombre añadió:

—Aquí me llaman Pablo Inaudi.

Recordé al punto aquel nombre que yo había oído pronunciar
en la casa tres o cuatro veces y en tono de misterio, ansiedad o
aprensión. Pablo Inaudi mostraba en mi calabozo el aspecto de
un adolescente; y lo reiteró en las escasas oportunidades en que
se manifestó luego a mis ojos. Pero alguna vez me dije que aquella extremada juventud lo era sólo en su verdor externo y aparente, como si Pablo Inaudi cristalizara en sí todo el Tiempo y lo
viviera en una "perpetuidad" sin estaciones. Algo semejante se
daba en su físico humano, ya que poseía los caracteres fisiognómicos de todas las razas, bien que sin definirse por ninguna. En
lo referente a su idioma, Pablo Inaudi hablaba un castellano igualmente neutral, como el que buscan los dobladores de películas
tras el intento de que suene bien a todos los oídos españoles e
hispanoamericanos. Tal era, en síntesis y exterioridad, el hombre
que me abordaba en el calabozo y que hasta entonces había tenido yo por una figura mitológica del Banquete.

—¿Sabe quién soy? —me dijo con una sonrisa de un Apolo.

—Usted es —le respondí— el que, junto a un chiquero fabuloso, le hizo a Severo Arcángelo la Proposición del Banquete.

—No es un chiquero fabuloso —rió Inaudi—, sino apestosamente real.

—Usted es —insistí yo alentado— el que les da las palizas a
Gog y a Magog. Ellos lo vinculan al Contraespionaje.

—¿Algo más?

—Usted es, lo entiendo ahora, el *Deus ex machina* que ha inventado y mueve toda esta organización.

—*Deus ex machina!* —volvió a reír él discretamente—. Un latinajo. Sí, usted los buscaba en el *Petit Larousse* para deslumbrar a ese inefable doctor Bournichon. ¿No es así?

¡Así era! Y añadí aquel ridículo de mi fácil erudición al de mi piyama y de mi poncho. Sin embargo, no se traducía ninguna ofensa en el tono de Pablo Inaudi: con el andar del tiempo advertí que todas y cada una de sus palabras eran nombres y calificativos de rigurosa exactitud, como si las pesase al miligramo en justicieras balanzas.

—Vamos a ver —me dijo, ponderando mi enfurruñamiento—. ¿A qué se deberá esa resistencia interior que usted opone al Banquete?

—¡Detesto los enigmas! —le respondí con fastidio—. Soy un periodista, usted lo sabe, y todo lo que se disfraza o esconde me produce una furia de sabueso.

—¿Nada más? Tiene que haber algo más.

—¡Esa manía de la farsa! —exclamé yo dolorido—. ¡Ese pésimo gusto teatral que domina en toda la organización del Banquete! ¿No se debería eliminar, por ejemplo, la vis cómica de los Impaglione?

—¿Odia usted lo cómico? —me preguntó él reflexivo.

—Siempre me consideré un ente dramático —le dije yo.

—Entonces, ¿cómo elimina usted su propia comicidad?

—Visto desde cualquier ángulo —protesté con altura—, nada observo en mí de cómico, salvo este piyama, que no fue idea mía.

—Y está en un error —me dijo él—. Todo lo que sale y está fuera del Gran Principio ya es cómico en alguna medida razonable.

—¿Por qué?

—Si bien lo mira, eso que llamamos "lo cómico" proviene de alguna limitación o defecto que advertimos en un ser. ¿Y qué ser manifestado está libre de alguno, en su "relatividad"? Sólo el Gran Principio es absolutamente dramático.

—¿El ángel —inquirí yo— está fuera del Gran Principio?

—Naturalmente.

—Luego, el ángel es cómico.

—Lo es en la medida exacta de sus limitaciones.

—Señor —le advertí—, en la Edad Media lo habrían quemado por eso.

—En la Edad Media yo estaba muy bien escondido —repuso Inaudi benignamente.

Al esbozar una tesis tan curiosa no había manifestado él ni travesura ni solemnidad ni tono discernible alguno.

—Y el Banquete —le pregunté—, ¿será una función cómica?

—O cómica o dramática, según el punto de vista que adopten los que han de sentarse a la mesa. Claro está que los dos puntos de vista son legítimos y equivalentes.

Con muchas reservas acepté su metafísica de lo cómico. Pero mi sentido crítico, ya estimulado, le formuló una segunda objeción:

—En los preparativos del Banquete —le dije— observo un alarmante abuso de la "puerilidad": agentes pueriles, recursos pueriles y situaciones pueriles como esta en que ahora me hallo.

—¡Ojalá —se lamentó Inaudi— que lo que dice fuera cierto! Desgraciadamente, la "puerilidad" ya no es de nuestro mundo.

—¿Me dirá que no son pueriles algunos gestos del Banquete?

—Son meras "tentativas de puerilidad". No es fácil reconstruir la puerilidad del hombre.

—¿Ha muerto?

—Se quedó allá, muerta o dormida, en sus antiguos jardines paradisíacos —me aclaró Inaudi—. Farías, ¿no sucedió algo parecido con su niñez, ahora olvidada entre las glicinas del sur?

Lo dijo con un acento de tan entrañable nostalgia, que sentí humedecérseme los ojos.

—¿Qué debo entender en el vocablo "puerilidad"? —inquirí.

—Una frescura primera, una confianza íntegra, cierto dichoso automatismo en el conocer y en el obrar. ¿No son los atributos del niño? Esa es la puerilidad que se durmió tan lejos. ¿Qué haría usted si desease regresar a su infancia? Tiene dos recursos: o retroceder en el Tiempo hasta llegar nuevamente a las glicinas del sur (lo cual no es fácil); o construirse otra "puerilidad", arrojando fuera todo el lastre o cargazón que le ha dejado el Tiempo (lo cual no es tan difícil). ¿Qué aconsejaba el Gran Rabí? "Haceos como niños."

Me pareció asombroso escuchar esas palabras en boca de un adolescente (si es que lo era), y dirigidas a un hombre que, como yo, estaba en un calabozo literario y envuelto en un piyama degradante.

—Lo que no entiendo —le dije— es por qué se me ha llamado a esta organización *sui generis* (¡otro latinajo!) a mí, un hombre vulgar y silvestre. Yo estoy en mi escritorio, con el revólver de mi tío Lucas en las manos ¡y de pronto me veo en este rompecabezas!

—Usted estaría calificado para el Banquete —me respondió Inaudi—: hay en usted algunas "marcas" inconfundibles.

—¿Por ejemplo?

—Aquel afanoso lustre de metales domésticos en que usted se metió antes de acudir al revólver de su tío Lucas. ¿Recuerda?

—¡Sí, fue absurdo! —reconocí.

—Nada es absurdo: todo gesto humano tiene un valor "intencional" y una lectura simbólica, más allá de su valor literal o externo. Su lustre de metales, aparentemente ocioso, acusaba en usted una urgencia de purificación. Lustrar un metal es devolverle un brillo que perdió y que debe tener por naturaleza: lustrando sus cacerolas, usted se autolustraba sin saberlo.

Mis ojos volvieron a humedecerse ante la dialéctica piadosa de aquel hombre que, de súbito, me adornaba con una dignidad a mi juicio gratuita.

—Y no es todo —insistió Inaudi—. Hay en usted un "júbilo de víspera" que se manifestó desde su infancia.

—No entiendo —le dije.

—Desde su infancia, ¿no ha gozado usted más la víspera de una fiesta que la fiesta en su realización?

—¿Cómo lo sabe? —le respondí en mi asombro.

—La fiesta en sí lo entristecía como una decepción irremediable.

—¿Y qué significado tiene?

—Que usted, por intuición, ha venido soñando con una "fiesta inmensa".

Me sentí como deslumbrado:

—¡El Banquete! —grité.

—Por otra parte, y en coherencia —añadió Inaudi—, hay en usted algo así como una "vocación finalista". ¿No ha gozado usted siempre los finales de ciclo, ya se tratara de un ciclo diurno, semanal o anual? ¿Y no detestó siempre los "recomienzos"?

—¡Es verdad! —admití yo nuevamente sorprendido.

—Quiere decir que usted, por intuición, viene soñando con un "final de finales".

—¡El Banquete! —volví a gritar—. ¡El Banquete de Severo Arcángelo!

Todo me pareció envuelto ahora en una luz meridiana. Y entonces, como si lo anterior no hubiera sido más que una encuesta de protocolo, Inaudi me dijo:

—Bien, Farías: ahora necesitamos de usted una definición terminante.

—¿Qué definición?

—O usted se define por el Banquete o se define en contra.

—¿Se tiene alguna queja de mi labor? —le pregunté sobresaltado.

—No se trata de su labor —me dijo Inaudi sin abandonar su perenne dulzura—. Me refiero a su actitud ambigua en la empresa: usted viene trabajando a dos puntas, la del Banquete y la de la Oposición al Banquete.

Sentí en mis pómulos una oleada caliente de vergüenza:

—No lo niego —admití—; si está refiriéndose a mis entrevistas con los clowns. Yo necesitaba informarme: ya le dije que soy un reportero nato.

—Y usted comete así dos traiciones: una traición al Banquete y otra no menos lamentable a Gog y a Magog.

—¡Yo no traiciono a esos payasos! —objeté yo con el automatismo de una defensa propia.

—Usted —repuso Inaudi benignamente— les arranca toda la información que van consiguiendo, y no les da en cambio la que usted consigue. ¿Me dirá que no es una felonía?

Al oír tan justas reconvenciones dos lágrimas rodaron por mis mejillas. Visto lo cual Inaudi se dirigió a la mesa, tomó dos nueces y las cascó sin esfuerzo alguno en su mano al parecer tan frágil. Se acercó a mi camilla y me dio a comer los fragmentos de nuez, uno por uno, con tan admirable solicitud que se acrecentaron mis lágrimas.

—Yo... —comencé a decir, atragantándome con las nueces.

—¿Y qué importa? —reflexionó él como si hablara consigo

mismo—. Todo ser es un gesto que se dibuja y se desdibuja. Lo que valdría en cada uno es la fidelidad a cierta vocación inalienable.

Tomó de la mesa el vaso de agua y me hizo beber un sorbo. Después, con una familiaridad que no lo era y que le agradecí hasta la ternura, dijo mi nombre:

—Lisandro, usted será el único Desertor del Banquete.

Intenté protestar ante aquel vaticinio. Pero Inaudi me detuvo con el gesto de un Hermes caviloso:

—Desertará usted —me anunció nuevamente—. Algún día tendré que llamarlo a usted "Padre de los Piojos" y "Abuelo de la Nada".

—¿Y por qué? —le dije yo desconsolado ante aquella seguridad profética.

—El Banquete —definió él— será una "concentración definitiva". Y usted no está preparado. Haga memoria: su vida fue hasta hoy mismo una serie de concentraciones y desconcentraciones. Un alma demasiado inquieta.

—¿No habrá para mí una concentración última? —le pregunté llorando.

Inaudi me contempló largamente.

—La tendrá —me dijo al fin.

—¿Cuándo?

—Treinta segundos antes de su muerte. Recuérdelo: en aquel instante una voz ha de soplar a su izquierda: "Está perdido." Y otra voz ha de replicar a su derecha: "Está salvado."

Sin decir más Pablo Inaudi realizó los movimientos que siguen: tomó el medio pan y me lo puso de cabecera; me desvistió del poncho salteño y me hizo tender en la camilla; luego, con el poncho, me cubrió en toda mi humanidad; y tras una mirada última, salió del calabozo, fácil como una entelequia.

Otra vez acostado y solo, no conseguí recapitular los últimos incidentes como tenía por costumbre. Antes bien, se apoderó de mí una tierna lástima de mí mismo, cierta dulce autocompasión que otra vez me ponía en el mojado término de las lágrimas. Y lloré largamente sobre mi medio pan. Así, entre llantos, me quedé dormido en el calabozo. Y dormí blandamente, hasta que una gritería me despertó en sobresalto.

El clamor llegaba desde afuera. Puesto de pie sobre la cami-

lla, me fue dable alcanzar el ojo de buey o claraboya de la prisión: desde allí, a la luz incierta del amanecer, vi una muchedumbre que se había reunido frente a la Casa Grande y vocifera-
ba su descontento. Aunque no entendí lo que decían en sus gritos, reconocí a los hombres de cocina y a los hombres de jardín
y a los hombres de garaje y a los hombres de lavadero; y me pareció identificar a Gog y a Magog que los azuzaban al frente.
Creció la batahola, se tendieron los puños crispados y oí el estallar de algunos vidrios rotos a pedradas. Un gran silencio reinó
de súbito: vi que tres hombres, destacándose del grupo, se di-
rigían a la casa y eran admitidos en ella. Los al parecer delegados
volvieron un minuto después y hablaron con los manifestantes.
Entonces la multitud lanzó tres hurras clamorosos y se disolvió
en orden. Mi última visión por la claraboya fue la de Gog y
de Magog que se alejaban lentamente con el aire de un vergonzoso descalabro.

XIX

El hecho de que al día siguiente despertara yo no en el calabozo de la Casa Grande sino en mi habitación del chalet, y las circunstancias enigmáticas en que dicha translación se había operado, contribuyeron no poco a exaltar la corriente "mística" en que me lancé yo desde que el Metalúrgico de Avellaneda y Pablo Inaudi me sometieron a la doble "purgación" ya referida. Cierto es que los clowns, mediante una epístola voladora, intentaron enfriar mis ilusiones al sostener que un narcótico había sido puesto en las nueces, y que habían presenciado ellos cómo se me trasladaba en una parihuela, desde la Casa Grande hasta el chalet, según estrategias a las que no fue ajeno el Sonoro Alcahuete (se referían a Impaglione). Sin embargo, aquella explicación tristemente realista no logró su objeto: Gog y Magog ignoraban que me había metido yo en una "concentración" rigurosa de la cual esperaba los mejores frutos.

En el día y la noche que siguieron no bajé al living comedor. La pintura de mi Vida Ordinaria, que con tan implacable nitidez había reconstruido Severo Arcángelo, y la enumeración que Pablo Inaudi había hecho de mis traiciones y frustraciones me lanzaban a tal desprecio de mí mismo, que atiné al fin con una salida: "escupir" afuera todo aquel pasado vergonzoso, y "castigarme" por él, según las más austeras mortificaciones. Al mismo tiempo, y en el polo contrario de mi indignidad, veía yo aclararse, como entre relámpagos, la naturaleza del Banquete y su gloria indubitable. Con lo cual me dio en seguida por enaltecer y canonizar a todos y cada uno de los héroes que trabajaban en su organización. Y al recordar a Impaglione sentí que me devoraba el remordimiento: ¿quién había sido yo para insultar y escarnecer a un siervo que, como Impaglione, escondía bajo su natural modestia los quilates de un alma probablemente sublime? Al reflexionar en ello, concebí de pronto una idea generosa: buscaría yo a Impaglione, caería de hinojos a sus pies y le rogaría que me hiciera el honor y la gracia de azotarme con el cinturón de Severo Arcángelo. Pero entonces me asaltó un escrúpulo: ¿era yo digno de recibir azotes con la misma lonja que había lacerado la carne del Viejo Fundidor? ¡No lo era! Por tanto, yo mismo, en soledad y sin alharacas, debería cumplir ese acto de flagelación indispensable.

Cuando el valet subió el almuerzo hasta mi dormitorio, y no bien hubo dispuesto en mi mesa la serie de manjares que lo integraban, lo miré consternado: ¡el infeliz ni sospechaba el rigor penitencial a que me sometería yo en adelante! Aparté una zanahoria y dos acelgas hervidas, y le ordené que se llevara el resto. El valet obedeció, y antes de su mutis le pedí que me trajera luego un pedazo de soga fuerte. Se marchó al fin, sin dar señales de asombro, y comí devotamente mi zanahoria y mis acelgas. El resto de aquel día lo consagré al montaje del aparato mortificador que me proponía utilizar con fines de ascética. Vino la noche, y con ella el valet que me traía la cena y tres pedazos de soga de grosor diferente. Comí una papa hervida y un gajo de pomelo. Tras de lo cual, solo y desnudo hasta los riñones, tomé la soga más gruesa y me apliqué dos latigazos en la espalda. O lo había hecho con excesivo fervor o el calibre de la soga resultaba exagerado, pues el gran dolor que sentí me pareció no conveniente a mi naturaleza de disciplinante novel; atento a lo cual tomé la soga mediana y me di con ella cinco golpes de excelente factura. Pero todavía, y en razón de un exceso mortificante, no lograba yo el equilibrio que debe reinar entre la penuria del cuerpo y la exquisitez del alma; visto lo cual empuñé la soga menor (era casi un piolín) y estuve mosqueándome con ella lomos y espaldas, ya olvidé cuánto tiempo. Me acosté finalmente y me dormí con el "sueño de los justos".

Al siguiente día, tras un desayuno de pan mojado en agua, me sentí casi en la órbita de la santificación. Pero no era tanta mi beatitud que olvidase mis obligaciones para con Severo Arcángelo: sí, escribiría mi número para el *show* del Banquete, sucio menester que cumpliría yo en virtud de "santa obediencia" y con el solo móvil de añadir un abrojo más a mi estilizada corona de martirio. El Metalúrgico de Avellaneda me había exigido una "dramatización" de la Vida Ordinaria; y habiéndola comparado con una ratonera, ¿qué recurso mejor se me ofrecía que instalar en el escenario del Banquete una ratonera de grandes proporciones? ¡Bravo! La ratonera sería un recinto lujoso, hermético y confortable, de modo tal que los ratones ignoraran su triste cautividad. Cierto es que yo mismo y Cora Ferri deberíamos contarnos entre los ratones y desnudar en público todas las ridiculeces de nuestra Vida Ordinaria. Pero tendría yo, en ca... bio, el gusto de meter en la ratonera, y contra su voluntad, a todos mis enemigos de ayer, a los que me torturaron con su juiciosa imbecilidad o me hirieron con su estúpida suficiencia: los haría cumplir gestos de un ridículo inexorable, y los encararía en diálogos y monólogos de sesudos ratones, cuyo poder hilarante fuera capaz de hacer que la Mesa del Banquete se desmoronara de risa.

En este punto de mi estro literario me sobresalté de pronto: ¿no traducía mi plan cierto furor vengativo que desentonaba con mis recién adquiridas perfecciones? Lleno de contrición abandoné la mesa de trabajo, tomé la soga o piolín de la víspera y me administré un castigo tonificante. Pero —me dije—, ¿no había Dante Alighieri ubicado a toda su generación en el Infierno? Quería decir entonces que hay una razón justificante, sobre las desvergüenzas de la literatura. ¿Cuál sería esa razón? ¡La didáctica! En virtud de "santa Pedagogía" resolví conservar mi ratonera y sus desdichados cautivos. Ahora bien, era necesario que Alguien, desde afuera, concibiese y organizase la vida espectral de los ratones, de modo tal que los mismos, a pesar de ser "teleguiados", conservaran insolentemente la ilusión de su "autosuficiencia". Entonces imaginé un círculo de joviales demonios, instalados en el perímetro exterior de la ratonera, los cuales, entre irónicos y obscenos, manejarían el escenario y sus títeres. Pero algo faltaba en el conjunto del sainete; y lo resolví cuando se me ocurrió poner en las alturas del escenario un ángel con su trompeta, el cual anunciaría en su hora el final de la Vida Ordinaria, la destrucción de la ratonera y el pánico de los ratones. ¡Eureka! Me di por bien servido; y hasta dibujé algunos proyectos de la ratonera y de los trajes que usarían los roedores, destinados a los escenógrafos del Banquete.

Guardé mis apuntes, consulté mi reloj y vi que se acercaba la hora del almuerzo: ¿bajaría yo al living comedor o insistiría en mi piadosa clausura? Decidí bajar al comedor, ya que, según

lo recordé a tiempo, la existencia del ermitaño no era compatible
con la organización del Banquete. Me vestí entonces con el traje
más oscuro de mi guardarropa, en la intención de asumir algo parecido al aire de un "hombre de iglesia"; y descendí al living comedor, muy resuelto a disimular las huellas que seguramente habían dejado en mí tantas mortificaciones.

El profesor Bermúdez estaba ya sentado a la mesa: vestía, como
yo, a lo monástico, y su persona entera revelaba una beatitud que
sin duda no era de este mundo. Me senté a su lado: no hubo entre
nosotros conversación alguna, sino un intercambio de miradas
y sonrisas que, según me dije, bastaban a la comunicación de dos
espíritus embarcados en la misma excelsitud. Casi en seguida se
nos reunió el doctor Frobenius: con indulgencia observé su atuendo en desorden, sus ojeras inquietantes y su brusca movilidad,
atribuibles —pensé yo— a un remanente de la vida licenciosa
que recién abandonaba.

El valet no tardó en cubrir la mesa de platos abundantes y sal-
sas exquisitas. Yo me serví un ascético *panaché* de legumbres, y
me disponía santamente a ingerirlo, cuando me detuvo y escanda-
lizó un espectáculo nada edificante: Bermúdez atacaba las fuentes, lo mordía y tragaba todo con una desesperación de huérfano;
el astrofísico deglutía las carnes, chupaba los huesos y bebía tin-
to y blanco alternativamente, como un nibelungo de la mejor
época. Entristecido hasta la muerte, abandoné mi *panaché*, no
sin preguntarme cómo podían aquellos hombres deshonrar así la
investidura que les otorgara el Banquete. Mi angustia creció de
punto cuando Urania (o como se llamase) descendió por la escalera y se unió a nosotros con el aire y el vestido sintético de una
puta pagana. ¡Maldición! En los ojos de Bermúdez, ¿no ardía
ya un chisporroteo de Gomorra? Las libertades que se tomaba el
astrofísico junto a la musa, ¿no parecían fuera de lugar, ya que
su lanzamiento al espacio estaba concluido? Y en última instancia, ¿nos encontrábamos en Babilonia o en la organización de
un Banquete filosófico?

Asqueado hasta la médula, me puse de pie y les dije:

—Soy un gusano de la tierra, y me agarraré a patadas con cualquiera que ose tener más imperfecciones que yo. Pero no autoriza-
ré con mi silencio tanto libertinaje.

Abandonando el living comedor, subí a mi dormitorio. Ya en

su intimidad, y desnudándome hasta la cintura, requerí la soga o piolín consabido y me acomodé treinta latigazos: diez por Bermúdez, diez por Frobenius y diez por mí, testigo inocente de sus depravaciones. En seguida, volviendo a rumiar el tema de la Vida Ordinaria, me resolví a desertar el género frívolo del sainete y a tratar el asunto bajo la forma del drama. Naturalmente, la ratonera ya no me servía; pero me quedaba el recurso de apelar al Hombre Robot que Severo Arcángelo me había sugerido igualmente. Una ciudad entera de hombres y mujeres robots, manejados a control remoto por entidades electrónicas de la peor calaña. Organización y seguridad: llaveros y policías, muebles e ideas *standard*: nivelación, por decreto, de los "horizontes mentales". Realidad única y bien aceitada: lo que no entra en ella es inconcebible o fantástico: lo que no entra en la órbita de robot "no existe". ¡Bravo! Eso convenía igualmente a mi dignidad penitencial y al decoro de la materia.

En tales especulaciones me sorprendió el atardecer, hora en que una flecha de los clowns, al entrar por mi ventana, me trajo un nuevo mensaje: Gog y Magog requerían mi presencia en la choza con el fin de hacerme "importantes revelaciones". ¡Gran Dios, qué imbéciles me resultaban ahora las intrigas de aquellos opositores rentados! Hice añicos la flecha con su mensaje, roí una manzana que había yo reservado en el almuerzo, me acosté orgullosamente sobre la madera del parquet y me dormí en la contemplación y leticia de mis propias virtudes.

Algo que rodaba con estrépito en mi dormitorio me despertó al amanecer: era una cacerola en desuso, que los clowns me arrojaban por el ventanal a guisa de correo y despertador, y en cuyo mango venía este mensaje: "La Orquesta del Banquete realizará hoy un ensayo definitivo." Cosa extraña: las insistencias de Gog y de Magog no me parecieron ya tan insolentes. Me asomé a la ventana, y algo así como un requerimiento primaveral llegó desde los jardines recién amanecidos hasta los arenales de mi aridez interna. Preocupado ante aquellas dos novedades, me vestí maquinalmente; y advertí, como tercera novedad, que maquinalmente había desechado yo mi ropa eclesiástica. El cuarto asombro se me dio en el desayuno: al ingerir mi pan mojado en agua tuve la sensación, ¡oh, levísima!, de prestarme a una broma de mal gusto.

Desazonado por aquellos desniveles de mi alma, salí al parque matinal, escurriéndome por la escalera del chalet aún silencioso. Y ante la gracia de las formas que resplandecían ya bajo el sol, padre de la inteligibilidad, me sobrecogió un deslumbramiento. ¿Agradable? ¡Confiésalo: tremendamente agradable! Después vi a las palomas que se arrullaban, con sus buches esponjados: ¿qué terrible naturalidad parecía contradecir en ellas el artificio de mis gesticulaciones abstractas? Luego me aproximé al Circo de los Gorriones: se revolcaban en el polvo ya caliente, dignos hasta el escándalo en la libertad de sus gestos. Y mi alma se avergonzó, no sabía por qué. De súbito una sospecha cruel se apoderó de mí, luchó a brazo partido con mi orgullo y se afirmó en esta certidumbre: yo era un asceta prefabricado: mis literarias mortificaciones no trascendían el límite de lo paródico, y se instalaban con holgura en la más ruidosa comicidad. Por otra parte, mis reacciones de la víspera contra la gula de Bermúdez y la concupiscencia de Frobenius habían resultado una obra maestra de la mojigatería beata.

En primer lugar, me quedé aterrado; en segundo, me puse a digerir mi vergüenza; y en el último término me sentí libre al fin, como si, a la manera de una serpiente, acabara yo de abandonar mi ridícula peladura en los jardines de Severo Arcángelo. Mi sublime "concentración" había durado exactamente cuarenta y ocho horas: ¡cómo estaría riéndose Pablo Inaudi en algún lugar de la casa! Pero, ¿existía realmente Pablo Inaudi? ¿Mi prisión en el calabozo habría sido algo más que un sueño?

En la búsqueda inútil de los clowns vagué por la residencia casi hasta el mediodía. Y un propósito caballeresco se asentó en mi alma: yo debía una explicación tanto a Bermúdez cuanto al astrofísico. A la hora del almuerzo regresé al living comedor, y sorprendí a los dos héroes en el instante crítico en que se sentaban a la mesa. En mi carácter de ofensor intenté darles algunas explicaciones acerca de mi gesto agresivo de la víspera; mas ellos las rechazaron con una dignidad que me llenó los ojos de lágrimas. Entonces les ofrecí una "reparación por la botella", expediente que no menoscababa el código del honor y que uno y otro aceptaron con visible delicia. Las botellas fueron descorchadas, y el vino desbordó en las copas, y menudearon los brindis por el Banquete, por la física nuclear, por los filósofos presocráticos, por la Musa Urania, por el átomo de hidrógeno y por las bellas en general. Recuerdo que, a cierta altura de las acciones, desafié tiernamente al astrofísico a sostener una pulseada criolla; y lo dejé triunfar, según la cortesía. Luego, y en un nivel más alto, invité a Bermúdez a bailar conmigo un malambo sureño, oferta que declinó él por ignorar, según dijo, las leyes más elementales de la coreografía. Después, bebedores, living comedor, chalet y mundo se desvanecieron para mí en el caos de tan científica borrachera.

XX

Dormí una siesta de tres horas, al cabo de las cuales desperté con la frescura de un adolescente, y sin otra molestia que la de una sed postalcohólica muy remediable, ya que se me había hecho subir al dormitorio un gran vaso de jugo de limas. ¡Qué gran bodega la del Viejo Quemador de Hombres! Bebí el jugo hasta lagrimear de pura delicia, y dediqué un agradecido recuerdo a los dos héroes del mediodía que, haciendo gala de su inmensa caballerosidad, me habían otorgado un perdón tan húmedo como ferviente y no merecido. Pero mis efusiones de la mesa, ¿respondían sólo a un reclamo del honor, o algo más alentaba en ellas? "¡Hipocresías, no!", me dije. Lo que realmente había sucedido en el living era un arranque de mi "desconcentración". ¡Y cuando yo me desconcentraba, me desconcentraba sin vuelta de hoja! ¿Qué mal había en ello? Si el carro del alma, según Platón, era tirado por dos corceles, uno de tierra y otro de cielo, ¿no quedaba una "tercera ubicación" entre las dos extremas que Pablo Inaudi me había sugerido en el calabozo? Sí, quedaba una tercera ubicación, la mía: un vaivén armonioso que iba de lo terrestre a lo celeste y de lo celeste a lo terrestre: un "movimiento de lanzadera", capaz de tejer lo alto con lo bajo y desarrollar el tapiz de una existencia humana sin contradicciones. "¡Qué útil puede ser, a ratos, la filosofía!", me dije yo en un éxtasis de la razón pura. Y aquí, desde mi caballo celeste, un sobresalto me devolvió a la tierra: ¿dónde y a qué hora ensayaría la Orquesta del Banquete? Releí el mensaje de los clowns: no lo declaraban, y salí en su busca.

Encontré a Gog junto a la puerta de la choza: los tendones de su máscara traducían la movilidad cambiante del intelecto. Magog estaba en el interior del antro, con dos auriculares puestos en sus orejas, como si acechase una transmisión inminente. Y los vi tan reales y enteros en su órbita, que sentí una efusión de mi ternura e intenté abrazarlos. Pero los clowns se mantuvieron rígidos y a distancia. ¿Qué sucedía? Dos hipótesis relampaguearon en mi mente: o estaban resentidos por mi ausencia de los últimos días, o sospechaban ya mi doblez en el enfrentamiento de las dos tendencias que jugaban en el Banquete. Les dije, a título de borrosa disculpa:

—No lo tomen a mal. El carro de Platón, ¿entienden? No es fácil andar con dos matungos de pelo tan distinto.

—El carro de Platón es una vieja matraca —repuso Gog en tren belicoso—. La tracción a sangre ha pasado a la historia.

—Vivimos en la era de los motores a retroacción y a combustibles líquidos y sólidos —refunfuñó Magog sin ocultar su desprecio.

Mi ánimo se irritó al oír tanta blasfemia:

—¡No parecían ustedes tan garifos la otra madrugada —les dije—, cuando les fracasó el motín y retrocedieron como dos agitadores atorados de gases lacrimógenos!

—¡No fue un motín! —protestó Magog sin abandonar los auriculares.

Pero Gog desertaba ya su insolencia por un interés muy vivo.

—¿Desde qué lugar nos vio usted? —me preguntó.

—Desde mi calabozo —le respondí—. O mejor dicho, asomado a su ojo de buey.

—¿Y qué hacía usted en ese calabozo?

Guardé silencio, vacilando entre la lealtad y la traición. Y me decidí por un término medio que satisfacía los resquemores de mi conciencia:

—En el calabozo —le dije— recibí los consejos de Pablo Inaudi.

—¿Quién es Pablo Inaudi? —insistió Gog.

—El que ordena las palizas y los estaqueos —le revelé yo falsamente triste.

Al oírme los dos clowns parecieron entrar en una suerte de náusea.

—¿Cómo es el tipo? —inquirió Gog, en cuya máscara se difundieron verdores de hiel.

—Según las apariencias —dije—, sólo es un mozalbete de apenas dieciocho años.

—¡Imposible! —se dolió Magog—. ¡En dieciocho años no cabría tanta maldad!

Los dos clowns estaban realmente consternados. Y el primero en recobrarse fue Gog:

—¿Qué hizo Pablo Inaudi en el calabozo? —me preguntó—. ¿Qué hizo y qué dijo?

—Sólo me dio a comer dos nueces peladas —le confesé con mentida inocencia.

—Usted recibió consejos. ¿Cuáles?

—En realidad —le dije—, me enseñó veintiún silogismos para discutir si la necesidad de la escoba es anterior o posterior a la escoba misma.

—¡Estamos locos! —protestó Magog.

Sin inmutarse, Gog tomó la palabra:

—Ignorábamos la existencia de calabozos en "la central" del Viejo Cíclope —reconoció—. Le advierto que aquella noche registramos la presencia de usted en el estudio y que oímos todo el sermón de la Vida Ordinaria. No dudo que usted, pese al examen bochornoso de su existencia matrimonial, ha deducido como yo una "vida extraordinaria" que se propone organizar el Viejo contra la Vida Ordinaria, muy en relación con "la obra" que anuncia él en sus Monólogos. ¿De qué se trata? Lo ignoramos. Aunque la dialéctica de la escoba que le adelantó Inaudi nos está sugiriendo algo así como un carnaval superrealista o dadaísta.

Y añadió rencorosamente:

—Lo que ahora me interesaría es averiguar dónde se aloja el tal Inaudi.

—No lo sé —dije yo—. Apareció en el calabozo y desapareció como un fantasma.

—¡Su maldita costumbre! —volvió a protestar Magog.

—A mi entender —sugerí—, Pablo no se aloja en la Casa Grande.

—¿Y dónde se alojaría? —repuso Gog.

—En la Zona Vedada.

Una sonrisa de Gog me dio la certidumbre de que ambos habíamos coincidido en la misma sospecha. Y en ese instante nació quizás en el magín del clown la iniciativa de llevar un asalto a la Zona Vedada, escaramuza que se cumplió más tarde y que me reveló el significado aproximativo de la *maquette*. Pero Magog, bajo sus auriculares, daba señas de alguna excitación.

—¿Se inicia ya el ensayo? —le preguntó Gog.

Magog escuchó aún:

—Todavía no —dijo—. Están afinando algunos instrumentos.

Gog me dedicó entonces una mirada cordial: era evidente que habían enmudecido sus recelos y que otra vez me tomaba por un aliado.

—No me gustaría —dijo— que usted guardara una idea errónea de nuestro motín. En realidad sufrimos un error de cálculo.

—¿Qué se proponían ustedes?

—Explotar aquella desilusión de la Cuesta del Agua. Los infelices de la chusma parecían indignados hasta la sublevación. Nuestro plan consistía en tomar por asalto la Casa Grande y hacerla servir a nuestros fines ideológicos.

—¿Y qué sucedió? —inquirí.

—Que los muy idiotas, ya frente al enemigo, decidieron plantearle una mera cuestión gremial.

—¡Absurdo!

—¡Los muy hijitos de puta —insistió Gog—, pretextando el carácter "insalubre" de sus oficios, se hicieron pagar una ilusión muerta con un aumento de jornales!

Miré a Gog sin esconderle mi simpatía:

—Sí, un error de cálculo —admití—. Usted, como líder, no debía olvidar que la masa en sí nunca hizo una revolución.

—¡Muy cierto! —dijo Gog contristado.

Aquí mi simpatía se transmutó en solidaridad, y mi solidaridad en un fuerte impulso combativo. Puse una mano en el hombro de Gog y le dije:

—¡Camarada, no insistamos en el motín! ¡Lo que debemos hacer es una revolución de minorías!

Hurtándose a mis efusiones, Gog me contempló desde una distancia congeladora. ¡Infame payaso! (Más tarde, al evocar los prolegómenos del Banquete, me dije que sin duda Gog maduraba ya en su fantasía el plan increíble que a su hora nos amenazó a todos.) Y en aquel instante Magog nos dio la señal de alerta.

—¿Qué sucede? —inquirió Gog.

—Todos los músicos parecen estar en la bóveda. Pero el Enano Misterioso no llegó todavía.

—¿Quién es el Enano Misterioso? —pregunté yo.

—El que dirige la Orquesta —me respondió Gog—. Ya es
ra de salir: vamos allá.

¿Salir? Imaginaba yo que oiríamos el ensayo desde la misma
oza y a través de alguna instalación fonoeléctrica. Pero Gog
tardó en advertirme que la audición se haría *in situ*, vale de-
en el sótano de la Casa Grande reservado a la Orquesta del
nquete y hasta el cual llegaríamos en tres minutos justos, re-
en mano. Al par que lo decía, él y Magog se enfundaban en
s overoles oscuros, y me ofrecían un tercero que me apresuré
vestir sin objeciones. Con igual premura los clowns ennegre-
eron sus caras y la mía con cierto betún o tizne que guardaban
un envase de duraznos al natural. Todo ello me recordaba
ertas imágenes de guerra que había visto en el cinematógrafo;
una vez más reconocí el artificio literario y el gesto pueril que
ban tan a menudo la tónica del Banquete.

—Si es una "operación de comandos" —aventuré— y si esta
che no habrá luna, ¿con qué objeto nos tiznamos las caras?

Gog y Magog, sin abandonar la prisa ni el silencio, me sacaron
era de la choza; y una vez allí, me susurraron al oído que no les
erdiese pisada". La noche había cerrado, a cuyo favor nos escu-
imos a lo víbora, de mata en mata, de árbol en árbol. Así conse-
imos tocar un frente de la Casa Grande, que exploramos de
dillas, hasta dar con un tragaluz abierto al ras de la tierra y que
estinaban, según lo vi muy luego, a la introducción de combusti-
les. Uno tras otro, los clowns y yo nos metimos por el tragaluz y
s deslizamos en una suerte de tobogán, hasta cierta fosa del sub-
elo donde se amontonaban el carbón y la leña. Desde allí, a ins-
ncias de Magog, pasamos a un recinto de calderas y tuberías
ya temperatura sofocaba. Magog se dirigió entonces a una puer-
de metal que abrió con su propia llave, y los tres nos internamos
n un laberinto de sótanos y galerías. Muy pronto, y a favor de la
cústica subterránea, oímos un lejano estridor de instrumentos mu-
icales: bajo la guía experta de Magog fuimos acercándonos al fo-
o del sonido, hasta dar con una puertecita bien acolchada que Ma-
og abrió sigilosamente. Nos deslizamos a una especie de bóveda o
uditórium, Magog cerró la puertecita, y nos acurrucamos aturdi-
os en la zona oscura del salón, frente a un gran palco escénico
onde músicos helados rascaban sus maderas y soplaban sus cobres.

La Orquesta del Banquete, a la luz de los focos implacabl
que la herían desde lo alto, mostraba un aspecto de gruesa brut
lidad: los músicos vestían chaqués abigarrados, pantalones clov
nescos, galeras estrafalarias y botines monstruosos, todo lo cu
sugería en ellos el tenor de una murga carnavalesca. Del traje d
los músicos pasé a observar sus rostros: eran muy diferentes er
tre sí, pero los identificaba el denominador común de una de
honra crudamente visible. Y una sospecha me asaltó allí mismo
¿se intentaba figurar en ellos a los Siete Pecados Capitales? "¡N
—me dije—, sería un recurso de baja literatura!" Luego pus
mi atención en la masa de sonidos que producía la Orquesta
"sí, un caos musical, anterior a la sinfonía, obra de instrument
anarquizados aún". De pronto un hombrecito avanzó desde for
e izquierda, trepó ágilmente a la tarima del director y esgr
miendo una batuta ridículamente grande para su talla, dio tr
golpes en el atril.

—Es el Enano Misterioso —me sopló Gog tendido a mi dere
cha.

—Un feto —me susurró Magog a la izquierda—: un duend
lanzado con abortivos por el Conservatorio Nacional de Música

Visto de atrás el Enano sólo mostraba una calvicie reluciente
con dos o tres mechones de pelo rojizo que le caían sobre la
espaldas estrechas; un frac negro y cortísimo, adornado con do
grandes botones de latón, y unas piernas endebles que concluía
en esterilizadas botas de cirujano. Al advertir que los músico
no cejaban en su ruidoso escarceo, el Enano volvió a golpear e
atril con su batuta:

—¡Silencio! —chilló—. ¿Qué murga es esta? ¡Silencio todos
Respondió la voz entre digna y medrosa de un primer violín

—Señor —le dijo—, los maestros están afinando.

—¡Maestros! —rezongó el Enano—. ¿Qué maestros? ¡Afinar
¿Quién habla de afinar aquí? ¡La Orquesta del Banquete ha d
ser una desafinación absoluta!

Los músicos guardaron una inmovilidad y un silencio expec
tantes. Y entonces le pregunté a Gog:

—¿Qué partitura van a ensayar esos alcornoques? No veo nad
en los atriles.

—Los alcornoques deben improvisar —me contestó Gog so
briamente.

Pero el Enano alzaba la batuta:

—*¡Da capo tutto!* —gritó—. ¡Ya!

Se levantó de la orquesta una especie de brulote sinfónico hecho de notas desgarrantes y percusiones ensordecedoras, cuyo trámite siguió el Enano con visible delicia. Pero gritó de súbito:

—¡Alto! ¡Alto ahí!

Enmudeció la orquesta, y el Enano dijo:

—Alguien acaba de introducir en este bodrio un tema de Juan Sebastián. ¿Quién fue?

—Yo, maestro —se acusó un oboe de cavadas ojeras.

—¿Por qué?

—Me pareció que una "fuga" daría cierta unidad al bodrio.

—¡Gran idiota! —lo apostrofó el Enano—. Juan Sebastián era un hombre que armonizaba el jamón, la cerveza y el Nuevo Testamento en un acorde celestial felizmente superado.

—¡El maestro blasfema! —exclamó el oboe dolorido.

Algunos rumores de protesta se dejaron oír entre los músicos. Pero el Enano los amenazó con la batuta:

—¡Borrachines! —los increpó—. ¡Todavía se agarran a la Edad Media! Estamos haciendo música para Robot; y Robot nada tiene de intelectual entre pecho y espalda, sino un mazo de fichas en orden riguroso por asignaturas.

Clavó en la orquesta sus ojos de basilisco, y ordenó:

—*¡Da capo!*

La murga volvió a rechinar con fragores de chatarra. Pero el Enano la enmudeció en seco:

—¡Ja! —rió sin alegría—. ¡Y ahora Beethoven! ¿Quién ha insinuado el tema de la Coral? ¡Estamos fritos!

—¿Qué hay con Beethoven? —le preguntó un fagot de tres espadas.

—Beethoven no era ya "el hombre inteligente" —le respondió el Enano.

Conmovido en su tubo y sus llaves, el fagot se puso de pie:

—¡Oiga! —lloriqueó—. ¡El que se tira con Beethoven se tira conmigo! ¡Beethoven es mi padre!

—Beethoven murió soltero —les recordó el Enano a los músicos—. Ahora bien, según lo declarado por el fagot, o el fagot miente o el fagot es un hijo de puta.

Insultado en su honra, el fagot avanzó hacia la tarima del Ena-

no con propósitos beligerantes. Pero fue detenido por un co[...]
inglés y un trombón de vara.

—¡Perros! —les gritó el Enano—. Dije que Beethoven no [...]
ya el "hombre inteligente". Pero todavía era el "hombre pas[...]
nal": escribió con el hígado y los riñones del alma. Felizmen[...]
su generación también reposa ya bajo los eucaliptos. Y Rob[...]
nuestro héroe, usa un hígado a transistores: en el amor y el o[...]
Robot está controlado por endocrinólogos y psiquiatras de [...]
mayor eficiencia.

Y ordenó, en su fuego sectario:

—¡*Andante con moto!* ¡Ya!

Más que un andante, lo que se oyó entonces fue algo así co[...]
una estampida de búfalos, o una batalla de perros entre latas [...]
basura. El Enano zapateaba de gusto en la tarima, con sus bo[...]
risibles de cirujano. Hasta que volvió a gritar su descontento:

—¡No y no! —vociferó—. ¡Han mechado recién un soll[...]
del romanticismo! ¿Por qué no van ustedes y le lloran a la [...]
dre que los parió? ¡Y ese otro animal que deslizó el tema de[...]
Walkyria! ¡Debe de ser un triste nazi conservado en aguardi[...]
te catamarqueño! Algo más: la segunda viola se atrevió a su[...]
rir un devaneo impresionista de Claudio Aquiles, y la prim[...]
flauta entró de pronto en una diarrea del dodecafonismo. ¡S[...]
de borrachos anacrónicos! ¡Lo que ustedes acaban de tocar es [...]
Historia de la Música!

Los profesores, en sus disfraces murguescos, escondían de[...]
de los atriles sus cabezas apostrofadas. Y sólo el tercer violo[...]
lo, flaco y retorcido como una de sus cuerdas, gimió enton[...]
esta observación o elegía:

—¡Maestro, desafinamos hasta el martirio!

—¡No es verdad! —replicó el Enano—. Y ahora escuchen: [...]
arranqué de *nigth clubs* miserables y orquestitas de mala mue[...]
para embarcarlos en la gran aventura musical. ¿Y ustedes qué [...]
hacen? Vienen y se me ponen a cavar cementerios antiguos, [...]
desenterrar el tallado sarcófago de Igor Stravinsky o la mo[...]
fragante de Khachaturian! ¡Y todo en la misma cara de Robot!

—¡Robot! —gritaron los músicos ahora—. ¿Quién es Ro[...]
¡Muéstrenos a Robot, y lo adoraremos!

El Enano cayó en un éxtasis repentino, del cual salió al [...]
como iluminado:

—Robot —expuso— es el adolescente de hoy y el hombre e mañana, exaltado en su puro, solo y brillante automatismo. nútil es pedirle a Robot un intelecto, una pasión o una sentimentalidad: los nervios de Robot están construidos en fibras de ylon, y sus neuronas a base de células fotoeléctricas.

—¿Y qué debemos hacer nosotros, la Orquesta del Banquete? —preguntaron los músicos.

—La Sinfonía de Robot —dijo el Enano—. Yo tuve una visón, ¿entienden?

Se irguió todo lo que pudo en sus botas quirúrgicas, alzó la atuta y ritmó con ella el curso de sus palabras:

—Desde que me expulsaron del Conservatorio —narró—, me ediqué a estudiar el sonido, las escalas, los contrapuntos, las ritmias, los *concertino* y los *tutti* de la humanidad presente. Dónde? me dirán. En las calles, en los mercados, en las Bolsas e Comercio, en las Entidades Empresarias, en las Juntas de arne y Granos, en las Organizaciones Gremiales, en los periódicos, en las mesas redondas, en los discursos políticos, en los ngresos nacionales e internacionales. ¡Y un día tuve la gran sión!

—Maestro, ¿qué visión? —exclamaron los músicos a una.

—Toda la humanidad se me apareció como un enorme aparato digestivo, exactamente igual al de las láminas de colegio, uy bien dibujado en su faringe y en su esófago y en su gaita llega estomacal y en sus intestinos delgado y grueso. Encajaen la boca del aparato, vi una gran trompeta de bronce que onaba estridentemente al recoger y traducir la satisfacción o el alestar de cada órgano. ¿Y saben lo que reconocí en aquel solo trompeta? ¡La Sinfonía de Robot!

Exultante, patético, el Enano levantó sobre los músicos una stra de apóstol:

—¡Bestias inenarrables! —los aduló—. ¡Hijitos míos! ¿Quieren dar a papá en este milagro sinfónico?

Al oírlo, y como en fascinación, los músicos ajustaron sus insmentos.

—¡*Atentti!* —les gritó el Enano—. ¡*Tutti!*

La orquesta empezó a tocar bajo el imperio de una batuta e sugería y amenazaba:

—Un *andante cantabile* —ordenó el Enano—. Las cuerdas

en sordina traducen la fácil secreción de un hígado armonioso y un páncreas en obediencia, unidas a los timbales que ritman los movimientos peristálticos del intestino. ¡Aleluya! ¡El gran "tema de la felicidad"! ¡Suben las acciones en la Bolsa, y hay parrilladas en los sindicatos! Pero, ¿qué sucede ahora? ¡La congestión! El *andante cantabile* cede lugar a un *allegro ma non troppo* que anuncia con las trompas el accidente gástrico, y los trombones gritan su alarma. ¡Bravo! De pronto revienta la tempesta en un *crescendo* sublime: retortijones de cólico, dados por los clarinetes; un largo silbido intestinal en los oboes, el eructo en lo contrabajos, el hipo en el corno inglés. ¡Así! ¡Venga en los flautines la ventosidad sutil de las muchachas! "¡Valladoliiid!", comdecía mi abuela. Y ahora en los timbales la ventosidad explosiv de la senectud: "¡Pamplooona!", como decía mi abuelo. ¡U *tutti*, señores! ¡Aquí lo quisiera ver a Pitágoras y al musicólog Archytas! Y ahora la trompeta de Robot: *¡hosanna in profundi.*

Bajo la conducción del Enano que zapateaba y reía como u demonio, la Orquesta del Banquete rechinaba por todos y cad uno de sus instrumentos. Y la bóveda parecía querer hundir ahora sobre los músicos y nosotros los oyentes furtivos, cuand me arrastré hasta la puertecita y salí huyendo por los corredore Gog y Magog me acompañaban en la fuga: desandamos el c mino hasta la leñera y el tragaluz; salimos al parque y regresam a la choza de los clowns. Mientras nos quitábamos los overoles nos lavábamos las caras en el fregadero de la cocina, le pregun a Gog:

—¿Qué opina usted del gran bodrio?

—La Orquesta —me respondió— está bajo el mismo sel de todo el Banquete.

—¿Qué sello?

—El de la "descomposición".

Al decirlo, Gog se frotaba las manos con una satisfacción t visible, que volví a preguntarle:

—¿Y usted se alegra?

—Naturalmente —dijo él, intercambiando con Magog u sonrisa enigmática.

—Entonces, ¿por qué se alistaron ustedes en la Oposición?

—Porque nos revienta que Otro maneje la batuta —respo dió Gog altanero.

—Y a propósito —intervino Magog—, ¿el sastre no le ha tomado a usted las medidas?

—¿Para qué? —le dije yo sin asombro.

—Para su Traje de Banquete.

—¿Habrá un traje oficial del Banquete?

—El Viejo Pagano —me aclaró Gog— se muere por la escenografía. No habrá un traje oficial del Banquete, sino un traje distinto para cada uno de los comensales.

XXI

El ensayo de la Orquesta me dejó en el alma un gusto de vinagre y un escepticismo que lindaba con la rebelión. Ya no era lo grotesco, sino el mamarracho puro lo que iba traduciendo la organización del Banquete; y el Traje de Comensal anunciado por los clowns no mejoraba ciertamente las cosas. Otro detalle que me confundía era el tema de Robot introducido por el Enano en su esperpento sinfónico visceral. Ya me lo había insinuado el Metalúrgico en su pintura de la Vida Ordinaria; pero su reiteración en la Orquesta me anunciaba que Robot jugaría un papel trascendental en la teoría y la práctica del Banquete.

Los tres días que siguieron no aportaron novedad alguna: el chalet parecía estar en otra de sus calmas chichas aparentes, bajo cuya modorra no era difícil presentir una elaboración activa de próximos y decisivos acontecimientos. En el living comedor la soledad volvió a ser mi acompañante de mesa. Las frecuentes internaciones de Bermúdez en la Casa Grande me hacían suponer que la realización del Segundo Concilio era inminente; por su parte Frobenius no abandonaba casi la Fundición Arcángelo, pues la Mesa del Banquete recibía ya los últimos toques de su riguroso mecanismo. Dueño, pues, del escenario y de mis horas, los dediqué a escribir el sainete de la Vida Ordinaria, proyecto que había retomado yo tras la última de mis "desconcentraciones". ¿Se buscaba obtener en el Banquete una *catharsis* por la risa? Nada mejor entonces que mi juguete cómico, donde me pintaba yo a mí mismo en las actitudes más hilarantes y donde Cora Ferri aparecía envuelta en batones de un ridículo pavoroso. Recuerdo que una de aquellas noches, al presentar en mi sainete al doctor Bournichon arengando a una escuálida turba de reporteros, me sobrevino tan escandaloso ataque de hilaridad, que me apreté boca y narices con un almohadón a fin de no despertar a los durmientes del chalet.

Al cuarto día, y tras un desayuno solitario, encontrándome al pie de la escalera tropecé con Bermúdez que bajaba como un alud. Intenté abordarlo, pero me rechazó violentamente:

—¡Atrás, "escoria de hierro"! —me apostrofó, con una mezcla de fanatismo y asco.

Pero en seguida, clavándome a través de sus gafas dos ojos académicos, me recitó lo siguiente:

—"Después que la tierra hubo escondido esa generación, Zeus Cronida suscitó un nuevo linaje integrado por héroes más justos."

—¿En qué Olimpíada estamos? —le pregunté socarronamente.

—Señores, he dicho —concluyó él—. Tengan muy buenas noches.

Y cruzando el living comedor, hizo mutis en el parque. Mientras volvía yo a mi habitación analicé la conducta de Bermúdez, y llegué a la conclusión que sigue: o el profesor estaba repasando un texto griego que sin duda utilizaría en el Segundo Concilio del Banquete, o el profesor tenía ya en la sesera un inefable corso a contramano. En la noche de aquel mismo día tuve un segundo encuentro, esta vez con el doctor Frobenius que regresaba de la Fundición Arcángelo.

—¿Cómo anda la Mesa del Banquete? —le pregunté.

—Anda según los cálculos previstos —me respondió—. La idea de substituir el trazo elíptico por el circular fue dictada por la misma cordura. ¿No lo ve así?

—Caía de su peso —admití yo sin entender una jota.

—Los comensales del Banquete —añadió él— sabrán agradecer ese ultimátum de la técnica.

Y subió lentamente los escalones, fatigado y dichoso, tal como si acabara de resolver la cuadratura del círculo.

Dediqué las horas que siguieron a la terminación de mi sainete, negándome, con mañas, al reclamo de los clowns que por diversos conductos y señas diferentes me hacían llegar las expresiones de su inquietud. No dudé de que las antenas de Gog y de Magog estaban captando indicios excitantes que mal podía yo advertir desde mi reclusión; pero me atrincheré en mi deliberada reserva, y la mantuve hasta la hora en que recibí la cogulla blanca y el antifaz. Era un ropón de seda, con su holgada caperuza, muy semejante al de los *cagoulards* franceses o al de los *ku-klux-*

klan norteamericanos. La prenda venía en una caja de celofán, junto con una tarjeta que rezaba escuetamente: "Personal e intransferible."

Con tal noticia esperé a que llegara el atardecer; y salí en busca de los clowns, resuelto a la entrevista que con tanta insistencia me venían reclamando. Los encontré junto al gallinero, unidos en un tango llorón de fonógrafo que bailaban mecánicamente y sin expresión alguna, como dos planetas muertos. Al verme, Gog y Magog deshicieron su abrazo de coreografía, y tomándome casi a la fuerza me introdujeron en la cabaña. Entonces vi cómo los clowns rompían el duro lineamiento de sus mascarones para traducir una mezcla de curiosidad, indignación y zozobra. El clima de la casa era el siguiente: los chóferes del garaje, atareados en el ajuste de motores y carrocerías, revelaban el trajín precursor de los grandes acontecimientos. Informes arrancados al chófer dipsómano hacían sospechar que una reunión inminente se preparaba, cuya realización tendría efecto, no al aire libre como el Primer Concilio, sino en el interior de la Casa Grande y en un ámbito hermético acerca de cuya rigidez los clowns me hablaron como de un insulto personal. Un servicio de guardias era ensayado en los accesos a la residencia; y, para colmo de males, la red clandestina de micrófonos que Gog y Magog habían instalado en lugares estratégicos no funcionaba, hecho que los clowns atribuían al contraespionaje.

Ciertamente, no dudaba yo que, al revelarles el envío de la cogulla y el antifaz, Gog y Magog entrarían en el apogeo de su congoja. Y sin embargo no fue así: ante mi asombro, y tras hacerme describir ambas prendas, los clowns entraron en una suerte de beatitud que me dio mala espina. Salieron fuera de la cabaña y reanudaron su baile, ahora según el ritmo trotador de una ranchera que les gargareaba el mismo fonógrafo.

Tres días más tarde un fragor de automotores que desde el amanecer entraban en el parque me hizo presentir la nueva: el Segundo Concilio del Banquete se realizaría en las próximas horas. Bajé al living comedor, en procura de noticias y de mi desayuno; pero no encontré al valet consuetudinario ni vi fuego en la cocina, lo cual me hizo temer otro de los ayunos con que Severo Arcángelo preparaba sus liturgias. Insistí a mediodía, y entonces me topé con el doctor Frobenius, el cual, ya sentado a la

mesa, traducía la serenidad catártica que su ascensión al espacio
e había valido y que sólo había traicionado en una ocasión fren-
e al indecible Papagiorgiou. El valet a rayas nos trajo un solo
anapé de caviar y una copa de champagne a cada uno, lujosa miseria que me hizo reflexionar otra vez en los clowns y en la justi-
ia de sus improperios. Terminada la breve colación, el astrofí-
ico me dio la orden que sigue: a las diecinueve horas yo debía
entrar en la Casa Grande, vistiendo la cogulla y el antifaz recibidos.

XXII

Yo, Lisandro Farías, juro que todo lo que pinto ahora y pinta ré hasta el fin es verdadero y sucedió en la casa de Severo Arcángelo. Vuelvo a decir que la Vida Ordinaria se ajusta siempre a esquemas tan convencionales, que cualquier "hecho libre" fuera de sus previsiones la sume, ya en el pavor si es catastrófico, ya en la incredulidad si no lo es. Y sin embargo, los hechos libres (o aparentemente libres) no son tan excepcionales como lo podría entender el hombre cotidiano.

El Segundo Concilio del Banquete se reunió dentro de la Casa Grande y en un salón de líneas muy severas y acústica excelente que me hizo recordar los microcines de las empresas filmadoras. Curado ya de asombros, envuelto en mi cogulla y defendido por mi antifaz, me vi en una butaca de tercera fila, entre un cónclave de silenciosos encapuchados que aguardaban frente a un telón de felpa roja, bien corrido aún pero alumbrado ya con difusas candilejas. A decir verdad, aquel era el único iluminante del recinto, cuyo silencio, aliado con semejante penumbra, inventaba un clima de modorra o de fascinación que me fue ganando como a los demás. Cierto redoble de timbales nos arrancó súbitamente de nuestro marasmo: cesó el redoble y se reconstruyó el silencio, en el cual oímos, detrás de la cortina, los tres golpes de bastón en el suelo con que se iniciaban los antiguos espectáculos teatrales. Y el telón fue levantándose lentamente.

A foro y centro del escenario se mostraba un gran pino de utilería, o mejor aun, cierto esquema de pino, con su eje vertical y tres o cuatro ramas horizontales. Exactamente al pie del árbol se erguía la majestuosa estatura de un hombre vestido solamente con una malla de oro. Si bien se observaba, este hombre constituía el vértice a de un pentágono regular, en cuyo punto b se alzaba un hombre plateado, en el c un hombre de malla rojiza, en el d un hombre de malla negra como la noche. Sólo el punto e de la figura carecía de su hombre correspondiente, lo cual estaba ritando un "vacío" que los espectadores advirtieron sin duda. Un minuto duró la silenciosa exhibición de aquel pentágono humano; tras del cual, y saliendo a escena por el lateral izquierdo, el profesor Bermúdez avanzó hasta las candilejas y saludó con flexiones de torso a los encapuchados que lo ignoraban y se ignoraban entre sí. Con toda la solemnidad que le permitían su talla módica y el anacrónico chaqué universitario que lo envainaba, el profesor Bermúdez habló así:

—Señores, en su Primer Concilio la organización del Banquete se propuso y logró ubicar al Hombre en las inmensidades del Espacio. Cábeme ahora la responsabilidad y el honor de ubicarlo en el Tiempo, cuya duración para el hombre terrestre, a contar de su origen, es tan indefinida y pavorosa como la dimensión del espacio sideral.

Se oyeron murmullos ahogados en las capuchas, entre los cuales me pareció distinguir una risita sorda que alguien trataba de estrangular en el sector derecho del cónclave.

—La presente humanidad —continuó Bermúdez— ha vivido ya cuatro edades que aquí están simbolizadas por estos hombres metálicos: el Hombre de Oro, el Hombre de Plata, el Hombre de Cobre y el Hombre de Hierro, es decir el actual, cuya degeneración asombrosa conoceremos en seguida, ya que vive y habla, mientras que los otros yacen en sus tumbas prehistóricas desde hace millones de años.

Un gruñido, uno solo, pero sublime de protesta se hizo escuchar en el sector izquierdo. Y Bermúdez, estirando su cogote hacia la platea, trató de individualizar al encapuchado que acababa de gruñir.

—Siga, profesor —le dijo entonces una voz autoritaria de la primera fila.

Oído lo cual, y abandonando las candilejas, Bermúdez, con expresión reverencial, se dirigió al árbol y se detuvo frente al Hombre de Oro.

—¡Señores —exclamó—, he aquí al Adán Primero, nacido junto al árbol primordial! Obra reciente del Demiurgo, quiero decir obra divina, el Hombre de Oro tiene y ejerce la perfección del estado humano. Y conservará esa perfección que trae de su origen, hasta que abandone la ubicación central o paradisíaca en que fue instalado.

—¡No estoy de acuerdo! —gritó una voz fanática de la segur
da fila (¿no era la de Papagiorgiou?).

—¿En qué no está de acuerdo? —le preguntó Bermúdez co
parsimonia.

—Se nos está embarcando en una leyenda sin base crítico-hi
tórica —dijo la voz ya indudable de Papagiorgiou—. ¡Y falsead
para colmo!

—¿Dónde ve la falsedad?

—En ese árbol de la escenografía. ¿No quiere ser un pino?

—Es un pino —admitió Bermúdez—, aunque abstracto. E
nuestro es un escenógrafo de vanguardia.

—Vanguardia o no —dijo el refutante—, si ese muñeco d
oro es o quiere ser Adán, habría que ponerlo junto a un mar
zano. ¡Eso lo sabe hasta el cura de La Boca!

En este punto Bermúdez abandonó su estudiosa continencia,
dirigiéndose a Papagiorgiou le dijo:

—¡Señor, lo desafío a que me demuestre, con algún texto re
petable, que tal manzano existió en la leyenda escrita! Y si a
fuese, ¿qué importa? Lo que nos interesa es definir el simbolism
de la vertical en su relación con el Hombre de Oro. ¿Entiende

—¡Ni jota! —se vanaglorió el navegante solitario—. ¡Yo so
un hijo de la Ciencia!

Otro asistente de la primera fila tomó aquí la palabra:

—Según veo —dijo sin ocultar su inquietud—, el encapucha
do arguyente se debate aún en el flujo y reflujo del materialism
histórico. Y sin embargo, debería estar secándose a estas hora
en las arenas de la playa. ¡Señores, esto no camina!

Fuese llamado al orden o amenaza oculta, la intervención de
asistente logró intimidar a Papagiorgiou, el cual pareció digeri
en silencio el tropo balneario de que fuera víctima y en el que n
dejaba él de recelar una humillante alusión a sus descalabros ma
rítimos. Circunstancia favorable que aprovechó Bermúdez par
volver al Hombre de Oro.

—La perfección del estado humano —dijo— está condiciona
da por la residencia de Adán en el centro. Si se aparta del árbo
central, el Hombre de Oro ha de lanzarse a un ciclo "descenden
te", con respecto a su altura originaria, y a un ciclo de "oscure
cimiento" gradual, en la medida en que se aleja él de su punt
de origen y foco natural de su iluminación. De tal manera, po

lejanía y oscuridad, el Hombre de Oro se transmuta en el Hombre de Plata, luego en el Hombre de Cobre, y por fin en el Hombre de Hierro, última degradación del bípedo ilustre.

Mientras hablaba, el profesor iba recorriendo el pentágono: se detuvo ante cada Hombre y lo saludó con una reverencia decreciente; hasta que, ya enfrentado con el de Hierro, le dio una seca bofetada. Y aquí fue dónde la voz del encapuchado que había gruñido en el sector izquierdo estalló como una bomba:

—¡No admitiré —protestó— que se abofetee a un hombre desarmado, aunque sea de hierro, por el solo delito de figurar, probablemente asalariado, en esta solemne macana filosófica!

—¿Macana? —le gritó Bermúdez—. ¿Ha leído usted a Hesíodo? ¿Profundizó usted las Escrituras de Oriente y de Occidente? ¡No! Usted es un naturista ingenuo.

—Señor mío —le replicó el encapuchado—, nosotros, los paleontólogos, hemos cavado la tierra; y no dimos con ningún hombre de oro ni de plata ni de cualquier otro metal. Hemos encontrado, sí, al Hombre de Rodesia y al Hombre de Neardenthal; pero sólo tenían la luz necesaria para construir una flecha de sílex y hundírsela en el ojo a un iguanodonte; bárbaros estupendos, en suma, que devoraban tranquilamente su costilla de mamut, esperando que millones de años después Aristóteles y Platón les inventaran la metafísica. Señores del Concilio —añadió volviéndose a nosotros—, tal vez yo sea un naturista ingenuo, como dijo ese triste disertante de la nada que se pavonea en el escenario. Lo que no seré nunca es un papamoscas de los que se creen todavía en la edad de Esopo y en el tiempo feliz en que los almirantes hablaban.

—¿Qué tienen que ver los almirantes? —le preguntó Bermúdez alarmado.

—Señor, nada —le respondió su contrincante—. Sólo es una ilusión política, y de bastante mala leche, debo admitirlo.

A juzgar por los rumores y bisbiseos que se levantaban del cónclave, no había duda que los argumentos del encapuchado incógnito amenazaban con hacer trastabillar al Concilio. Y era también indudable que al profesor Bermúdez le había salido un polemizador muy resbaloso, un hombre de retortas y probetas que no cedería jamás a una barra de soñadores cavernarios el terreno augusto de la Ciencia con mayúscula. Pero los del cónclave ignoraban aún la verdadera talla de Bermúdez, el cual, reconstruyéndose ahora de su aparente ceniza, dijo lo que sigue:

—Señores, nos encontramos, a mi entender, frente a un científico de los que saben que respiran sólo cuando han medido el volumen de aire que les llena los pulmones.

—¿Se refiere a mí? —cacareó su antagonista.

—Usted lo ha dicho —le respondió Bermúdez—. Estos Hombres metálicos no se encuentran con un pico y una pala. Señor, le daré un consejo saludable: la tarea de juntar e inspeccionar huesos fósiles no es higiénica, sobre todo si se la realiza en los húmedos terrenos de la Gran Bretaña.

—¡Señores! —gritó aquí el encapuchado incógnito—. ¡Se acaba de insultar a mister Darwin!

Una mezcla de travesura y malignidad se tradujo en la sonrisa que Bermúdez esbozó para su enemigo:

—Nosotros los geólogos —expuso con zumbona entonación— bien sabemos que la Tierra (este "cascote giratorio", como la definió en su hora el astrofísico de la casa) es un escenario múltiple y cambiante: hunde aquí uno de sus continentes, levanta otro más allá, según lo va requiriendo el drama humano que se representa en él. Luego, si mi contrincante, dada su notoria vocación de sepulturero, deseara encontrar la osamenta de alguno de estos actores metálicos ya desaparecidos, tendría que buscarla en las honduras del Pacífico y del Atlántico, labor no imposible, ahora que tenemos el batiscafo de monsieur Piccard.

Al oír tan formidable argumento el Concilio pareció recobrar su fe tambaleante, a juzgar por los murmullos aprobatorios que circulaban en la asamblea. El simbolismo teatral que Bermúdez había utilizado con tan picante acierto resolvió no pocas dudas y a la vez hirió en lo íntimo al encapuchado incógnito. El cual, poniéndose ahora de pie y dirigiéndose al cónclave todo:

—¡Runfla de literatoides! —apostrofó—. ¡No lograrán ponerle cogulla y antifaz a la Ciencia! ¡Yo soy un hombre de laboratorio!

—¿Podría usted identificarse? —lo tentó Bermúdez con sospechosa benignidad.

El encapuchado vaciló un instante. Luego, como tirando por la borda el último lastre de su prudencia, irguió una talla de paladín:

—Señores —dijo—, yo podría seguir aferrándome, como ustedes, a este cómodo y triste anonimato. ¡Pero no lo haré! Desde la
tenebrosa Edad Media vengo lidiando con la hipocresía de los
bailes de máscaras.

Y arrancándose de un tirón antifaz y capucha, dejó ver a los
asistentes un rostro patético en el que la fiereza y el martirio se
dibujaban con las tintas más fuertes. Exclamaciones de asombro
se levantaron en la sala; palideció Bermúdez a la luz de las
candilejas; y yo mismo no disimulé mi excitación al identificar
en aquel semblante recién develado la efigie ácida de Gog, su
jeta de payaso beligerante. Al mismo tiempo, y en el sector de
la derecha, se puso de pie otro asistente, quizás el que había
reído al iniciarse la sesión.

—¡Te juego —lo desafió Gog— a quién tiene más ganas de
llorar!

—¡Pago! —le contestó el asistente de la derecha.

Y despojándose a su vez de la capucha y el antifaz, puso de
manifiesto la noble cabeza de Magog, tranquila, sí, pero afirma-
da en una decisión inquebrantable.

La presencia de los dos clowns en el recinto puso en juego un
sistema de alarma que no tardó en atraer a la Policía del Banquete; la cual, irrumpiendo en el Concilio tras un Impaglione sulfu-
rado, se lanzó a la caza de los intrusos. Como Impaglione tratara
de poner su mano sobre Gog, éste lo rechazó con un gesto para-
lizante:

—Señores del Concilio —amenazó—, no permitiré que un alcahuete vulgar, como Impaglione, sea quien ponga en mí sus dedos mercenarios. Vean en mí y en mi lugarteniente Magog a
dos patriotas que abandonarán esta sala por sus propios medios
y no bajo la fuerza de la tiranía.

—¡La Revolución Francesa es un hecho indudable y hasta
creíble! —sentenció Magog en apoyo de su jefe.

Desde las candilejas el profesor Bermúdez intervino con premura:

—¡Sáquenlos afuera —ordenó— ántes de que sigan dispara-
tando! ¿No ven ustedes que son un par de analfabetos?

Pero Gog no había terminado:

—Señores —añadió—, si entre ustedes, y bien disimulado en
su cogulla, está el organizador de este confuso lenocinio, yo le

aconsejaría que no debatiera sus asuntos en una campana pneumática, y que su Concilio se transformase ya en una Mesa Redonda.

Se oyó un cuchicheo deliberativo entre las cogullas de la primera fila.

—¿Y por qué no? —dije yo, al amparo de mi antifaz—. ¿Por qué no conceder a estos dos herejes los beneficios de la democracia?

—Por dos razones —me contestó Bermúdez en su escenario—. Esos dos heresiarcas, por la natural estrechez de sus horizontes mentales, no podrían entender jamás las difíciles asignaturas que se tratarán en este Concilio. Además, por vocación y destino, esos dos heresiarcas no han de sentarse a la mesa del Banquete. Señores —concluyó, dirigiéndose a los de primera fila—, yo creo en la democracia, pero en la democracia *inter pares*.

—¡Magog! —exclamó Gog dolorido—. ¿No te parece oír la voz cascada y flemosa de la Oligarquía?

—Estoy oliendo su lujoso cadáver —asintió Magog en tono de fatalismo.

Escoltados por los guardias, uno y otro clown se dirigieron a la salida. Ya en la puerta, se arrancaron los ropones, muy dignamente, como si abominaran de una librea indigna, y los arrojaron a la cara de Impaglione, que no dio señales de acusar el insulto. Después, volviendo su jeta urticante a los del recinto:

—¡Cavernarios, temblad! —los amenazó Gog.

E hizo un mutis orgulloso, con su lugarteniente y camarada

XXIII

Libre ya de los clowns, el Segundo Concilio del Banquete pareció entrar en un cauce más hondo. Volviendo a los Hombres metálicos que integraban la figura pentagonal, Bermúdez, otra vez en el ejercicio de la cátedra, se preguntó y preguntó a los abismados oyentes cómo se debía in'erpretar el formidable oscurecimiento del hombre, a partir del Adán de Oro y hasta el Adán de Hierro que recién acababa él de abofetear en público.

· Naturalmente, había en el cónclave más de una sesera ilustre, aunque de incógnito, a las cuales apeló Bermúdez para sostener que la oscuridad intensiva del hombre se había operado en el terreno de su "intelección".

—¿Intelección de qué? —le preguntó una cogulla de la tercera fila.

—De la Verdad —le respondió Bermúdez.

—¿Qué Verdad? —insistió la cogulla.

—Su propia verdad, en tanto que ser contingente, y la verdad absoluta de su Principio.

El Hombre de Oro, según Bermúdez, al detentar la perfección del estado humano, era un primer espejo de la Verdad o su imagen directa. No bien se alejó de su centro y se transmutó en el Hombre de Plata, ya fue un segundo espejo intermediario, y reflejó una imagen de la imagen. Un grado mayor de alejamiento lo convirtió en el Hombre de Cobre, o en un tercer plano de reflexión que recibía la imagen de la imagen de la imagen. Por último, en el máximum de su lejanía, se transmutó en el actual Hombre de Hierro, cuarta especulación que sólo refleja la imagen de la imagen de la imagen de la imagen.

—¿Está claro? —preguntó aquí Bermúdez, restañándose con un pañuelo el sudor que le arrancaban las candilejas.

—¡Como la misma noche! —dijo una voz en tono de angustia.

Oído lo cual el profesor, dirigiéndose a un tablero de conmutadores, bajó cierta palanca y dejó el escenario a oscuras. En el recinto se oyeron toses nerviosas y alientos penosamente contenidos. Hasta que la luz volvió en la forma de un haz brillante que desde lo alto, y siguiendo la vertical del pino, daba en el Hombre de Oro y lo hacía resplandecer como un ascua. En seguida, y bajo el puntero de Bermúdez, vimos cómo la luz del Primer Adán se reflejó en el Hombre de Plata con blancuras de nieve. Luego esa luz argentada se proyectó, a su vez, en el Hombre de Cobre y se tradujo en reflejos como de sangre. Por fin el Hombre de Cobre hizo caer su ya menguada luz en el Hombre de Hierro, el cual sólo reflejó vislumbres negras y sucias aristas. Entonces otro apagón se dio en el escenario; y al encenderse las candilejas vimos al profesor Bermúdez que se adelantaba como un héroe.

Se oyó en el cónclave una tentativa de aplausos.

—¡El autor! —se atrevió a reclamar una cogulla en su euforia.

Pero la voz autoritaria que ya se había levantado una vez en la primera fila congeló esos arranques:

—¡Silencio! —reprochó—. No estamos en el circo: esta es una función casi religiosa.

Y a favor del silencio reconstituido, el profesor Bermúdez, que recobraba su modestia, se plantó frente al Hombre de Hierro:

—Señores del Concilio —anunció—, he aquí al actual representante del intelecto humano. Es el último Adán, oscurecido hasta el oprobio, al cual he abofeteado recién, aunque simbólicamente.

¡Gran Dios! Al oír aquellas palabras, el Hombre de Hierro, cuya inmovilidad nos había dado hasta entonces la ilusión de una figura de cera, quebró la rigidez de sus líneas para decir en tono resentido:

—¿Simbólicamente? ¡Me dio con alma y vida! ¿Puedo hablar yo ahora?

—"Tiene que hablar" —lo corrigió Bermúdez ante la excitación del auditorio.

—Lo primero que diré —rezongó el Hombre de Hierro— es que la bofetada recibida por mí no se incluyó en el contrato. ¡Esa bofetada es un abuso de la patronal!

—¡Miente! —lo contradijo Bermúdez.

Y dirigiéndose al cónclave argumentó:

—Señores, también nosotros estamos en la Edad de Hierro y somos hombres de hierro. Por tanto, la bofetada que le di a Johnny López me la di a mí mismo y a todos y a cada uno de ustedes.

—¡La mía no fue simbólica! —volvió a protestar Johnny López, que tal era, según entendí, el verdadero nombre del último Adán.

El cual habría desertado la escena si la voz autoritaria de la primera fila no le hubiese ofrecido una indemnización por "accidente de trabajo". Aceptada la oferta, el trajinado Bermúdez pudo continuar:

—Señores —dijo—, no hay duda de que si Johnny López, interrogado hábilmente, responde a nuestras demandas, conoceremos en vivo la naturaleza del Hombre Final. ¿Alguien desea interrogar a Johnny?

Una cogulla de tercera fila se irguió junto a su butaca:

—Yo lo haré —dijo—. Pero soy filólogo, y me gustaría saber qué azar idiomático juntó en ese hombre dos palabras tan dísímiles como lo son López y Johnny.

—Es la influencia universalizante del cinematógrafo —le aclaró un Bermúdez contristado—. Si el Adán primero se universalizaba en la sublimidad, el último se universaliza en la idiotez.

—Para eso estamos —admitió Johnny López entre digno y modesto.

—Dígame, Johnny —lo interrogó el filólogo—: ¿qué sabe usted acerca de su origen específico?

—Mucho —respondió él—. Aunque ha corrido bastante agua bajo los puentes, yo sé, por tradiciones de familia, que mi primer antecesor fue un cuadrumano.

—¿Un cuadrumano? —lo interrumpió la cogulla.

—Naturalmente, se trataba de un mono progresista que floreció en el paleolítico.

—¿Y en qué consistió su progreso?

—El noble simio —explicó Johnny— se cansó de andar a cuatro manos, y resolvió adquirir la posición vertical. ¡No era fácil!

—¿Por qué no?

—Tenía en su contra las vértebras dorsales y cervicales. Pero el sesudo animal venció al fin.

—¿Cómo pudo lograrlo?

—A fuerza de gimnasia. ¿O cree usted que los suecos inventaron las flexiones de tronco? Lograda la vertical, el resto era pan comido: de ahí a la fisión nuclear sólo quedaba un paso.

En aquel punto del interrogatorio se puso de pie otra cogulla:

—¡Señores —protestó—, se nos está sirviendo un refrito de la ciencia! Nadie ignora ya que mister Darwin, cuya buena fe no ponemos en duda, se dejó ilusionar por la similitud "plástica" existente, fuerza es reconocerlo, entre un cuadrumano y el hombre.

—¿Y a qué se debió el espejismo de mister Darwin? —interrogó Bermúdez.

—Según presumo —dijo la otra cogulla—, se debió a la excelente calidad y al poder alucinante del whisky escocés muy estacionado.

—¡Eso es una calumnia! —le gritó Johnny, el Hombre de Hierro—. ¿Dirá usted que mis reminiscencias del período glacial son alucinaciones del delirio tremens?

—¿Guarda usted reminiscencias del período glacial? —interrogó a su vez la otra cogulla.

—¡Demasiadas! —confesó el Hombre de Hierro—. Hasta el reumatismo articular agudo que padezco es un gaje de aquellas húmedas cavernas.

—¡El Hombre de Hierro está delirando! —rezongó la otra cogulla—. Tomó en serio las imágenes de fantaciencia que le ha encajado la televisión. ¡Eso ganan con llenar de brontosaurios la cabeza de los niños!

Pero la cogulla de tercera fila volvió a intervenir:

—Dejemos el pasado —insinuó cuerdamente—. Dígame Johnny: usted, el Hombre de Hierro, ¿qué planes tiene para el futuro?

Johnny López esbozó una sonrisa de orgulloso entusiasmo:

—¡Señores! —exclamó—. ¿Estamos en Babia? Los progresos de la técnica nos están gritando que se avecina para nosotros la instalación del Paraíso Científico.

—¿Un Paraíso Científico? —se asombró la cogulla de tercera fila—. ¿En qué consiste?

—¡Pan ha muerto! —recitó Johnny López—. ¡Glorifiquemos a la Electrónica!

Y empezó a declamar sin ton ni son, rico de mímica y de baileos:

—¡Viajes al espacio exterior, en lujosos cohetes pullman! ¡Hay que invadir a Marte y explotar sus yacimientos de wolframio y de sodio radiactivo! Si los marcianos rezongan, ¡leña! ¡Señores, la Western Chemical Company les ofrece acciones del quince por ciento, sin gravámenes impositivos, a fin de realizar un cateo de aguas termales en el planeta Saturno e instalar allí un hotel suntuoso para millonarios en hibernación!

—¡Basta, Johnny! —trató de frenarlo Bermúdez, al advertir que un ominoso pataleo se iniciaba en el cónclave.

Pero el Hombre Final asumió un aire digno:

—¡Ustedes me hablan de longevidad! —arguyó—. ¡En el Paraíso Científico no morirá nadie, como no sea voluntariamente y previa solicitud elevada en papel de oficio con su timbrado legal! El Ministerio garantiza una infalible reposición de órganos averiados; para lo cual mantiene una costosa industrialización de cadáveres gentilmente cedidos, y bancos de pulmones, de cerebros, de ojos, de hígados al natural, amén de los que suministran las fábricas de artículos plásticos. Ya que, según nuestros clínicos, un riñón de nylon drena perfectamente los cristales de urea.

El pataleo del Concilio se tradujo en sordas exclamaciones:

—¡Es un pobre loco! ¡Afuera el Hombre de Hierro! ¡Que lo echen!

—¡Bárbaros! —lloriqueó López—. ¡Las ideas no se matan! ¿Y qué decir de una inteligente alimentación a base de complejos vitamínicos ionizados? En el Paraíso Científico los bistecs y las doctrinas vendrán en cápsulas de una esterilización absoluta, condensadas y servidas por atentos robots.

—¡Que se vaya! —gritó una voz en medio de la general rechifla—. ¡Muera el Paraíso Científico!

—En este mundo —consiguió añadir el Hombre de Hierro—, ¿somos o no viajantes? Yo les aseguro que nuestra expedición será cómoda y feliz: cada uno viajará con su psiquiatra diplomado.

Aquí la batahola del Concilio llegó a su ápice: dos o tres cogullas, en son agresivo, se lanzaban ya contra Johnny López.

Y el telón de felpa cayó sobre los Adanes metálicos. Hasta entonces yo había seguido aquella farsa con el sosiego de quien está en el ajo del asunto, pese a los movimientos de rebeldía que continuaban asaltándome y que no me abandonaron hasta los últimos prolegómenos del Banquete. Con la misma frialdad vi cómo, restablecido el orden, el telón se levantó de nuevo para mostrar el pentágono humano en su hieratismo del primer instante, y a un Bermúdez cuya seriedad hacía presentir ahora un momento solemne del Concilio.

—Señores —comenzó a decir—, la oscuridad profunda que Johnny López, el Hombre de Hierro, acaba de manifestar ante nuestros ojos asombrados nos dice que su descenso cíclico tocó ya el fondo. Ahora bien, como todo final de ciclo debe coincidir con su iniciación, es necesario que el Hombre de Hierro desande la línea descendente para recobrar su estado paradisíaco.

—¿Qué nos quiere decir? —le preguntó una cogulla de voz tabacal.

—Que Johnny López debe superarse —le contestó Bermúdez.

—¡Ojo! —intervino aquí la voz de Papagiorgiou—. ¡Nos está insinuando al Superhombre de Nietzsche!

—¡No lo consentiré! —protestó la voz tabacal—. ¡El Superhombre nietzscheano es un hijo esquizofrénico de la "selección natural"!

—En la Universidad Libre no somos tan sectarios —le censuró Papagiorgiou—. Allá consideramos el Zarathustra como una obra de imaginación en prosa.

—No me gustan las universidades libres —le advirtió el encapuchado tabacal en tono agresivo.

—Calma, señores —los apaciguó Bermúdez—. No lanzamos aquí un producto de factura germánica. Si ustedes observan el pentágono, advertirán que su punto e no está definido por ningún hombre. ¿Y saben por qué? Porque se lo reserva para el quinto Adán: el que otra vez convierte al Hombre de Hierro en el Hombre de Oro.

Tan sorprendente revelación produjo un revuelo en la sala.

—¿Y de qué metal es el Hombre quinto? —preguntó una cogulla.

—De ninguno y de todos —le respondió Bermúdez—. El quinto Adán es el Hombre de Sangre.

Un silencio entre asombrado y amenazador se hizo en el auditorio.

—Ese Hombre, ¿cuándo llegará? —exigió una cogulla de tercera fila.

—¡Ese Hombre ha llegado! —anunció dramáticamente Bermúdez—. ¡Y está entre nosotros!

La nueva desconcertó a los asistentes en masa, los cuales empezaron a mirar en torno de ellos, buscando, según entendí, al Hombre de Sangre tan inesperadamente anunciado.

—Yo no soy —le dije a mi vecino de asiento que me observaba fijamente.

—Yo tampoco —me aseguró él en su inocencia.

—¡El Hombre de Sangre no existe! —gritó el encapuchado de voz tabacal.

Al oírlo, alguien se irguió en la primera fila, como si acabara de recibir un insulto.

—¡El Hombre de Sangre vino ya! —fulminó, tendiendo su puño cerrado al cónclave.

Sí, era la misma "voz autoritaria" que había resonado ya dos veces en el Concilio.

—¡Llegó, y en su hora exacta! —vociferó nuevamente.

Y arrancándose antifaz y capucha, mostró al desnudo la cabeza de Severo Arcángelo, su semblante rojo de una ira santa:

—Desde que llegó —dijo— está operándose la transmutación del hierro en oro. ¡Ay del que niegue al Hombre de Sangre! —amenazó—. ¡Ay del que no lo reconozca entre mil!

Y llamó, con urgencia dramática:

—¡Impaglione!

—¡*Subito!* —contestó Impaglione levantándose a su izquierda.

—Impaglione —lo interrogó Severo—, el que lo desconoció en su hora, ¿se ha de sentar a la mesa del Banquete?

—¡*Ostia*, no! —respondió el Alcahuete en Fa Sostenido.

—¿Entrará en la Cuesta del Agua?

—¡*Diavolo*, nunca!

—¿Y a dónde irá el que niegue al Hombre de Sangre?

—¡A las tinieblas exteriores! —rugió el valet en son de amenaza.

Severo Arcángelo nos desafió un instante con sus ojos gritones de fanatismo. Luego volvió a cubrirse y a ocupar su butaca, dejando en el recinto una inquietante atmósfera de intimidación.

—Señores del Concilio —prosiguió Bermúdez, tan intimidado como el cónclave—, lo que deberán retener ustedes acerca de los Hombres metálicos es que cada uno simboliza una "edad humana" cuya duración no es fácil de calcular.

—Profesor —le dijo una cogulla—, deseo preguntar si en la sucesión de las edades ha seguido usted la cronología hebrea, la hindú o la de los chinos.

En su perplejidad, Bermúdez calló un instante que aprovechó Severo Arcángelo para dejar oír nuevamente su "voz autoritaria":

—¿Qué importan las cronologías? —rezongó—. Lo que nos interesa no es la sucesión temporal, sino la sucesión "ontológica" que se dio en los humanos, hasta convertir a un Hombre de Oro en un Hombre de Chatarra. Pero lo que más debe interesarnos ahora es el "cataclismo" en que terminó cada una de las edades.

—Muy cierto —asintió Bermúdez en tono de obsecuencia.

—Entonces, ¡dígalo! —le ordenó Severo Arcángelo.

Con una sangre fría verdaderamente universitaria, el profesor Bermúdez refirió cómo el paso de una edad a la otra se había cumplido mediante un "hecho catastrófico" del cual el Diluvio y la sumersión del continente Atlante daban una idea muy aproximativa. Naturalmente, la vertiginosa corrupción del Hombre de Hierro, pintada tan a lo vivo en la miseria intelectual de Johnny López, nos permitía calcular que su fin era inminente y que también se daría en una catástrofe mundial de contornos imprevisibles, anunciada ya en la bomba de cien megatones y en los proyectiles de navegación orbital.

—¿Cuándo ha de ocurrir esa catástrofe? —le preguntó una voz reseca de angustia.

—Mañana, hoy, ahora —dijo un Bermúdez abstracto.

Era patente que se había llegado a la médula del asunto: así lo indicó el silencio que se hizo en la sala y que se prolongó largamente, duro como una materia, tenso como un cordaje. Sí, el Segundo Concilio, al igual que el Primero, alcanzaba como fin una sensación de peligro, inestabilidad y naufragio, sugerida con método a los posibles comensales del Banquete. Y el

malestar del auditorio creció de punto cuando Bermúdez retomó la palabra:

—Frente a la catástrofe mundial que se avecina —dijo—, se
nos plantea un interrogante lleno de interés. ¿Con ella terminа-
rá un Gran Ciclo del hombre o un Pequeño Ciclo?

—¿Cuál es la diferencia? —le preguntó alguien de las últimas filas.

—Un Gran Ciclo terminado en catástrofe —respondió Bermúdez— no deja memoria de sí en los escasos hombres que sobreviven: se produce así una "discontinuidad" en la conciencia
histórica del género humano. Si lo que termina es un Pequeño
Ciclo, entonces, pese a la catástrofe, los que sobreviven guardan
memoria de lo anterior, y el nexo histórico no se rompe.

—¡Un momento! —dijo la cogulla de voz tabacal—. ¿En cuál
de los dos casos entraríamos nosotros?

—No estoy facultado para decirlo —contestó un Bermúdez
hermético.

—Pero, ¿lo sabe usted?

—Naturalmente.

Silbidos, abucheos y murmullos de protesta se levantaron en
la sala.

—¡Que conste mi desconformidad! —exclamó alguien de la
segunda fila—. ¡Esto es un Concilio y no una novela de suspenso!

—¡Muy bien! ¡Muy bien! —lo apoyaron algunas voces.

—Amigos —definió Bermúdez—. Toda la Creación Divina
es una novela de suspenso. ¿Alguna otra pregunta?

—No formularé una pregunta —dijo aquí la voz de Papagiorgiou—, sino una declaración terminante.

Se puso de pie, se quitó el antifaz, echó atrás la cogulla, y el
Navegante Solitario mostró su cara ennoblecida en la orgullosa
libertad de los mares:

—Señores —dijo—, haya o no catástrofe, sea un Gran Ciclo
el que termina o uno Pequeño, declaro en mi nombre y en el de
la República de La Boca nuestra solidaridad entusiasta con el
ente humano, en general, y con el Hombre de Hierro en particu-
lar.

—¡Gracias, tío! —le dijo Johnny López desde su pentágono.

Bermúdez estudió a Papagiorgiou con visible recelo:

—¿Algo más? —le preguntó.

—He dicho —contestó el Navegante Solitario.

—Entonces, *finis* —concluyó Bermúdez precipitadamente—. Muchas gracias y buenas noches.

El telón de felpa roja cayó en silencio: había terminado el Segundo Concilio del Banquete.

Al abandonar la Casa Grande bullía en mi ser una confusa mezcla de reacciones cuyo denominador común era el descontento. El accidentado Segundo Concilio no sólo acrecentaba mis dudas acerca del Banquete, sino que me sumía ya en cierta repugnancia de lo "excéntrico" tan abusivamente reiterado en la empresa del Viejo Fundidor. Me asaltaba un deseo loco de volver a la "normalidad", de vivir en una caja de poliedros regulares, o en el taller de un relojero donde veinte relojes, marchando al unísono, me consolaran con el pulso regular de sus engranajes. No sabía yo aún (lo entendí mucho después en la Cuesta del Agua) que toda la organización del Banquete respondió a una lógica más inexorable que los aparatos de relojería. Salí al parque nocturno y a su ostentosa primavera, cuya benignidad se extendió como un bálsamo en la resentida piel de mi alma. Desde ya resolví no entrar en el chalet aquella noche: temía encontrarme con Bermúdez y desvestirlo a tirones de su farsa y de su lamentable chaqué universitario.

Decidí entonces abandonar la quinta de San Isidro por algunas horas, a favor de un mecánico del garaje, dúctil al soborno, el cual me había ofrecido ya una *voiturette* que alquilaba él furtivamente, según me confesó, a ciertos "estudiosos" de la residencia cuando sentían el imperativo de tirar al aire una cana. Subrepticiamente, y manejando aquel vehículo, salí a la carretera, deseoso de hallar en las inmediaciones un lugar favorable donde meditar en el último Concilio, fuera de la órbita deshumanizada en que se había desenvuelto pese a sus Hombres Metálicos. Lo encontré al punto en una churrasquería elemental instalada junto al camino, en un rancho de adobe, con su parrilla en el centro y algunas mesas alrededor, ocupadas a esa hora por camioneros lisos y primaverales como la noche a la que iban o de que venían. Me senté a una mesa de rincón, pedí algunas achuras y un jarro de vino de La Costa; y mientras devoraba las pulpas calientes, me di a reflexionar en los últimos hechos.

Mi análisis consideró primero la tesitura de los clowns en la etapa inicial del Concilio. Aunque ignoraba yo aún cómo habían ingresado al cónclave, pese a sus rigurosos contralores, me parecía que la intervención de ambos había sido pobre y de una falsedad absoluta, sobre todo la de Gog, cuyo idioma y ciencia ocasionales habían sonado tan a hueco. ¿También los clowns obedecerían al reparto de un libreto monitor? El solo atisbo de aquella posibilidad me llenó el alma de hiel y el estómago de vinagrera: ¿la organización del Banquete no sería un negocio de vivillos y sanguijuelas, entre los cuales flotaban sólo dos inocentes a la deriva, Severo Arcángelo, un pobre loco, y yo, un ingenuo sin abuela? Recién al otro día supe que Gog y Magog habían asaltado y amordazado al sastre del Banquete y a sus dos aprendices, tras de lo cual se habían provisto de las cogullas que les abrieron la entrada.

Paladeando mi tintillo de La Costa en su fuerte sabor de uva chinche, analicé luego la temática del Segundo Concilio. Y me dije que su finalidad era transparente: a) inducir al auditorio en una suerte de pánico, al hacerle medir lo transitivo de la individualidad humana en relación con un Tiempo cósmico dado, si no en infinitud, al menos en cierta perpetuidad incalculable; y b) acrecentar el terror del auditorio al sugerirle la posibilidad inminente de una catástrofe cíclica. Igual efecto se había buscado en el Primer Concilio, donde se ubicó a la molécula humana en un Espacio sideral de magnitudes terroríficas, y donde se anunció también una catástrofe posible, merced a la velocidad creciente de las galaxias en fuga. Si bien desconocía yo aún el móvil de tan feroz estrategia, no dejaba de advertir en ambos concilios un acento premonitorio y casi amenazador, que ahora, lejos de la casa y junto a la parrilla chorreante de grasitudes, me resultaba del todo ridículo. Sin embargo, el tema de la catástrofe se habría de reiterar muy pronto en la voz nocturna del Salmodiante de la Ventana.

Sólo al concluir mi postre de queso del Chubut y dulce de membrillo, resolví considerar la sospecha que me asaltara ese día frente a los Hombres Metálicos y que, al menos para mí, constituía el único indicio revelador, hasta entonces, de lo que tramaba en realidad Severo Arcángelo en la urdimbre de su Banquete. Y mi sospecha se tradujo en un cuestionario de preguntas aterradoras. ¿Quién era el Hombre de Sangre, instituido ya y ausente aún en el punto *e* del pentágono humano? Bermúdez le asignaba una función regeneradora, una virtud "alquímica" lo bastante fuerte como para sublimar el barro de Johnny López o su metal oscurecido. Todo ello, a pesar de su nebulosa, no funcionaba mal. Pero, ¿quién era el Hombre de Sangre? Las reticencias de Bermúdez, por demás obsecuente, y el grito del Viejo Fundidor al anunciar en el tono de un repugnante fanatismo que tal Hombre ya estaba entre nosotros, consentía una sola hipótesis: el Hombre de Sangre no sería otro que Severo Arcángelo, allí presente, amenazador y soberbio como un falso ídolo. A favor de aquella luz, mi encadenamiento lógico fue muy simple: lo que había embarcado al Metalúrgico de Avellaneda en aquel Banquete descomunal era una pavorosa locura "mesiánica". Sin embargo, ¿por qué obraría Severo como un Hombre de Sangre y no de metal? ¡Acaso pensaba él cumplir algún "rito sacrificial" de origen remoto y proporciones asquerosas! ¿En el Banquete nos darían a comer las tostadas asaduras de Severo Arcángelo, previa su autoinmolación?

Deseché al punto aquel orden siniestro de mis ideas, y me aferré a las tranquilizadoras imágenes que me circunscribían: el olor familiar de las carnes asadas, el humo de las leñas encendidas, el diálogo de los camioneros que se narraban sus aventuras de camino, todo ello me hizo recordar otros fogones, allá, en el sur, y mi niñez que se adormecía entonces junto al asador cordial y bajo un arrullo de reseros que también dialogaban su penuria terrestre. La vista se me nubló de lágrimas; y así, entre un llorar y un recordar, me fui deslizando a un sueño bienhechor, profundo, sin imágenes. Al despertar, vi que se habían renovado las asaduras en la parrilla y los camioneros en las mesas. Pagué mi adición, salí al alba que ya se abría en el naciente, regresé a la casa de Severo y me introduje, como un ladrón o un calavera, en el chalet dormido todavía.

XXIV

Cuando bajé al living comedor me hallé con un Bermúdez en tren de almuerzo: vestía el conocido traje de golf y se adornaba con cierto aire de modestia en cuyo trasfondo era visible un orgullo de paladín reciente que mendigaba incienso. "Está frito si lo espera de mí", refunfuñé yo en mi alma; y durante aquel almuerzo desarrollé una táctica de muda reserva que lo hirió evidentemente. ¿Quién era él —me decía yo entre vianda y vianda—, sino un reseco profesor de Humanidades, bien o mal rentado, que ponía su erudición al servicio de una empresa cuya finalidad ignoraba? En mi desdén actual por Bermúdez tenían buena parte las conclusiones lógicas y a mi entender irrebatibles que había yo alcanzado la noche anterior en mi Raciocinio Junto a la Parrilla (tal nombre le daba ya con intención histórica). Era visible que, frente a los mecanizados epigonos del Banquete, yo era el único actor en desvelo y alerta. Sorbido el café, le dije:

—Hoy entregaré los originales de mi Sainete.

—No dudo —me aduló Bermúdez— que será una pieza de antología.

—Es un bodrio incalificable —le repliqué mirándolo con saña.

Y subí la escalera, rumbo a mi habitación. Como en tantas otras cosas atañederas al Banquete, mi opinión sobre Bermúdez resultó a la larga terriblemente injusta: lo advertí por vez primera días más tarde, cuando aquel hombrecito, frente a la Cybeles recién construida y en ensayo, dio muestras de una sublimidad cuyo recuerdo todavía me sobrecoge. Por ahora saboreaba yo la excelencia de mi Raciocinio Junto a la Parrilla. Y me dije que, para redondearlo y llegar a la médula del Banquete, me faltaba un solo hilo que retorcer: la Zona Vedada, cuyo misterio aún se recataba en el fondo selvático del parque. Naturalmente, no podía intentar yo solo una incursión al terreno vedado; por lo cual decidí visitar a los clowns, ese mismo anochecer, y urgirlos a despejar una incógnita que igualmente los intrigaba.

Di con ellos en las inmediaciones de su cuartel general: Gog y Magog se ocupaban en remontar un barrilete de los llamados "bombas", un octógono de papel que cabeceaba graciosamente a favor del viento y cuyos vivos colores parecían recoger en lo alto lo que aún quedaba del sol moribundo. Al verme, Gog le pasó a Magog el hilo tenso:

—Ya sabrá —me dijo— que los tres babiecas de la sastrería no han sufrido el menor daño.

—Lo sé —respondí yo discretamente.

—Y en cuanto a las cogullas —intervino Magog—, se las tiramos a la cara en pleno debate.

—Fue un gesto muy digno —lo halagué—. ¿No les ha llegado alguna represalia del Viejo?

Con un ademán infantil Gog retomó el hilo del barrilete y comenzó a recogerlo, al par que Magog lo envolvía en una devanadera. .

—Esta vez —me dijo Gog— el Vulcano. en Pantuflas no se digna reaccionar. ¿Qué sucedió en el Segundo Concilio después de nuestra retirada?

—¡Retirada! —le dije—. ¿No fue una expulsión?

—Una retirada estratégica —sostuvo Magog con dignidad.

Les hice una recapitulación muy sucinta de los hechos, al cabo de la cual, y alzando el barrilete ya caído a sus pies, Gog produjo esta lacónica sentencia:

—Son unos retrógrados estupendos. ¿Se quieren convertir en hombres de oro? ¡Están en Babia!

Entonces, y mientras nos dirigíamos a la cabaña, les referí mi escapatoria de la noche anterior y la proeza de intelecto que yo había realizado en el Raciocinio Junto a la Parrilla, sin excluir mi última sospecha, en virtud de la cual el Banquete no sería, en el fondo, sino una execrable ceremonia de antropofagia. Los clowns no dieron señales de admirar mi fuerza deductiva.

—Son unos tarados a retropropulsión —volvió a sentenciar Gog con una indiferencia que me pareció insultante.

Resentido yo, pero temeroso a la vez de que no se plegasen a mi ofensiva de la Zona Vedada, les encarecí entonces la ur-

gencia de tal expedición; y aguardé, con el alma en un hilo.
Pero Magog, entrando en la cabaña, no tardó en salir nuevamente con un rollo de papel que desenvolvió ante mis ojos:
era, según vi, un plano de la finca, donde la Zona Vedada, en el
interior de un círculo, exhibía sus contornos y accidentes muy
al detalle. Con su dedo índice amarillo de nicotina, Gog me
señaló en el plano algunas cruces:

—Aquí —me aleccionó— cortaremos los alambres electrizados.

—Con manoplas de gutapercha —dijo Magog técnicamente.

—Desde aquí —señaló Gog— y cinco minutos antes del
asalto, Magog arrojará el narcótico a los perros.

—¿Cómo? —dije—. ¿Los perros no iban a ser envenenados?

—Era el recurso más fácil —dijo Gog—. Pero nos detuvo
un caso de conciencia. Magog fue vocal suplente de la Socie-
dad Protectora de Animales.

Los admiré otra vez en su formidable incongruencia, y les
pregunté luego:

—¿Cuándo será la invasión?

—Mañana por la noche —dijo Gog, volviendo a enrollar
el plano.

—Nos hemos decidido por las veintitrés. A esa hora, Ellos
no han dado nunca señales de vida.

"Ellos", me repetí yo todo el día siguiente, mientras que recluido en mi habitación para evitar interferencias, aguardaba
la hora convenida. Sí, Ellos: ¿quiénes eran los emboscados en
la Zona de la prohibición? Un hálito de aventura refrescaba
mis nervios: la mía era una excitación deliciosa, como las de
mi niñez en su tiempo de incruentas bucanerías. Yo no era ya
un "simple", sino un "simplificado", diferencia que advertí
mucho después, en la Cuesta del Agua, y que me dio a entender finalmente cómo las grandes aventuras humanas o divinas
exigen un corazón de niño. Pero, ¿quiénes eran Ellos?

Treinta minutos antes de la hora salí furtivamente del chalet
y me uní a los clowns: estaban sentados a la puerta de la choza
y junto a un fuego en el cual una parrilla casera dejaba entrever algunos restos de asado. Como esa noche, y deliberadamen-
te, no había yo asistido a la cena del chalet, recogí el trozo de

carne que me ofrecía un **Magog** comprensivo, y lo devoré, quemándome los dedos a la manera del sur. En seguida nos calzamos los tres unas botas laguneras, recogimos el instrumental útil a nuestra exploración y consultamos los relojes: eran las veintitrés menos quince minutos. Observé de reojo a los clowns, para ver si compartían mi euforia de aquel instante: no revelaban emoción alguna, como si estuvieran practicando un oficio eterno.

A la zaga de Magog, baqueano ilustre del territorio, nos metimos en la tiniebla, rumbo a la Zona Vedada. Todo era fragante y húmedo en la noche, hasta las estrellas, que también parecían mojadas en lo alto con el rocío primaveral. ¡Buenas noches, Ulises! exclamé yo en mi alma. ¡Eneas, feliz viaje! ¿Qué se hizo de aquel Argos que fatigaba el mar en busca de su oro? ¡Yo te saludo, Hércules, en esta clásica noche de los violentos: dos payasos me guían hacia la tierra del unicornio! Un infeliz contratiempo me arrancó de tan lírico talante: avanzábamos entre juncos y malezas, y acababa yo de perder una de mis botas en cierto barro pegajoso. Mientras que Gog la recogía y me ayudaba cachazudamente a meterla en mi pie, Magog, que había encontrado la huella, se perdía en la oscuridad, no sin advertirnos que nos haría una señal de linterna cuando la "operación narcótico" estuviese realizada.

—¡Cómo se reiría el Viejo Cíclope si nos viera en este fandango! —le susurré dichosamente a Gog, que aún forcejeaba con mi bota.

—¿Cree usted en los cachetazos del alma? —me preguntó él alegremente siniestro—. Yo soy de los que todo lo jinetean, al este y al oeste.

—Sí, pero, ¿y las costillas del abismo? —inquirí yo a tientas.

—No hay abismo que no bostece a su hora —me profetizó él con orgullo.

—¿Alude usted al viejo caos?

—Naturalmente.

Meditaba yo en aquel breve diálogo que iba pareciéndome un hijo auténtico del sistema Ollendorf, cuando entre la maraña se hizo visible la señal de Magog que sin duda tenía ya los perros a su merced. Gog y yo nos arrancamos de la jungla barrosa y nos dirigimos hacia la luz que Magog hacía parpadear según el alfabeto Morse.

—Ya está junto a los alambres electrizados —me sopló Gog al oído.

En efecto, Magog, con cierta bonhomía de pic-nic, estaba junto a los alambres, enguantado ya de gutapercha y esgrimiendo una tenaza cortadora.

—¿Se han dormido los perros? —inquirió Gog cautamente.

—Les puse la dosis necesaria en la carne molida —respondió Magog.

Pero ducho en aquellos lances, como ex ladrón vocacional de gallinas que sin duda era, Magog recogió del suelo algunos cascotes y los fue arrojando estratégicamente dentro del área prohibida. Nada trotó ni gruñó en la tiniebla: los perros dormían como beatos. Entonces, bajo el foco de la linterna que ahora manejaba su jefe, Magog procedió a cortar los alambres y la entrada quedó expedita.

La Zona Vedada en la que ya nos deslizábamos era una continuación de la jungla. Pero, en adelante, fue substituyendo su desorden vegetal por una flora de árboles y arbustos que, sin perder su tono de umbría, daban señas de que un arte humano había regido su distribución. Sigilosamente avanzábamos entre aquellas frondas; y habíamos recorrido algo más de una hectárea, cuando Magog, que aún hacía de puntero, nos detuvo con el brazo. La selva terminaba en aquel sitio para manifestar un redondo calvero en cuya parte central me pareció ver algo así como la masa de un edificio extraño y sin más luz que la de una sola ventana parpadeante como un ojo. La soledad y el silencio gravitaban en aquel sitio con una pesadez casi física; y, sin embargo, no dejaba yo de advertir en su atmósfera esa irradiación agresiva que suelen proyectar los centros muy cargados psíquicamente ya en el mal o en el bien, ya en el crimen o en la santidad.

Frente a la única ventana con luz erguía sus lanzones un macizo de tacuaras, en el cual Gog, táctico eminente, vio el escondite ideal para un acecho del edificio. Arrastrándonos a lo serpiente, los tres conseguimos refugiarnos en el cañaveral, a cuyo favor nuestros ojos, clavados en la ventana, distinguieron la sombra gigantesca de alguien, hombre o cíclope, que recorría su habitación con la lentitud y el ritmo de un oso polar enjaulado. Naturalmente, sobre la marcha de los acontecimientos, Gog ·

nos propuso invadir el edificio, amordazar al habitante y hacer un ojeo minucioso de su documentación. Pero, cuando nos disponíamos a iniciar las hostilidades, el desconocido, inmóvil ahora y desde su ventana, lanzó a la noche una voz entre imperativa y salmodiante:

—"Hazte un arca de maderas labradas —recitó—. Harás apartamientos en el arca, y la embetunarás por dentro y por fuera."

—¿Qué dice? —refunfuñó Magog en la oscuridad.

—¡Silencio! —le rogué yo al oído.

La voz continuaba salmodiando:

—"De trescientos codos ha de ser la longitud del arca, su anchura de cincuenta codos y de treinta su altura."

—Si está loco —volvió a refunfuñar Magog— le pondremos una camisa de fuerza.

—"Y harás una ventana en el arca —prosiguió la voz—, y darás un codo de alto a su cubierta. Y la puerta del arca pondrás a su costado, y harás en lo bajo apartamientos, y tres estancias en ella."

Pero Magog exigía entrar en operaciones, y dirigiéndose al salmodiante incógnito le gritó en una jerga entre náutica y policial:

—¡Ah, del barco! ¡Ríndase! ¡Y salga con las manos arriba!

No había concluido aún la última palabra, cuando en el techo de la vivienda relampagueó un fogonazo, tronó un estampido y una lluvia de perdigones acribilló nuestras tacuaras.

—¡El Monaguillo! —chillaron los clowns arrojándose al suelo.

Y reptando como dos lagartijas asustadas, Gog y Magog huyeron del cañaveral y se refugiaron en la arboleda por donde habíamos llegado. Naturalmente, debí seguirlos en aquella vergonzosa retirada, pues me decía yo con bastante cordura que la escopeta del Monaguillo atesoraba seguramente otro cañón y otro disparo. Al llegar a la primera línea de árboles vi que Gog y Magog me esperaban, temblorosos aún y jadeantes de respiración.

—¿Qué hacemos ahora? —les pregunté.

—Nada —me respondió Gog—. El Monaguillo está usando cartuchos de sal gruesa.

Y echó a correr, pisándole los talones a un Magog que ya

se desalaba entre las espesuras. Los volví a encontrar junto a la brecha de los alambres cortados:

—Tome una linterna y síganos —me ordenó Gog.

Y sin decir más, él y Magog entraron en la jungla, rumbo a sus cuarteles generales. No los acompañé, al menos en el ritmo acelerado que les imponía la derrota: el amor propio y la meditación condicionaban mi lentitud en aquel regreso humillante. A decir verdad no era la cobardía de los clowns lo que perturbaba mi ánimo: desde hacía tiempo, bajo su externa vistosidad en el orden combativo, yo había descubierto la flojera intrínseca de Gog y de Magog. Lo que realmente me confundía era el recitativo del Salmodiante de la Ventana, cuyo texto, al resonar en el caos de mis viejas y desordenadas lecturas, había traído a mi ser un eco familiar bien que no discernible por ahora. Sin embargo, y mientras desandaba la jungla, todo se iluminó de repente. "Hazte un arca." ¿Un arca? Lleno de ansiedad, abandoné la espesura y corrí a la choza de los clowns. Ambos parecían gratificar sus dudosos heroísmos con cierta botella de caña de durazno cuya participación me ofrecieron beatamente.

—Quiero ver esa fotografía —les dije, sin aceptar la botella.

—¿Qué fotografía? —bostezó Gog.

—La de la *maquette*.

Arrastrando sus alpargatas Magog se dirigió a cierto archivo de metal y volvió con la foto que yo había reclamado. La estudié, como sobre ascuas: no había duda, era la *maquette* de una construcción naval, una obra de arquitectura náutica, un minucioso trabajo de astilleros. ¡Atención! me dije. ¡Atención! El Salmodiante de la Ventana, en su texto bíblico, ¿no había evocado recién la empresa naval más famosa que registran los tiempos? "Hazte un arca de maderas labradas." Cerré mis ojos para que los clowns no advirtieran la luz terrible que se hacía en mi ser.

—¿Quién es el Monaguillo? —les pregunté astutamente.

—Un idiota útil —me respondió Magog—. Se cree un genio porque le han dado una escopeta.

—El Monaguillo y el Salmodiante de la Ventana, ¿son una misma persona?

—Es evidente que no —dijo Gog a su vez.

—¿Quién es el Salmodiante?

—No lo sabemos —admitió él con patente amargura.

Los abandoné a su botella y a sus abstracciones; y, regresando al chalet, subí a mi habitación con un ejemplar del Antiguo Testamento hallado en la biblioteca mínima de nuestro living comedor. Tras una ducha reconfortante, leí los capítulos sexto y séptimo del Génesis, y verifiqué la exactitud literal del texto que había lanzado a la tiniebla el Salmodiante de la Ventana. Después, en un segundo Raciocinio que también debería ser histórico (al menos para mí), deduje lo que sigue:

Una relación vital existía entre la *maquette* náutica de Severo Arcángelo y la referencia bíblico-naval del Salmodiante nocturno. ¿Esperaba el Viejo Fundidor otro diluvio universal y construía una nave salvadora? Evidentemente, no. ¿Y por qué no? Porque la estructura náutica de la *maquette* ya tenía su raíz en tierra firme y en cierto lugar denominado la Cuesta del Agua. Entonces, ¿la idea de una embarcación refugio sólo guardaba un valor conmemorativo y simbólico? Naturalmente. Pero subsistía en ella la noción y amenaza de una catástrofe. ¿Y cuál? ¡Una de las que se habían enunciado en el Segundo Concilio del Banquete y que determinaban, según Bermúdez, el tránsito de una edad a la otra! ¿Era que Severo Arcángelo sabía o presentía un final de ciclo humano y el desastre correspondiente? Los fragmentos de aquel rompecabezas encajaban delante de mis ojos con una exactitud aterradora. Sin embargo, y de ser así, ¿qué necesidad tenía él de celebrar un Banquete previo a la catástrofe? A menos que Severo Arcángelo, según mi Raciocinio Junto a la Parrilla, hubiera resuelto su inmolación en el Banquete a fin de apaciguar a los dioses ofendidos. Una sospecha menos literaria me asaltó por último: ¿no sería el Banquete algo así como la operación mental de un psicópata, en la que todos los eslabones coincidían, menos uno? De ser así, ¿cuál era el eslabón que fallaba? Volví a pensar en el Salmodiante de aquella noche: o él tenía la clave o yo era un monedero falso.

XXV

A la noche siguiente Frobenius nos trajo una noticia que puso al chalet en conmoción: la Mesa del Banquete ya estaba lista, y su ensayo, al que debíamos asistir, se anunciaba para dentro de algunas horas. Esa misma noche Bermúdez, con el cual había reanudado yo un comercio protocolar, me anunció que se me necesitaba en la sastrería, con el fin de organizar mi Traje de Banquete. Y así entendí que los acontecimientos iban a precipitarse, como se precipitaron hasta el fin y en una sucesión lógica más inexorable que su cronología.

En la siguiente mañana, y en ayuno riguroso, un automóvil nos condujo a Bermúdez y a mí hasta la Fundición Arcángelo, sita en Avellaneda. Con emoción volví a mirar los puentes del Riachuelo, a oler sus aguas corrompidas de frigoríficos y a dominar aquel horizonte de chimeneas. La mía era una sensación de alivio, como la de quien, arrancado a una pesadilla, se ve despierto entre sus muebles familiares: ¡y pensar que allí cerca estaban los figones boquenses donde yo había devorado alguna vez las pizzas gigantes con que se celebraban los triunfos de Boca Juniors! Pero el vehículo entraba ya en la Fundición, y nos condujo hasta la puerta de un taller inmenso donde un mecánico en azul nos esperaba. En el interior del taller, Severo Arcángelo, en persona, dirigía una reunión de individuos entre los cuales vi al doctor Frobenius y a Impaglione: los otros eran desconocidos para mí, y luego supe que harían de comparsas. Lo cierto es que todos enmudecían ante un gran artefacto de metal establecido en el centro del taller: era la Mesa del Banquete.

Se trataba de una corona circular o arandela gigante, de unos quince metros de diámetro, ubicada en posición horizontal. Distribuidos en torno de la corona y en su borde exterior se veían asientos igualmente metálicos y al parecer fijos en otra corona que resultaba ser la base o suelo de la construcción. Vista en su desnudez original, digo sin los manteles, cristales y porcelanas que sin duda llevaría en ocasión de su estreno, la Mesa del Banquete presentaba una catadura siniestra, como la de algunos instrumentos medievales destinados a la tortura. No es asombroso, pues, que nos estremeciéramos cuando el astrofísico, padre de la criatura, nos invitó a ocupar los asientos de la mesa.

Obedecimos, naturalmente; y antes de que nos ubicáramos en aquella máquina nos pusimos una suerte de servilletas o baberos de que se nos proveyó y cuya utilidad ignorábamos. Con excepción de Frobenius, que se mantenía fuera y junto a un instrumental de contralor, nos hallábamos todos en la mesa y en nuestros respectivos asientos que, todavía sin sus tapizados, resultaban muy duros a nuestra región glútea. Viendo que nada ocurría, ya empezábamos a sonreírnos entre nosotros, cuando la Mesa del Banquete, accionada por algún mecanismo, inició un movimiento de rotación que fue acelerándose más y más. Oí algunas exclamaciones ahogadas; y me aferré a los brazos de mi asiento para contrarrestar la fuerza centrífuga del mueble. Pero entonces, y a una, todos los asientos comenzaron a rotar sobre sí mismos; de tal modo que nuestras cabezas, doblemente giratorias, no tardaron en llegar al vértigo. Mugidos de pánico y gargareos de náusea se hicieron audibles en la mesa, la cual me pareció ahora semejante a uno de los aparatos que se usan en el entrenamiento de astronautas. De súbito, frenos poderosos actuaron sin duda. Y el artefacto quedó. inmóvil.

Los que nos apeamos de la mesa parecíamos fantasmas: el mismo Severo, pese a su famosa inmutabilidad, tenía en el rostro un color de agonizante. Pero los que habían salido peor librados eran Impaglione y dos·o tres comparsas, los cuales, al no guardar el ayuno previamente ordenado, exhibían ahora en sus baberos la conmoción de sus estómagos. Tras ubicarnos en unas reposeras instaladas *ad hoc*, el doctor Frobenius nos dijo:

—Ustedes habrán observado que los dos movimientos, el de la mesa y el de sus butacas, reproducen la translación y la rotación de nuestro planeta.

—No con exactitud —gruñó Severo Arcángelo.

—No exactamente —admitió el astrofísico—. Pero llenan la función de poner a los comensales en la "movilidad cósmica" de que gozamos permanentemente.

—¡El buen Dios lo ha organizado con más dulzura! —objeté yo, que sólo por amor propio no había vomitado en mi servilleta.

—¿Por qué no exactamente? —inquirió Severo, ignorando mi ex abrupto.

—Señor —le dijo Frobenius—, para lograr exactitud la mesa debería ser elíptica y no circular.

—¿Qué se hubiera ganado con la elíptica?

—Un verismo absoluto y un sistema de "incomodidades" muy completo.

—¿Y por qué no se hizo? —volvió a preguntar el Metalúrgico.

—No logramos fundir las cremalleras necesarias —dijo Frobenius en tono elegíaco.

Lo miré con odio. Pero el Fundidor de Avellaneda se había puesto de pie:

—Señores —nos anunció—, el ensayo de la Mesa es bastante satisfactorio. Buenos días.

De regreso a San Isidro, Bermúdez y yo guardábamos un silencio tirante.

—¡Oiga —estallé al fin—, esa Mesa provocará un vómito universal!

—No se asuste —me aconsejó él—: la Mesa del Banquete sólo girará en su minuto exacto.

—¿Qué minuto?

—Cuando sirvan los licores.

El segundo acontecimiento de la jornada se desarrolló en la sastrería y para mi uso exclusivo. En su pabellón habitado de maniquíes, el sastre y sus dos acólitos me recibieron con una deferencia estrictamente profesional: eran los mismos que Gog y Magog habían asaltado recientemente, y mostraban un aire de consternación debido no sabía yo si a tal aventura o a un matiz inalienable de sus caracteres. Bajo la dirección del Maestro los dos oficiales de tijera me tomaron las medidas ordinarias. Hecho lo cual, y dándolo todo por concluido, saludé a los agujas y me dispuse a salir, no sin reflexionar en mi alma que la operación de la sastrería era el gesto más tiernamente humano que yo había sorprendido en la casa. Pero el sastre en jefe me detuvo:

—Señor —me dijo—. No hemos terminado.

—¿Qué nos falta? —le pregunté—. ¿La elección de las telas y los colores?

—No, señor. Los psiquiatras están aguardando.

—¿A mí? ¿Para qué?

—Señor —me dijo él—, su Traje de Banquete ha de ser la expresión o retrato de su alma. Es lo convenido. Sin conocer su alma, yo no podría enhebrar mi aguja, ¿entiende?

Lo miré a fondo: ¿estaría él en su juicio? Pero el sastre, deferente y consternado a la vez, me hizo entrar en un pequeño consultorio donde tres figuras humanas, de casquete y guardapolvo blancos, me recibieron con científico interés. Iba yo a dirigirles un introito confidencial acerca de mi alma, cuando los tres (¿eran psiquiatras o demonios?) me arrastraron hasta una camilla donde, con vertiginosa rapidez, estudiaron mis reflejos a golpes de martillo, aplicaron a mi nuca el compás de Weber, hicieron en mi cráneo mediciones antropológicas. Y, al hacerlo, gritaban los datos obtenidos al sastre, quien los iba escribiendo en un formulario, no sin perversa exaltación. Acabadas las mediciones, el que llamaré Doctor X me dijo:

—Ahora extiéndase bien en la camilla, relaje los músculos y vacíe su mente. ¿Ya está? Díganos: ¿qué le sugiere la palabra "chambergo"?

—¿Están psicoanalizándome? —inquirí yo aterrado.

—¡Conteste! —me ordenó el que llamaré Doctor Z.

—¿Chambergo? —dudé yo—. ¡Sí, malevaje del suburbio! Letras de tango: "La furca y un grito, y el barrio que duerme." Puñaladas bajo un farol. Sí, por arriba todos los guapos acaban en chambergo.

—¿Y la palabra "ginebra"?

—Gauchos del sur —balbucí—. Las dagas relucen en la pulpería del vasco Urdaneta. ¡Salud, Martín Fierro!

El Doctor Z se dirigió al Doctor X y le dijo:

—Usted habrá observado que nuestro paciente acusa una tónica fija de agresividad. ¿O no? Dos palabras inocentes, como lo son "ginebra" y "chambergo", le sugieren tan sólo broncas y asesinatos.

—Que tome nota el sastre —admitió el Doctor X.

Y volviendo a la carga, me preguntó:

—¿Cuál es el sueño más reiterado que lo acosa de noche?

—Yo sueño con unicornios —le respondí modestamente.

—¿Unicornios? —admiró él—. No abundan en las pampas. Tiene que haber un simbolismo! ¿Qué hacen los unicornios en su sueño?

—¡Atropellan! —grité—. ¡Se me vienen encima, con los cuernos en ristre!

—Durante su niñez, ¿no lo atacó algún animal cornúpeto?

—Sí, un carnero Rambouillet —admití yo en mi zozobra.

—No hay duda —concluyó el que llamaré Doctor Y—: nuestro paciente sufre un "complejo del cuerno". Por vocación o fatalidad, estaba destinado a lucir una cornamenta.

Insultado a traición, me incorporé a medias en la camilla:

—¡Está mintiendo! —le grité—. ¡Cora Ferri era una imagen viva de la fidelidad!

—¿Y por qué la mató usted? —me acusó el Doctor Z benignamente.

—¿Que yo maté a Cora? —reí—. ¡Está loco!

—Entendámonos —aclaró el Doctor Y—: usted asesinó a Cora "literalmente", pero "simbólicamente" asesinó a su madre.

—¿Y por qué habría yo de asesinar a mi santa madre, que Dios la tenga en su Gloria?

El Doctor Z y el Doctor Y cambiaron una mirada científica.

—¡Edipo anda suelto! —anunció el Doctor Y sublimado.

—¡Y nos llena los consultorios! —añadió el Doctor Z con visible delicia.

Volviéndose al sastre, le preguntó:

—¿Ha tomado nota?

—Letra por letra —contestó el sastre, que no escondía su beatitud.

Pero el Doctor X me observaba con atención:

—Ahora nos faltaría conocer la naturaleza de su "libido" —me advirtió al fin.

—Desde mi viudez —le dije con orgullosa modestia— soy un casto intransigente.

—Usted no es un casto —me definió él—. Usted es un "reprimido".

Algunas lágrimas brotaron de mis ojos:

—Cora Ferri —le dije— se llevó al sepulcro todos mis dese‹

—Usted no deseó jamás a Cora Ferri —insistió él.

—¿Y a quién he deseado?

—Lo sabremos en seguida. ¿Qué ve usted en el transcurso sus sueños eróticos?

—Flores blancas —le dije.

—¿Muy blancas?

—Una blancura de nieve.

—¡Bien! —me alentó el Doctor Z—. ¿Nieve dijo? Esa nie alude a la congelación de un deseo largamente frustrado.

—Y la blancura de las flores guarda un simbolismo ‹ transparente —añadió el Doctor Y.

—¿Qué simbolismo? —le pregunté yo en mi aturdimient‹

—Señor —me dijo él—, desde su cuna, usted viene desea do a la Dama de las Camelias.

Aquel disparate final me arrancó un gargareo de risa.

—Doctor —le objeté—, mi única relación con la Dama las Camelias fue una lectura infantil y culpable de la nov de Dumas hijo, que mi tía Leonor, solterona, virgen y márt frecuentaba en el sur y a la hora de la siesta.

—¡Bravo! —exclamó el Doctor X—. Para usted, la Dama las Camelias no fue otra que su tía Leonor.

—¡Tía Leonor era un antiguo loro muerto a escobazos! — pliqué con altura.

—¡Más a nuestro favor! —exclamaron los doctores felicit‹ dose mutuamente.

No quise oír más ni someterme a ningún otro examen. Des tando la camilla, y en tren de fuga, salí del consultorio, esc tado por el sastre que me adulaba y que me dijo, ya en la pue de la sastrería y restregándose las manos:

—¡Aleluya! ¡Su traje de banquete será un hermoso Canto la Paranoia!

Cruzando los jardines rumbo a la choza de los clowns, flexionaba en el entusiasmo del sastre y en la verdad amena dora que prometía su vaticinio. Cierto es que, durante mi rec sión en el calabozo, Pablo Inaudi me había esclarecido a med el fin de los recursos grotescos que se utilizaban en la organi ción del Banquete, hasta sugerirme la excelencia de una tarsis por la risa. Con todo, me decía yo que la intervención

os psiquiatras era ya un abuso de método y se ajustaba más al
sistema de incomodidades" a que recientemente aludiera Fro-
enius en el ensayo de la Mesa Giratoria. Por todo ello, no du-
aba yo de que los clowns me asistirían en mi justa rabieta.

Gog y Magog estaban junto a la choza, con sus cabezas en
l suelo y sus pies en lo alto. Como yo les preguntase qué ha-
ían, me respondieron que se hallaban en el ejercicio yogui nú-
ero diez, y que se veían ahora en el paraíso de Capricornio, don-
e saboreaban frescuras inenarrables, tal como lo prometía el
olumen de segunda mano que adquirieran ellos en una libre-
a-zaguán de la calle Corrientes. No bien los clowns, a mis ins-
ncias, abandonaron el paraíso de Capricornio y reasumieron
a posición normal:

—Hoy fue un gran día —les dije, rumiando aún mi descon-
nto.

—¡Qué! —refunfuñó Gog—. ¿Conoce ya el número exacto de
s comensales?

—¿Le han dicho que llegaron los cocineros del Banquete?
—añadió Magog con displicencia.

Otra vez me habían sorprendido, fieles a su vieja táctica.

—¿Cuántos han de ser los comensales? —inquirí.

—No lo sabemos aún —volvió a refunfuñar Gog—. El últi-
o Concilio ha eliminado a un tercio de los aspirantes. Y toda-
a quedan otros "filtros".

—¿Y los cocineros?

—Están en la cocina —dijo Magog—. Ensayan ahora sus as-
erosos guisotes.

Con una sonrisa de hiel, Gog tradujo su aborrecimiento.

—Según parece —añadió—, el Viejo Canalla los ha recluta-
 en los buques de ultramar. Son de todas las razas, desde fin-
ndeses a chinos.

Mientras yo digería esas nuevas, los clowns me refirieron có-
o habían retomado sus posiciones en la Casa Grande: los mi-
ófonos restablecidos estaban en su lugar, se poseía la llave de
das las cerraduras. Y un relámpago de soberbia iluminó sus
as unánimes. Entonces, movido por un arresto de lealtad, les
erí a mi vez el ensayo de la Mesa Giratoria y los incidentes de
 sastrería. No sin desconcierto advertí cómo, en lugar de albo-
tarse, Gog y Magog caían en un mutismo beligerante y trasu-

daban un ponzoñoso flujo de envidia. ¿Envidia de qué? me di
yo en mi alma. Y la respuesta me llenó de inquietud: ¡envid
de la Mesa que no estaban llamados a ocupar, celos del tra
que no llevarían en el Banquete! Intenté reanimarlos con ur
suerte de arenga circunstancial. Pero los clowns no escuchabar
resentidos y tristes, uno y otro se pusieron de cabeza, echaron l
pies al aire y reasumieron la posición yogui número diez. A n
juicio, fue a partir de aquellas horas que Gog y Magog se afi
maron en su plan de secuestro, dirigido a substituir al prop
Severo Arcángelo en la dirección del Banquete.

XXVI

El ritmo de las operaciones, en la semana que siguió, fue acelerándose hasta lograr un *tutti* de orquesta que nos abarcó a todos. Fuera de las comidas, resultaba imposible dar con Bermúdez o con Frobenius: el profesor Bermúdez, atareado en la Casa Grande, hacía en el living comedor silenciosos almuerzos, y por su aire beato se asemejaba mucho a un asceta goloso de flagelaciones; en cuanto al astrofísico, dirigía la instalación de la Mesa Giratoria en la gran Sala del Banquete que no conocíamos aún. Yo mismo, llamado con urgencia, debí enfrentarme con la *troupe* de actores mal entrazados que iban a representar mi Sainete de la Vida Ordinaria, y dirigirlos atropelladamente como autor y *meteur en scène*. Aunque sólo parcialmente conocía yo la magnitud y naturaleza de los preparativos acelerados en la Casa Grande, no era difícil para mí advertirlos fuera, en los idiomas y cantos de los marmitones internacionales que, según me lo habían dicho los clowns, ya trajinaban dentro de la cocina; en el vaivén de los chóferes activos y malhumorados; en los hombres de jardín que seguían con atención el desarrollo de las flores destinadas a la Mesa del Banquete.

Y de súbito, dominando aquella baraúnda, la sinfonía de la Cuesta del Agua volvió a sonar en los altavoces instalados fuera y dentro de la mansión. Era la misma rapsodia que yo calificaba de "terriblemente matinal", y que se había propalado al fin de cada uno de los Concilios, pero con algunas variantes angustiosas que aludían, según entendí, a las conjeturas del hombre frente a su condición espacial y temporal. Esta vez (y acaso era sólo una ilusión mía) la rapsodia vibraba con un matiz diferente, como si, por encima del anochecer y la impotencia humanos, alentase la esperanza de otro día y otra fiesta. Según dije antes, el mito de la Cuesta del Agua, lanzado por el Viejo Fundidor, había dividido a los servidores de la residencia en dos grupos an-

tagónicos: el de los Fieles y el de los Negadores, ambos recluidos
en sus logias y no beligerantes hasta ese día viernes de la semana
que digo. Pero al difundirse otra vez la propaganda sinfónica
del mito, los Fieles, en el colmo de su exaltación, abandonaron
toda prudencia, se reunieron en los jardines y avanzaron sobre
la Casa Grande, portadores de banderas y escandalosos de vivas
a Severo Arcángelo: Empero, y antes de que los Fieles llegaran a
su meta, los Negadores les salieron al paso y los disolvieron con
gases lacrimógenos y cachiporras. Testigo yo de la escaramuza, entendí que los Negadores, por su estrategia y sus armas, respondían
a un liderazgo inteligente: ¿Gog y Magog? Hacía tiempo que yo
sospechaba el influjo disolvente de los clowns en la chusma de la
residencia. Más tarde, ya en el epílogo del Banquete, admití que
Gog y Magog no habrían puesto en obra su plan subversivo, de no
haber contado a priori con la ayuda ciega de un sector fanático.

Al día siguiente, y a la hora del almuerzo, Bermúdez nos dijo
a Frobenius y a mí:

—Esta noche se nos espera en la Casa.

—¿De noche? —le pregunté—. ¿Y con qué fin?

—Debemos constatar si la Operación Cybeles ha tenido éxito —me respondió Bermúdez con científica naturalidad.

No disimulé mi sobresalto: la muchedumbre de los acontecimientos había conseguido que olvidara yo la imagen insonora
de Thelma Foussat y mis recelos posteriores acerca de su destino
en los laboratorios de la casa.

—Espero que no sea una monstruosidad —rezongué.

—¿Le interesa la Viuda? —me dijo Bermúdez riendo.

—¡Naturalmente! Al fin y al cabo, yo fui quien exploró a
la Viuda y realizó el primer cálculo de su vacío.

—Nada tema. Hoy se trata de comprobar si la Cybeles funciona.

—¿Cómo si funciona? —le dije yo—. ¿Han convertido a Thelma Foussat en una máquina?

Bermúdez no me respondió. Y hasta la hora en que debíamos
realizar el experimento dediqué mi atención a un repaso minucioso
de las circunstancias en que había conocido a Thelma Foussat:
analicé hasta en sus menores detalles las características de la Viuda, y me pregunté una y mil veces qué se habría intentado construir sobre los despojos de aquella mujer fantasmal.

No había obtenido ninguna respuesta cuando esa noche, a la hora prefijada, Bermúdez, el astrofísico y yo entramos en la Casa Grande y fuimos conducidos a un salón de majestuosas proporciones, en que muebles, utensilios y decorados aparecían revueltos y en ubicación ilógica, tal como los de un estudio cinematográfico antes de ser montada una gran escena. Vacío de operarios y silencioso estaba el salón a esa hora. Y hacía yo conjeturas acerca de aquel recinto, cuando un foco de luz, al proyectarse desde arriba, iluminó la Mesa Giratoria que ya conocíamos, ubicada en el centro del salón y en trance de armado y tapicería. Entonces me dije que nos encontrábamos en la futura Sala del Banquete; y lo corroboré muy luego, cuando, entre aún desubicadas escenografías, descubrí la gran Ratonera de alambres en que se representaría mi Sainete.

No me fue dado ver más, pues en aquel instante se nos aproximó Severo Arcángelo a quien escoltaba un Impaglione deslucido bien que ceremonioso. El Metalúrgico de Avellaneda nos ordenó con el gesto que nos acercáramos a la Mesa Giratoria; y, al obedecerle, advertí que tanto yo como mis acompañantes no traducíamos emoción alguna, como no fuera la de un interés más protocolar que verdadero. De súbito, al fijar nuestros ojos en la parte central de la Mesa, vimos que de su oquedad o vacío, como de un escotillón, se levantaba lentamente una plataforma en la cual venía una mujer de gran hermosura, pero inmóvil y fría como una estatua sobre su pedestal. Al reconocerla, sentí a la vez inquietud y fastidio: ¡Thelma, la Viuda! A primera vista daba la impresión de una obra maestra un tanto sofisticada, en la cual el maquillaje, la ropa y la orfebrería exageraban sus oficios. Y me pregunté con bastante desilusión por qué se había presentado "la obra" en aquel recinto caótico donde se desmerecía visiblemente. Pero, al observarla con más atención, vi que la cirugía plástica o la cosmética o algún arte similar habían trabajado el cuerpo de la Viuda sin falsear sus posibilidades, antes bien exaltando sus formas hasta lograr una plenitud casi dramática en su tirantez de fruta. Observé a mis acompañantes, y vi que todos contemplaban a Thelma Foussat con la misma suspensión angustiosa que me iba dominando. Luego, en una tercera consideración de la Viuda, sentí algo que me produjo un escalofrío: si su traje y adornos eran algo así como una envoltura exterior que disimulaba su terrible desnudez, el cuerpo mismo de Thelma Foussat parecía otra envoltura o disimulo en cuyo interior nada latía, como no fuera el vacío de una "indeterminación" total, sin gestos ni emociones ni pasión alguna. Sin embargo, y ahí estaba lo terrible, aquel vacío de Thelma Foussat no era una negatividad inerte, sino una "negación activa" que, desde su no-ser absoluto, nos estaba llamando y exigiendo a todos una guerra y un viento y un río que la sacudiesen y llenasen. Entonces, ante aquel reclamo perentorio de la mujer que me gritaba sin voces desde su pedestal, mi ser entero se puso en armas, y la busqué ahora en su esencia, o mejor dicho en su "no esencia". Y al encontrarla, me restregué los ojos en deslumbramiento: aquella mujer no era Thelma Foussat, sino Cora Ferri, mi compañera de otros días, la que yo había desposado, querido y enterrado. Lágrimas calientes me corrieron por las mejillas. ¡Gran Dios! Aquella mujer no sólo era la Cora Ferri de carne y hueso que yo había conocido: era también la Cora Ferri que yo había idealizado en mis horas de poeta casual, y sobre todo la que había yo presentido mucho antes, en los gloriosos mediodías del sur. Una ráfaga de ira me sacudió entonces al considerar la blasfemia, profanación o sacrilegio que se había intentado allí con mi difunta. Y volví a mirar a mis acompañantes, en tren de desafío: todos mostraban el mismo aire de guerra que yo tenía, sin excluir a Impaglione, cuyas mandíbulas apretadas eran visibles presagios de tormenta. Encarándome con un Severo Arcángelo tenso ya de batallas, le dije:

—¡Señor, utilizar el recuerdo venerable de Cora Ferri en una experiencia de laboratorio es una maldad, y triste!

—¿Quién dijo que se trata de Cora Ferri? —me contestó Severo, insoportablemente agresivo—. ¡Sólo un miope o un idiota no vería en esta mujer los rasgos inconfundibles de María Confalonieri!

Como alucinado, Severo rompió a llorar amargamente. Y enfrentándose con la mujer, le dijo:

—¡María, perdón! Si te quemé, año tras año, en el fuego de las hornallas, y si nunca descubrí tu imagen verdadera entre los humos de la Fundición Arcángelo, fue porque mis ojos estaban ciegos. ¿Cómo es que no te vi entonces así como te veo ahora? ¡Mea culpa!

Y el Fundidor se dio tres puñetazos en el tórax que resonó como un timbal.

—¡Está mintiendo! —le grité yo en tono insultante—. Si asesinó usted a su consorte y la enterró, como es notorio, ¡pídale perdón bajo el tercer eucalipto de la izquierda, y no aquí, frente a la santa imagen de Cora Ferri!

Al oír mi alegato, y verdegrís como la muerte, Severo Arcángelo buscó en torno de él un arma con que agredirme; advirtiendo lo cual, recogí del suelo un martillo abandonado. Pero en aquel instante nos paralizó la voz cortadora de Frobenius:

—¡Los dos han mentido! —nos apostrofó él a Severo y a mí, tan rojo como un gallo de pelea—. No sé quién es Cora ni María Confalonieri. Pero decir que la mujer aquí exaltada es otra que Berta Schultze, va más allá de la impostura. ¡Berta —clamó el astrofísico, dirigiéndose a la mujer del pedestal—, quiero que les digas a estos dos pelafustanes si lo que hubo entre nosotros, bajo los tilos de Munich, es compatible con la grasa de la pequeña burguesía!

—Señor —lo agredí yo—. Si se propone disimular sus cuernos bajo el follaje de los tilos, hágalo sin dirigirse a Cora Ferri. ¡Ella nunca se prestó a tan sucios enjuagues!

—¡María tampoco! —gritó Severo con rabia.

El astrofísico se dirigió nuevamente a la mujer del pedestal y le rogó:

—¡Berta, debes perdonar a estos aborígenes! Ellos no saben distinguir entre una walkyria del norte y una mula cordobesa.

Y tras decirlo, nos miró con un desprecio tan hiriente, que me lancé contra él sólo para estrangular aquella voz odiosa, mientras que Severo Arcángelo, a su vez, lo tomaba de la solapa y lo sacudía con furia. El astrofísico, desasiéndose de nosotros como un jabalí de una perrada, ubicó en Severo un golpe de yudo que lo envió contra la Mesa del Banquete; luego se volvió hacia mí, bien plantado y listo como una máquina de guerra. Me disponía yo a resistir el ataque de Frobenius, amagándole ya con mi martillo, cuando una voz atronadora nos dejó inmovilizados. Y al buscar la fuente de aquel trueno, vimos a un Impaglione desconcertante, a un Impaglione inusitado, a un Impaglione bestial que se nos echaba encima, esgrimiendo una enorme llave inglesa.

—¡Esa mujer está conmigo! —nos amenazó Impaglione (y ahora no recitaba un libreto)—. ¡*Porca miseria!* ¡Si ustedes la trajeron de Italia, fue contra su voluntad y la mía!

Vuelto a la mujer del pedestal, le dirigió una mezcla de arrullo y bramido:

—¡Claretta! —la invitó, con una obscenidad indecible—. ¡A la siesta bajo las viñas, a medianoche junto a los barriles, o en el establo, entre la vaca y el cerdo! No te asustes, Claretta. ¿Estos tres? ¡*Ostia!* Los mato y vuelvo.

Y sin decir más, Impaglione levantó su llave sobre nuestras cabezas. Afortunadamente, Severo, que había recuperado la vertical, se arrojó a las piernas de Impaglione, lo hizo caer de rodillas, y los huesos de la bestia resonaron. Entonces Frobenius y yo nos lanzamos contra los dos púgiles que ya se debatían en el suelo; y los cuatro nos entresacudimos a granel, sin elección de rival, trenzados en una pelea de canes furiosos que buscaban su exterminio. En lo mejor de la lucha, sentí que brazos potentes me arrancaban del entrevero y que algo me ceñía el tórax hasta inmovilizarme. Al recobrar el juicio, vi que los cuatro combatientes estábamos de pie, cada uno envuelto en una camisa de fuerza y asistido por un robusto loquero de blusa y gorro blancos. Frobenius, Impaglione, Severo Arcángelo y yo nos agredíamos aún con las miradas. Y, aunque agarrotados en nuestras camisas, hubiéramos insistido en la violencia, si algo insólito no nos hubiese ganado la atención: allí, de hinojos frente a la mujer disputada, el profesor Bermúdez, ajeno a los combates, parecía entregado a la más alta contemplación.

—Afrodita —le oímos canturrear, dirigiéndose a la mujer—, o Cybeles, o Astarté, o Penia, o Diana, o Prakriti: la de mil nombres y ninguno. ¿Por qué nos lanzaste a esta guerra de los contrarios? Lo ha querido tu Varón admirable, ¿no es verdad? Yo no pelearé, ¡oh, Maia! Porque ya, entre los velos tormentosos que cubren tu desnudez, he presentido y amado la Gran Paz de tu Señor.

Los cuatro ex combatientes nos dirigimos una mirada escrutadora:

—¡Está loco! —rezongué yo en mi camisa.

—¡No está loco, sino alucinado! —me retrucó Severo en la suya.

—¡Es un retórico a la violeta! —nos contradijo Frobenius insolentemente.

Y el fuego de Belona parecía reavivarse, cuando los loqueros nos arrastraron fuera del salón; a todos, menos a Bermúdez, quien, el solo cuerdo entre los dementes y el único sobrio entre los borrachos, podía y quería seguirnos voluntariamente.

Los tres "capos" del chalet (así nos llamaba la servidumbre) insistimos en no cenar esa noche y en atrincherarnos en nuestros dormitorios. Yo sentía una mezcla de fervores retrospectivos, quemados otra vez en el altar de Cora Ferri, y de odios nuevos hacia los que habían profanado su memoria. Tendido en mi cama y resuelto a no tolerar aquel agravio, resolví acogerme a las leyes del honor y exigir explicaciones muy netas, o en su defecto una reparación por las armas. ¡Bravo! Pero, ¿a quién? Verdad era que Frobenius y su condenada Berta Schultze me habían revuelto la sangre hasta el frenesí; no obstante, algo me anunciaba que el astrofísico, en sus transportes, no había ido más allá de cierta euforia libresca típicamente universitaria. El verdadero responsable del insulto era Severo Arcángelo, promotor de aquel bodrio integral que se titulaba El Banquete: sí, el horrible Fundidor, el Vulcano en Pantuflas recibiría esa noche mi desafío. En cuanto a Bermúdez, la dignidad casi religiosa que había expuesto en aquel trance lo convertía en mi padrino nato. Así resueltas las cosas, escribí mi reto en un estilo muy lacónico: terminaba poniendo en duda el valor físico de Severo Arcángelo y el valor poético de su tan cacareada María Confalonieri. Luego llamé por teléfono a Bermúdez y le rogué que subiera en el acto a mi habitación. Mientras lo aguardaba, iba tonificando mi bravura con el recuerdo halagador de un lance que había sostenido yo antaño con un repórter montevidense, y en el cual habíamos cambiado un tiro con pistolas rigurosamente descargadas. El olor de aquella pólvora distante me sulfuraba ya las narices, cuando Bermúdez entró en mi dormitorio. En silencio, y con aire ritual de circunstancia, le hice leer mi desafío a Severo Arcángelo; y al instante Bermúdez tradujo su emoción:

—¡Admirable! —dijo—. ¡Qué documento!

—¿Le parece bien? —inquirí yo entre modesto y sanguinario.

—Farías —me respondió él—. Si necesitábamos una prueba

de que la Operación Cybeles ha sido un éxito, este papel no deja lugar a dudas. El Viejo gozará como un bendito.

—¿Me dirá —le repliqué indignado— que no hubo mala intención en eso de reproducir a Cora Ferri en una estatua casi desnuda?

—Esa mujer no es Cora, ni María Confalonieri, ni Berta Schultze, ni la Claretta del animal de Impaglione.

—¿Quién es ella? —gruñí.

—La "substancia universal" —me respondió Bermúdez con filosófica delicia.

—¿Y Thelma Foussat?

—Thelma Foussat ha muerto.

—¿Muerta? —le pregunté aterrado.

—La Operación Cybeles —dijo él— consistió en tratarla por el vacío y extraerle lo que aún quedaba en ella de memoria, entendimiento y voluntad. Fue una operación de máquina pneumática, y se logró una Cybeles casi en estado puro.

—¿Con qué fin? —le reproché yo en tono elegíaco.

—Ella será presentada en el Banquete.

Una vez más, durante el fluir de aquella historia, sentí las comezones del pánico.

—¿Se da cuenta —le grité— que Cybeles provocará una conflagración?

—Es lo que se busca —me respondió un Bermúdez casi místico.

Renuncié a la intelección de aquella novedad: enfriado el calor de la batalla reciente, me dolían ahora los golpes dados y recibidos. Entendiendo lo cual, Bermúdez me hizo tender sobre la cama, no sin aconsejarme un total relajamiento de músculos. En seguida me arropó como a un niño, extinguió las luces de mi dormitorio y salió en puntas de pie, ángel o samaritano.

XXVII

En el living comedor, al mediodía siguiente, volví a encontrarme con Bermúdez y Frobenius. El astrofísico, nuevamente acompañado por Urania, traducía un aire de abatimiento que ni la musa lograba redimir con su profesional asistencia; y me dije que sin duda la evocación reciente de Berta Schultze había trastornado al hombre más allá de sus fronteras matemáticas. Almorzamos en un ambiente de tirantez que provenía, no ya del furor bélico, sino de la vergüenza que nos dejara nuestro ridículo proceder en el ensayo de la Cybeles. De modo, pues, que abreviamos el almuerzo y nos dirigimos a nuestras ocupaciones: Frobenius al reajuste final de la Mesa Giratoria; Bermúdez a quién sabe qué actividad iniciática. En lo que a mí respecta, dirigí esa tarde un ensayo de mi Sainete, con los trajes debidos pero aún sin la escenografía. El acontecimiento de la noche anterior me reclamaba una entrevista con los dos payasos, no en tren de consulta, sino en la urgencia de hallar un contrapeso a mis emociones.

Hacia el anochecer, vale decir a la hora de los clowns, me acerqué a la choza: esta vez quería sorprenderlos en su intimidad, asistido por la ilusión de que se traicionaran en algún posible secreto. Deslizándome sin ruido entre cañas y arbustos, pude llegar frente a la choza y ver a Gog y a Magog, los cuales, meciéndose a un ritmo en sendas hamacas paraguayas, discurrían al frescor de la hora. Me dispuse a escuchar, disimulado en mi escondite.

—Créamelo usted —le decía Gog a Magog—. Pese a las circunstancias en que me hallo, yo no soy un versiflorislogósofo.

—¿Es una enfermedad de las vías urinarias? —le preguntó Magog con mucho tacto.

—No, señor.

—¿Un partido político?

—Tampoco —dijo Gog rotundamente—. Señor, la versiflorislogosofía es un enema suave *ad usum Delphini*. ¿Entiende?

—Con absoluta claridad —aseguró Magog—. Y eso que usted lo ha dicho con el acento más puro de Oxford.

—No estoy contra la humanidad —repuso Gog—, aunque me gusten las hernias del alma, lleven o no bragueros.

—¡Muy bien dicho! —exclamó Magog—. Entre poetas no no vamos a escupir las liras.

Dos hechos me desconcertaban en aquel diálogo: los clowns lejos de tutearse como lo hacían en público, se trataban en la intimidad con un protocolo ridículo. Además, al entretejer las disparatadas razones de su coloquio, Gog y Magog lo hacían, no como quienes están en un divertido juego de palabras en libertad, sino como si, al retorcer el pescuezo de la lógica, ejercitaran su intelecto normal y su lenguaje propio. Como dije, aquellas dos revelaciones me produjeron un malestar de interpretación no fácil. Y en mi deseo de ocultarlo, retrocedí sigilosamente diez metros, y en seguida volví a la choza, pero silbando y haciendo ruido como si recién llegase. Desde sus hamacas los dos clown me saludaron cachazudamente.

—Observo —me dijo Gog— que no le ha sentado mal aquel chaleco de fuerza.

—¿Lo sabía usted? —repuse yo en tono abstracto.

—Fue sublime —opinó Magog—. Lo vimos a usted cuando su loquero lo llevaba enchalecado y a tirones.

No dijeron más acerca de aquel punto, lo cual me hacía conjeturar que ignoraban el ensayo de Cybeles y sus consecuencias. Me resolví a no sacarlos aún de su posible ignorancia y a iniciar una ofensiva tendiente a herirlos en su orgullo fácil y en su declamatoria inactividad.

—Las papas queman en la Casa Grande —les dije—. Y mientras uno lucha en brazos de loqueros, ustedes están aquí, en sus hamacas paraguayas, estudiándose los ombligos con intenciones metafísicas.

Gog y Magog cambiaron una mirada en la que se traslucía la insolencia y el regocijo, bien que frenados con una chispa de recelo.

—Los comensales del Banquete serán treinta y tres —me dijo Gog al fin, como dándome una cachetada.

—Hemos fotografiado las treinta y tres fichas —añadió Magog—, con el *curriculum vitae* de cada imbécil.

No les oculté mi decepción:

—¿Y qué importa el número de los comensales? —objeté.

—No mucho —me dijo Gog escrutante—. Lo que importa es la Fecha del Banquete. ¿Usted la conoce?

Advertí de pronto que, bajo su disimulo, Gog y Magog ocultaban una tensa inquietud: era evidente que se proponían sonsacarme, así como yo intentaba sonsacarles a ellos. ¿La fecha del Banquete? Yo no la conocía, y dudaba que se hubiera fijado ya con exactitud. No obstante, decidí regatear con los clowns a base de la fecha supuestamente conocida.

—Entiendo —volví a objetar— que tampoco la fecha del Banquete importaría gran cosa.

—¡Ese dato es fundamental! —exclamó Gog traicionando su impaciencia.

Y encarándose con su lugarteniente:

—¡Magog, se lo decimos! —estalló al fin.

Bien acomodado en su hamaca, Gog le imprimió un rítmico balanceo de cuna.

—Oiga —me dijo—, ha de saber que todas las noches Magog y yo hacemos nuestras oraciones, en mameluco y de rodillas, como rezan los de la Legión Extranjera. ¿Y sabe lo que pedimos en nuestras oraciones? Que un tal Lisandro Farías, compañero de ruta, no nos tome por idiotas útiles. ¡Desengáñese! La idea del Banquete nunca nos pareció mal. Es un proyecto bien trazado y rico en posibilidades.

—¡Una idea genial! —ponderó Magog a su vez.

Los estudié sin dar crédito a mis oídos: ¿qué significaba ese viraje de los dos payasos?

—Lo que nunca hemos admitido ni admitiremos jamás —aclaró Gog— es la orientación que se le quiere dar al proyecto. Magog y yo ignoramos todavía qué finalidad se persigue con el Banquete: sea cual fuera, lo combatimos en el sagrado nombre de la Oposición.

—¿Qué hacer entonces? —le pregunté yo aturdido.

—Nuestra intención primera —me dijo Gog— fue la de hacer volar todo el Banquete, con un kilogramo de gelinita, en el momento crítico de su realización. Y luego llamar a una reunión de prensa, con el fin de explicar lo inexplicable, según se acostumbra en estos casos.

—Era lo correcto —explicó Magog dignamente.

Sonreí en mi ánimo: los clowns empezaban a cojear del mi
mo pie fantasioso que ya les conocía.

—¿Nos va siguiendo? —continuó Gog—. Ahora bien, ya sa
be que Magog es un ecónomo nato: la idea en bruto de destru
el Banquete, sus materiales costosos y sus gastos de organizació
le parecía del todo antieconómica. Entonces, ¿qué decidimos
Aprovechar la maquinaria del Banquete, pero cambiándole tod
la dirección.

—¿Quiénes lo dirigirían en ese caso? —le pregunté.

—¡Nosotros! —gritó Magog exultante.

—Claro está que para ello —me dijo Gog— será necesari
secuestrar al Viejo Cíclope y substituirlo en la Casa Grande.

—¿Ustedes? —exclamé yo—. ¡Están locos!

El plan de los clowns dirigido al secuestro y reemplazo d
Severo Arcángelo en la conducción del Banquete me deslum
bró algunos instantes, y no sólo por su audacia increíble, sino
también por la inconsciencia infantil con que sus autores acaba
ban de exponerlo ante mis ojos asombrados. Pero, ¿contaríar
Gog y Magog con las fuerzas necesarias a la consecución de ur
plan tan ambicioso? Aunque yo los había visto manejar con sol
tura un variado arsenal de cachivaches técnicos, perduraba er
mí la sospecha de que sus arrogancias y tremendismos eran muy
superiores a la modicidad operativa de sus recursos.

—El proyecto es romántico —les dije—. Pero dudo que sea
viable.

Al oírme, Gog y Magog saltaron de sus hamacas.

—¿Lo duda usted? —me insultó Magog.

—¡Síganos! —me ordenó Gog encaminándose a la choza.

Uno y otro se metieron en la cabaña y cerraron la puerta detrás de sí. Yo quedé afuera, seguro de que los clowns, heridos
en su amor propio, no tardarían en salir con un montón de planos, ganzúas, cadenas y mordazas atinentes al secuestro famo-
so. Y los esperaba sin optimismo alguno, cuando, en el interior
de la choza, oí dos voces inconfundibles: la de Severo Arcángelo, dulcemente autoritaria, y la de Impaglione, retórica y hueca.
Sentí que se me aceleraba el pulso. ¿Qué hacían allí el Viejo
Fundidor y su alcahuete magnífico? ¿Acaso, y prematuramente,
los clowns habían perpetrado el secuestro de marras? No estuve

mucho tiempo en la duda, ya que, al reabrirse la puerta, el Metalúrgico y su asistente salieron a la luz crepuscular, vestidos ambos con la misma ropa que yo les había visto en mi primer encuentro de la Casa Grande.

—Impaglione —dijo Severo, apuntándome con su índice—, ¿no es este señor aquel poeta sin laureles que intentó quitarse la vida con un matagatos?

—No era un matagatos —corrigió Impaglione, tan falso como una moneda de utilería—. Era el revólver de su tío Lucas.

—Impaglione —añadió el Metalúrgico—, ¿se ha de sentar en el Banquete un periodista del montón que, ya sea en el orden público o en el privado, se ha cubierto de ridículo hasta los pies?

—¡No, señor! —tronó el Sonoro Alcahuete, amenazándome con el puño—. *¡Figlio da putana!* ¡Es un *tradittore*!

Incliné la frente bajo aquellos anatemas: yo estaba confundido y aterrado. Y aguardaba otra serie de insultos, cuando una risa, también inconfundible, me hizo levantar los ojos: ¡allí, en el mismo lugar, Severo Arcángelo e Impaglione se arrancaban las pelucas y se deshacían los maquillajes, para exhibir las verdaderas efigies de Gog y de Magog, sus rostros ácidos y malignos! ¡Habían logrado caracterizaciones perfectas! Un sentimiento de admiración me dominaba cuando los clowns me hicieron entrar en la choza. Los vi entonces ubicar las pelucas y cejas de Severo y su valet en dos cabezas de yeso a ese fin destinadas, y las ropas de ambos en dos maniquíes *ad hoc.*

—¿Duda todavía? —me preguntó Gog con bastante modestia.

—No será fácil —vacilé—. Y en el caso fortuito de que ustedes asumieran el gobierno, ¿qué orientación le darían al Banquete?

Gog y Magog se revistieron aquí de una dignidad que nunca les había visto, de un decoro que aparentaba ser el destello final de alguna vieja y decadente aristocracia.

—Farías —me dijo Gog con los ojos húmedos—, aunque Magog y yo estamos ahora bajo el despotismo de la burguesía triunfante, conservamos nuestros principios en toda su integridad. Somos conservadores natos y tradicionalistas por definición. Ya le dije que no nos oponemos al Banquete, sino al "vanguardismo" idiota en que lo está comprometiendo el Vulcano en Pantuflas. ¿Me sigue? Para nosotros los amantes del orden constituido, una orgía es una orgía, con toda la barba, y no un congreso de pornofilósofos. Al asumir la dirección del Banquete, Magog y yo le impondremos un ritmo clásico: Aristóteles o nada. La gula y la intemperancia tendrán en él un desenfreno canónico, la obscenidad se ha de servir en su propia tinta. ¿No ha observado usted que el Viejo Gagá utiliza mujeres Enviadas tan sólo en la fase preparatoria de su convención? ¡Es lo que hacen los impotentes banqueros de Wall Street! ¡Nosotros hemos de sentar a las Enviadas en el Banquete mismo! ¡Farías, usted gozará la suya en su propio triclinium, vestida o desnuda como una diosa!

Hecha su declaración de principios, Gog estudió mis reacciones, las cuales oscilaban entre la admiración, el escepticismo y la gratitud en que me ponía su donación graciosa de la Enviada Número Tres. Llevado por este último sentimiento, y en abono de su doctrina, le referí entonces lo acontecido en el ensayo de Cybeles.

—No es el único engendro que han fabricado allá —me dijo Gog con altanera melancolía.

Y dirigiéndose a su compinche, volvió a consultarlo:

—Magog, ¿se lo decimos?

—El pez muere por la boca —sentenció Magog beatíficamente.

—Oiga —me reveló Gog—. En el mismo laboratorio están ajustando ahora una bestia que se llama el Hombre Robot.

E insistió ante su camarada:

—Magog, ¿lo invitamos?

—Que reciba mi bendición apostólica —dijo Magog tendiendo hacia mí su diestra maciza de operario.

Y Gog, con absoluta naturalidad, me invitó a concurrir la noche siguiente a la cabaña, lugar donde interrogaríamos al Hombre Robot capturado y traído con ese fin.

—¿No arriesgan demasiado con esa captura? —observé yo.

—¿Arriesgar qué?

—La *chance* del otro secuestro, que al fin y al cabo es el que más importa.

—Nosotros también ensayamos —repuso Gog meditativo—.

El del Hombre Robot será un "secuestro piloto" que nos dirá
si el equipo funciona o no funciona.

—¿Equipo? ¿Cuál?

—También nosotros tenemos nuestra "barra" —dijo Magog
con un retintín de malevaje.

XXVIII

Hasta la noche siguiente, y no teniendo más ocupaciones que las de mi bodrio teatral en ensayo, consideré la tesitura de los clowns bajo una luz distinta. Lo que ahora me desconcertaba era su "arte paródico", manifestado en las imitaciones de Severo y de Impaglione que habían construido ellos en mis propias narices: nunca me gustó la parodia, ya que mi natural honradez abominó siempre toda mistificación o caricatura de la verdad. En el caso de Gog y de Magog, el hecho se me antojaba más temible, pues yo no había dejado de observar que lo paródico se daba en ellos, no como un accidente circunstancial, sino como una marca "definitoria" de sus naturalezas. Un defecto igual o concomitante me pareció descubrir la noche anterior en la sinceridad vehemente con que habían defendido un concepto clásico de la orgía, que intentaban aplicar ellos en el caso de usurpar la dirección del Banquete, falla o quiebra que se había traducido en la enunciación de algo así como una "ortodoxia del mal", tan mojigata como ridícula y a la vez peligrosa. Naturalmente, yo estaba lejos de admitir la posibilidad siquiera del acto usurpatorio que meditaban los clowns. Mi interés inmediato se nutría de dos expectaciones: el secuestro del Hombre Robot, anunciado para esa noche, que de llevarse a feliz término confirmaría mi sospecha de que una "quinta columna" obraba en la organización del Banquete; y el Hombre Robot mismo, cuya necesidad técnica se me había insinuado ya dos o tres veces en el curso de los eventos.

Tras haber cenado en mi dormitorio, y casi al filo de la medianoche, me dirigí a la cabaña donde me recibieron un Gog y un Magog familiares en su doméstica beatitud y en su ya conocida ropa de anacrónicos malevos de sainete. Al verlos así, lisos y cordiales, dudé de que hubieran organizado ni que organizasen alguna vez un secuestro. Fingiéndome víctima de una equivo-

ación, estaba por abandonar la choza, cuando Gog me detuvo
on un ademán.

—Quédese —me dijo—. Ya es casi la hora.

Sonreí con un escepticismo que a mi entender valía tanto como
un insulto. Pero en aquel instante se oyó afuera un breve silbi-
lo.

—Son los muchachos —dijo Magog sin desertar su calma.

La puerta se abrió entonces, y dos figuras humanas fueron in-
roducidas a la fuerza, desde la noche, por un individuo enmas-
arado a lo *gangster* con una media de mujer. Afuera, y detrás
del individuo, tres enmascarados idénticos lo respaldaban en la
negrura.

—Jefe —anunció el *gangster* presunto, dirigiéndose a Gog—,
ambién hemos traído al "cura": se negó a separarse de su "ahi-
ado".

—Han hecho bien —le dijo Gog—. Ustedes esperarán afue-
a, y silbarán en caso de peligro.

Militar en su acatamiento, el *gangster* salió de la cabaña y cerró
a puerta detrás de sí. Entonces Gog hizo caer la luz de un foco
obre los dos prisioneros que habían sido lanzados al interior de
a choza. Uno, de gran talla y enérgico talante, clavó en Gog
us ojos iracundos que no pestañeaban ante la luz:

—¡Jefe o lo que sea! —le gritó—. ¿Estamos en Chicago? Ig-
oro si el secuestro de mi persona y la de mi criatura estaba pre-
isto en la organización del Banquete. Lo que sé decir es que
odo este asalto me parece de un ridículo sin atenuantes y está
ugiriendo hasta qué punto la influencia del cinematógrafo in-
oxica las mentes de hoy por ilustres que sean.

—Señor cura —trató de replicarle Gog entre ofendido y ha-
agado.

—¡No soy cura! —volvió a protestar el hombre—. Soy el Her-
nano Jonás.

Y nos miró a los tres, imponente y aturdido aún, como si
cabara de ser vomitado por la ballena. En rigor de verdad, y
ese a su negativa, no dudé que algo de monje o de religioso
ampeaba en la estructura del Hermano Jonás; y no en su exterior,
ingularizado por un flequillo corto y unas enmarañadas cejas
uciferinas, sino en su caracú interno, fosfórico, al parecer, de
agradas violencias. No sé por qué se me antojaba presentir en

el Hermano Jonás, o a un sacerdote prófugo de su congreg
ción, o a un viejo y fracasado seminarista, o a un pastor dside
te y agrio de sectarismos, o a un teólogo francotirador en ver
de lanzar una curiosa herejía. Lo cierto era que Gog y Mago
ante la dinamia oculta del Hermano Jonás, parecían marchitar
ahora y sucumbir en una flojera increíble. Visto lo cual deci
enfrentarme con el supuesto cura:

—Hermano —le dije—, a mi entender, su secuestro y el
su criatura es un asunto de mero trámite administrativo. Y
vistosidad cinematográfica obedece a un dudoso gusto por
teatro que, según lo habrá usted advertido, parecería gravitar
el Banquete.

Pero el Hermano Jonás me miró como si yo fuera un inse
to irritante.

—Señor —me dijo—, la circunstancia por demás enojosa
que usted y yo coincidamos en un mismo Tiempo y en un mism
Lugar no lo autoriza de ningún modo a dirigirme la palabr
Es un accidente fortuito que, según espero, no ha de volver
darse ni aquí ni en ningún otro plano de la existencia universa

Iba yo a censurarle aquel exceso de soberbia ontológica, cuand
Gog, que intentaba recobrar su papel de Jefe ante aquel energ
meno, le dijo con mucha política:

—Hermano, sólo nos proponíamos estudiar a su criatura,
con fines piadosos.

—¿Piadosos? —tronó el Hermano Jonás—. ¿A ver?

Se acercó a Gog, que reculaba, y lo olfateó de pies a cabez
Luego hizo lo propio con un Magog intimidado:

—¡Azufre! —reconoció al fin—. ¡Yo sé olfatear al Enemi
hasta en un sainete de Vacarezza!

Y volviendo a cargar sobre los dos payasos, les ordenó:

—¡Sáquense las alpargatas y las medias! ¿A que tienen l
pies de macho cabrío?

Lleno de militante ardor el Hermano Jonás arrancó de su b
sillo una redoma de agua bendita, y roció abundantemente a l
dos payasos, que ya intentaban meterse debajo de sus catres. E
un absurdo paso de comedia, y solté la risa.

—¿Usted se ríe? —me apostrofó el Hermano.

Y cayendo ahora sobre mí, vació el resto de su pomo en
cabeza.

—No —dijo, considerándome atentamente—. Usted no es un emonio. Usted es un "idiota útil" para el Gran Macaco Final.

Se alarmó de pronto y acudió al hombre segundo que fuera inroducido con él y en el cual, inexplicablemen'e, ninguno de osotros había reparado hasta entonces.

—¡Colofón! —le dijo con una solicitud casi paternal—. ¿Esis bien?

Y como el hombre no le respondiera, el Hermano Jonás clavó a mí y en los dos clowns una mirada llena de reproche.

—¡Me han asustado a la criatura! —se lamentó—. Ustedes an sustraído a Colofón de su laboratorio, antes de tiempo. ¡Es omo sacar a un seismesino de una incubadora eléctrica!

—Hermano —le dije yo con falsa piedad—, ¿quién es Cofón?

—El Hombre Robot del Anticristo —me respondió Jonás.

En su hígado rabioso pareció darse ahora una bilis de entu-asmo demiúrgico:

—Sí —anunció beatamente—. Colofón es el hombre que be-rá el trasero del Gran Mono Final.

—¿Le besará el trasero? —inquirí yo sorprendido.

—Lo hará "ritualmente" —asintió el Hermano.

Pero ni Gog ni Magog renunciaban al oficio protagónico que su entender les correspondía en la emergencia. De modo que resolvieron meter sus cucharas en el diálogo.

—Si no he oído mal —dijo Gog al parecer estudioso— el Colofón es un niño prematuramente obsceno.

—¿No está llamado a ser el último chupamedias de la Oligaruía? —inquirió Magog en un ataque de perspicacia.

El Hermano Jonás amagó con volver a sacar su redoma:

—¡Ustedes —apostrofó a los clowns—, o son ridículamente niestros o siniestramente ridículos! No lo aclaro bien todavía. i son dos hombres, ¿por qué se dan a conocer como dos bestias? si son dos bestias, ¿por qué se dan a conocer como dos homres? He aquí un interrogante que ha de resolver la escolástica n estos años vecinos a la Parusía.

—¿Vecinos a qué? —lloriqueó Magog lastimado.

—¡Ustedes, punto en boca! —sentenció Jonás a los clowns—. Ya están sellados con el lacre de la ira! ¡Punto en boca, dije!

Y apuntándome a mí con su dedo, añadió:

—Si. he de referirme al Hombre Robot del Anticristo, lo haré con este señor, que me parece más idóneo: tiene un aire de universitario que voltea.

—No soy universitario —repuse yo modestamente.

—¡Gracias a Dios! —me bendijo el Hermano Jonás—. Acérquese usted a Colofón y estudie su pinta indescifrable.

Así lo hice. Y lo primero que advertí en él fue una contradicción gritona: la "criatura" del Hermano Jonás, el Hombre Robot que pretendía ser estaba lejos de mostrar la estructura cibernética o el mecánico rigor que suelen exhibir espectacularmente los cerebros electrónicos. Por lo contrario, el hombrecito Colofón era de una vulgaridad *standard*: tenía el aire impersonal de los objetos fabricados en serie; lo cual, y en gracia de su "no diferencia" individualizante, hacía de Colofón un ser o una máquina o un espectro al borde mismo de la invisibilidad.

—¡Este hombre casi no existe! —opiné yo en mi desconcierto.

—¡Bravísimo! —me alentó el Hermano Jonás—. En efecto, este Hombre Robot está casi en el umbral de la nada, como lo estará el Gran Mono del Apocalipsis.

—Hermano. le dijo yo—, en el Segundo Concilio del Banquete nos hicieron conocer a un tal Johnny López como finalista de cierta maratón humana.

—¿Johnny López? —exclamó Jonás con desprecio—. ¡No es un finalista! Es el hombre actual y algo así como el tatarabuelo de Colofón.

—¿En qué se distinguen?

—Admitamos —expuso él— que la presente humanidad es idiota como una guitarra eléctrica: es una masa de ruidos físicos y psíquicos, agigantada y difundida con estridentes amplificadores electrónicos. ¿Me va siguiendo? Y Johnny López está bien ubicado en semejante anarquía. ¿Me sigue usted? Pero mi Hombre Robot nacerá después: Colofón está llamado a reconstruir el orden, pero un orden al revés del pepino, ¿entiende? Colofón ha de ser un tarado "integral", concebido en la sucia matemática del Falso Líder.

—¿El Gran Mono Final? —inquirí.

—¡El Macaco pretensioso! —corroboró él sin ocultar su repugnancia—. Imagínese usted que el muy hijo de la Gran Ramera intentará disfrazarse de Cristo para engañar a la feligresía! Naturalmente, la feligresía estará integrada sólo por Hombres Robots, prefabricados largamente con el fin de hacerle el caldo gordo al muy hijo de la Gran Ramera.

—¿Y por qué lo llama usted el Gran Macaco?

—Porque el muy hijo de la Gran Ramera, queriendo imitar al Cristo, hará una parodia grotesca del Evangelio: tendrá doce apóstoles robots, de una triste obsecuencia mecánica; y hará milagrerías de laboratorio y aquelarre, para deslumbrar a su clientela de robots humanos.

Espié a los clowns de reojo: escuchaban tensamente y tenían en sus jetas verdores de cadáver. Luego consideré alternativamente al presunto religioso y a Colofón su ahijado, en el intento de digerir aquella versión folklórica del Apocalipsis que nos acomodaba el Hermano Jonás con una frescura y un patetismo conmovedores.

—Y lo más terrible del caso —prosiguió él— estará en que el Gran Mono se creerá un mesías auténtico y llorará de autoadmiración. Su ridícula parodia será un burdo sainete para los ángeles del cielo y los mártires de la tierra; pero los Hombres Robots lo aclamarán como un drama sublime. Por lo tanto, el éxito del Mono y su sainete dependerá del público: un inmenso anfiteatro de Hombres Robots erigidos en claque multitudinaria.

—¿Colofón estará en esa platea?

—Colofón estará con sus iguales —asintió Jonás—, vertiendo lágrimas químicas y aplaudiendo cibernéticamente. Yo lo he dibujado y construido según todas las previsiones escriturales.

En este punto, y como era de imaginar, el borroso, el invisible casi, el triste y mudo Colofón se hizo el blanco de nuestras miradas inquisidoras, ante un Jonás chorreante aún de profecías. Gog y Magog, que se habían acercado a la criatura, no disimulaban cierta resurrección de sus corajes y hundían en Colofón sus dos pares de ojos aviesos. Entendí que un interrogatorio del Hombre Robot se daba ya como ineludible; y se lo comuniqué al Hermano Jonás, que ahora enmudecía frente a Colofón, al parecer hundido en siniestras visiones. Pero el Hermano Jonás, al oír mi requerimiento, se puso rojo de furia y volvió a su actitud energuménica: si en su ojo derecho ardía un holocausto místico, en su ojo izquierdo se quemaba Gomorra. Y al verlo así, los dos clowns retrocedieron hacia sus catres.

—¡Mi pupilo Colofón —advirtió Jonás— no ha de responder a ningún interrogatorio! ¡No concederá ningún reportaje, ni
firmará ningún autógrafo, ni ha de sentarse a ninguna mesa redonda! ¡Mi pupilo Colofón sólo hablará en la Mesa del Banquete, y sólo allí vomitará el secreto de su ignominia! ¿O qué
se han creído ustedes?

—Hermano Jonás —le dije—, también yo he de sentarme
a la Mesa del Banquete.

—¡Esos dos crápulas no! —dijo el Hermano, tendiendo su
índice a Gog y a Magog que cayeron sentados en sus catreras—
¡Ellos no serán admitidos en el Banquete! ¡Veo ya sus pesta-
ñas legañosas de envidia!

Y luego, como en un reflujo de su cólera, se volvió hacia mí
y me dijo:

—Perdón, hermano: Colofón es todavía un secreto de fábrica.
Le adelantaré, si quiere, algunos detalles de su infraestructura.

—No soy curioso —le respondí yo fingiendo una humildad
pisoteada.

—¡Hermano, perdóneme y escuche! —me rogó él—. ¿Tendré
que pedírselo de rodillas? Lo haré. ¿Qué soy yo en el fondo? Un
triste gusano de la tierra.

Y el Hermano Jonás intentó arrodillarse a mis pies en un acto
de "gusanismo" piadoso cuya sinceridad no me pareció muy cla-
ra. Impedí su total anonadamiento, lo ayudé a reincorporarse;
Jonás, ya en mis brazos, me besó las dos mejillas, entendí que
bíblicamente. Luego, señalándome a Colofón, me dijo así:

—Colofón, o sea el Hombre Robot del Gran Mono, está
en el grado último de su vaciedad metafísica.

—¿Qué debo entender por "vaciedad metafísica"? —le pregunté.

—A Colofón —repuso— le habrán tachado enteramente,
con método, la imagen de su Principio Creador. No dije bien:
lo que le habrán tachado a Colofón será la "conciencia" de
saberse una imagen de aquel Principio. Y Colofón terminará
por creerse un hijo de la nada, que salió de la nada y ha de
volver a la nada. ¿Se asombra usted? ¡Los *existencialistas* franceses
ya están en eso! El de Colofón será, pues, un "vacío de la Di-
vinidad".

—¿Y quiénes realizarán ese vacío?

—El Gran Mono, sus apóstoles negros y us "idiotas útiles".

—¿Con qué metodología?

—La que yo le apliqué a Colofón en mi laboratorio: profun-
os "lavajes de cerebro", intensivas mutilaciones del alma. Cofón es ahora un frasco vacío. ¿Vacío de qué? ¡De su esencia
etafísica!

En su fiebre demiúrgica el Hermano Jonás agarró a Colofón
or el cuello y lo agitó como una damajuana sin contenido.

—¡Pero, cuidado! —me advirtió luego. Pese a sus "borrati-
as", Colofón sigue siendo una criatura de origen divino y aún
onserva en sí, bien que oscuramente, las apetencias de su na-
ra trascendental. Colofón lo ignora, pero el Gran Macaco no.
son esas apetencias las que intentará satisfacer el Gran Mono,
nque por vía de parodia y tergiversación. ¡Qué Macaco inge-
ioso! Él envasará su vino falsificado en la botella vacía de Cofón. Y Colofón se prestará dócilmente a esa maniobra del fal-
o bodeguero: ¡ha de prestarse a ella en razón de su propia
vacuidad" metafísica!

Digerí en silencio aquel tropo vitivinícola, no sin observar que
og y Magog, abandonando su refugio, se acercaban de nuevo
la órbita del Hermano Jonás. Era evidente que se morían por
trar en la escena de que habían sido injustamente desalojados.
ero el "cura" no los vio, tan metido estaba en sus especulaciones
erca del Gran Mono futuro.

—Ahora bien —me dijo, volviendo a su reseña—: si a Colofón
han borrado la imagen de su Principio Creador, le han bo-
ado también, yo diría que "simétricamente", la imagen de su
rincipio Redentor, para que el Gran Macaco final usurpe
función redentora del Mesías. Luego, ha de ser necesario que
olofón presente una fase "redimible" muy acentuada, tanto en
us privaciones físicas cuanto en sus vaciedades metafísicas. Es
reciso que, cuando el Gran Mono llegue, Colofón esté vivien-
o en el grado último de su miseria corporal e intelectual: Creso
capitalista, mediante su explotación, o Marx el ideólogo, con
us insuficientes y eternos "planes quinquenales" habrán metido
Colofón en un hambre y en una desnudez ya crónicas. Para-
lamente, Creso (el "desalmado por usura") o Marx (el "desal-
ado por filosofía") tendrán que haber logrado en Colofón un
acío espiritual casi absoluto, y una frustración última de sus

apetencias trascendentes ya desengañadas en los vuelos cósmicos

El Hermano Jonás tomó aquí un respiro en la obra del fresco tenebroso que pintaba.

—Un momento —le dije—: ¿habla usted como profeta?

—No tengo el don de profecía —se lamentó Jonás, como si le hubiesen regateado un laurel—. ¡Señor, el mío es un teorema!

—¿Fracasarán los vuelos espaciales? —insistí.

—Hay una alternativa: o fracasarán en un imposible técnico o se llevarán a cabo, sólo para descubrir en el éter la misma "brutalidad de la materia" que ya conocíamos. En el segundo albur, la cosmonáutica no tardará en ser un deporte inútil, aburrido y sobre todo caro. Y el triste Colofón, tras los primeros éxtasis románticos que le producirá la idea de "trascender" por la cohetería, se verá miserable por fuera y por dentro, tal cual deberá mostrarse un minuto antes de que aparezca el Gran Mono Final.

Aquí se irguió el supuesto cura: sus ojos relampaguearon de audacia creadora. Y entendí que se disponía él a una *gran mise en scène*.

—El Gran Macaco del Apocalipsis —me anunció—, el Mesías al revés, no ha de llegar al escenario con la humildad sublime del Nazareno. El Gran Mono se presentará vistosamente, a lo gran señor, con un acopio de lujos bastante chillones, o como un empresario genial que une sus novedades técnicas a una dura filantropía de cemento armado. Lo primero que hará el Gran Mono será destruir a Creso y a Marx (si todavía existen) y arrojarlos de la escena como a dos *amateurs* ridículos, ante el pobre Colofón deslumbrado y verdoso ya de flamantes esperanzas. Entonces el Gran Mono tomará de facto y multiplicará la riqueza del mundo; y la volcará demagógicamente sobre todos los Colofones extasiados. No habrá Colofón que no tenga su departamento de lujo, su automóvil, su refrigeradora eléctrica y su televisor. En su terrible parodia, el Gran Mono curará la sífilis, el cáncer, la tartamudez o la ceguera de Colofón mediante raras y asombrosas penicilinas. Y a todo ese *panem* gratuito el Gran Mono añadirá los *circenses* de una magia espectacular que ha de robarle a Colofón el último átomo de sentido común que aún le quede. Y como única recompensa de su generosidad, el Gran Macaco sólo exigirá del Colofón redimido un simple y llano tr

buto de adoración, un incienso incondicional, un credo sostenido,
que será el siguiente: "En el principio era el Gran Mono, en el
fin será el Gran Mono." A los Colofones que se resistan a ese
credo y a esa liturgia simiesca (y no serán muchos) se les retirará
el carnet de aprovisionamiento, se los exilará del régimen o se
los ejecutará en sillas eléctricas bien esterilizadas.

—¿Y cuánto durará el régimen del Gran Mono? —le pregunté.

—Tres años y medio —respondió Jonás—: cuarenta y dos
meses, mil doscientos sesenta días..¡Lo dice la Palabra! Luego el
Gran Mono será precipitado al Averno, entre una rechifla de
ángeles.

Lo declaró, no en tren de complacencia malvada, sino con un
retintín de aleluya o de triunfante alegría escritural. Y al verlo
así, me pregunté de qué frontera insoportable había sido arrancado él, como todos y cada uno de nosotros, los que navegábamos
en la escotilla de aquel Banquete ininteligible. Pero en ese instante se produjo un hecho que me llenó de asombro: Gog, el
mismo Gog, como arrebatado por una ola sublime, se acercó
al Hermano Jonás y le dijo con mucha reverencia:

—Hermano, ahora veo que usted es un pronosticador sin
"mula". ¿Podría concederme un don?

—¡Concedido! —le respondió Jonás con el aire victorioso de
quien ha salvado un alma.

—Le pediré mucho —vaciló Gog en su timidez.

—¡Pídalo, alma buena! —lo alentó Jonás:

Entonces Gog, fluctuando entre su ansiedad y su apichona-
miento, se atrevió a rogarle:

—¿Podría usted adelantarme una "fija" para las carreras del
domingo?

Advertí en el Hermano Jonás un súbito derrumbe de su victoria. Furioso y a la vez entristecido, se descalzó de uno de sus
zapatos y lo arrojó violentamente a la cabeza de Gog; el cual,
tras esquivarlo en un esguince, lo·recogió del suelo con aire
beato. Entonces vi lo increíble: vi a un Gog que, acercándose de
nuevo al Hermano, caía de hinojos a sus pies y le calzaba el
zapato volante. Sin dar muestras de haber ponderado aquel gesto
devoto, el presunto cura se dirigió nuevamente a mí, trayendo
de la mano al nebuloso Colofón:

—Volvamos al Hombre Robot del Anticristo —me sugirió—.

Aquí donde lo ve, y pese a los cachivaches exteriores con que lo adornará el Gran Mono, conservará y aumentará su vacío interior. Será como un número aritmético, desprovisto de cualquier "esencia": una simple unidad abstracta que, añadiéndose a otras unidades igualmente vacías, formará el "múltiplo" imbécil que necesitará el Gran Mono para ser adorado.

Estudié a Colofón, ahora de cerca:

—Parece un hombre muy serio —dije—, un hombre solemne casi.

—Es natural —asintió el Hermano—: también el Gran Mono ha de lucir una solemnidad al cohete. Su reinado ha de ser un prodigio de "anormalidad" tan universalizada, que ha de parecerse a una normalidad. Y los pocos "normales" verdaderos que aún sobrevivan serán tenidos por dementes y encerrados en un manicomio. Porque el Gran Macaco ha de imponer a sus robots una moral al revés, pero tiránica en extremo, así como él mismo es un mesías al revés.

—¿Una ética? —le pregunté yo desconcertado.

—Una ética de robots, naturalmente —me respondió Jonás—. ¿Cuál es la ética de una máquina? ¡La de funcionar bien! Imagínese a Colofón entregado maquinalmente a las liturgias del Gran Mono. Imagínelo en los escasos momentos de su vida privada (¡si la tiene!), tomándose los tres comprimidos de vitaminas que le prescribe la dieta del Gran Mono, inyectándose contra la radiación atómica de la última guerra nuclear, y naturalmente sujeto a una castidad espontánea.

—¿Colofón será casto?

—¡Infeliz! ¿Cómo podría no serlo? El abuso sexual de sus antepasados lo haré nacer con una impotencia viril del todo catastrófica. Y atento a la propagación de la especie, así amenazada, el Gran Mono inventará para Colofón un sistema de complicados estímulos electrónicos que despierten su libido cuando las estadísticas demográficas lo requieran.

Bajo su flequillo y a la sombra de sus cejas, el rostro del Hermano comenzó a traducir un asco indecible.

—De tal modo —concluyó él, al borde mismo de la náusea—, sin tentaciones posibles y dotado sólo de virtudes maquinales, Colofón será un "inocente al revés" y un "justo al revés".

No logró añadir otra palabra, ya que, apoyado en Colofón,

vomitó largamente sobre su propia criatura. Y lo que vomitaba
no eran precisamente versículos de Isaías. Acabado su vómito,
un Gog diligente le limpió la boca y lo sonó de narices con su
mismo pañuelo. Entonces vi a un Magog cejijunto que se acercaba resueltamente al vomitado Colofón.

—Esta máquina, títere o maricón de nueva ola —rezongó—,
¿es o no un hombre de carne y hueso?

Y para verificarlo, Magog ubicó una concienzula patada en
los glúteos del Hombre Robot. El cual pareció animarse ahora
en su oculto mecanismo.

—¡Quiero besar el retrato de nuestro Líder! —musitó Colofón; y la suya era una vocecita de niño y eunuco a la vez.

El Hermano Jonás, enfurecido, vaciló entre castigar la insolencia de Magog o acudir en socorro de su pateada criatura. Optó
por lo último, y dirigiéndose a ella:

—¡Silencio, Colofón! —le dijo—. No ha llegado tu hora.
Pero el Hombre Robot del Anticristo salmodió en un grego-
riano zurdo y bronco:

—¡Antes de nuestro Líder nada existía, y después de nuestro
Líder nada existirá! ¡Él nos libró del carbono 14 y del estroncio 90!

—¡Colofón, basta! —le ordenó el Hermano Jonás perdiendo
los estribos.

—Nuestro Líder —alabó Colofón— luce una inefable "asi-
metría": tiene seis dedos en los pies, una frente de cornudo
iniciático y una jeroba de Atlas. ¡Él derrotó con su hermosura
la simetría odiosa de un mundo felizmente superado! ¡Aleluya!

Despavorido y reluciente de un sudor angustioso, el Hermano Jonás corrió a la puerta y abrió su hoja única. Luego tomó
a Colofón de la mano, huyó con él de la choza, y oí cómo los
gangsters enmascarados les daban caza en la noche. Al volverme
hacia los clowns, los vi el uno frente al otro, como dos gallos
de pelea.

—Usted es un obsecuente —le reprochaba Magog a Gog—:
un chupamedias de la Curia.

—Y usted es un cobarde —le respondió Gog—: suya fue la
iniciativa de meterse bajo las catreras.

—¡Pero no le calcé ningún zapato al cura! —replicó Magog
dignamente.

Y, sin decir más, aplicó una bofetada en la mejilla de Gog, el cual se la devolvió fríamente. Inmóviles como dos estacas, y ahora silenciosos, los clowns prosiguieron dándose alternativos, espaciados y sonoros bofetones de circo.

XXIX

La introducción del Hermano Jonás en escena y aquel atisbo del Hombre Robot, su criatura, me llevaron a reflexionar de nuevo sobre la extraña "conscripción de monstruos" a que parecía limitarse la organización del Banquete. Más tarde, cuando todo hubo concluido, entendí hasta la evidencia que cada elemento de la urdimbre me había sido presentado en un orden gradual e inteligente, como los factores de un teorema o las premisas de un silogismo. De momento, y a tientas como lo había hecho tantas veces, procuraba yo desenredar sus hilos enmarañados. Y lo primero que me dije fue que nuevamente se incidía en "el hombre", como había sucedido con el "pentágono humano" de Bermúdez o con la "interpelación" de Papagiorgiou que ahora no me resultaba tan incidental como se pretendió entonces. El Hombre Robot del presunto cura se ubicaba muy bien en la serie; y me bastó una somera relectura del Apocalipsis (que yo había tragado sin digerir en mis confusas horas de autodidacto) para entender que Colofón, metido en una cadena de "hombres descendentes", era su eslabón final, correspondía pues a los "últimos tiempos" del ciclo humano y reiteraba ese tono de postrimería o esa intención de "juiciofinalismo" que yo había rastreado ya en la empresa del Banquete.

Mi relectura del Apocalipsis también hizo destacar para mí los nombres de Gog y de Magog vinculados a los últimos tiempos y en la línea *non sancta*. ¿Era un simple alarde literario el hecho de que la Dirección del Banquete diera esos nombres a los dos payasos que habitaban la choza? El nuevo curso de mis reflexiones me hacía entrever ahora que algún simbolismo se ocultaba en el apólogo de Bermúdez o en su "gallo de Sócrates". ¿No se intentaría en el Banquete un formidable juego de símbolos? Me respondí que no, ya que un símbolo, al fin y al cabo, sólo era el soporte ideal de una meditación, y las cosas del Banquete se iban dando en una realidad cruda y llena de intolerables absurdos. ¡Cuán errado andaba yo al formular esas distinciones! Más adelante, y en la Cuesta del Agua, me hicieron entender la energía viviente de los símbolos. Porque hay símbolos que ríen y símbolos que lloran. Hay símbolos que muerden como perros furiosos o patean como redomones, y símbolos que se abren como frutas y destilan leche y miel. Y hay símbolos que aguardan, como bombas de tiempo junto a las cuales pasa uno sin desconfiar, y que revientan de súbito, pero a su hora exacta. Y hay símbolos que se nos ofrecen como trampolines flexibles, para el salto del alma voladora. Y símbolos que nos atraen con cebos de trampa, y que se cierran de pronto si uno los toca, y mutilan entonces o encarcelan al incauto viandante. Y hay símbolos que nos rechazan con sus barreras de espinas, y que nos rinden al fin su higo maduro si uno se resuelve a lastimarse la mano.

A partir de aquella noche, y habiendo finalizado mis tareas del Sainete, me sentí como detenido en el centro de una ronda que seguía girando en torno de mí con una velocidad en aceleración continua. Dejé de frecuentar el living comedor, desalentado por la doble ausencia de Bermúdez y Frobenius, a quienes imaginaba yo, no sin envidia, hundidos en premiosas y excluyentes actividades. También la Casa Grande pareció ignorar mi existencia, dura en su hermetismo que no dejaba trascender ni una sola de sus pulsaciones íntimas. Por su parte los clowns no volvieron a requerirme ni directamente ni con sus mensajes alados, tal vez a causa de la humillación y vergüenza que les había infligido el Hermano Jonás en mis propias narices. Por todo lo cual adopté una resolución que, a mi juicio, ponía mi dignidad a salvo: la de hacerme perdiz en mi habitación, dormir en ella los días enteros y deslizarme por las noches a las frondas y jardines de la residencia cada vez más exaltados en su delirio primaveral. Con el objeto de reforzar mi orgullosa independencia, hice un saqueo nocturno en la cocina y almacené las provisiones en mi dormitorio. ¡En adelante, que dieran conmigo, si podían!

Las dos primeras noches discurrí en los rosedales como un poeta, o me arrastré como un reptil bajo las incultas marañas de la finca, ebrio de pólenes, aromas y rocíos. Pero en la tercera me sucedió algo nuevo. Yo estaba junto a la terraza donde se había celebrado el Primer Concilio del Banquete; y de pronto, a la luz de la luna llena, vi a dos hombres que se adelantaban sobre los mosaicos en tren de conversación a lo peripatético. Uno vestía cierto piyama de gran blancura y el otro se arropaba en un feo albornoz de baño a grandes lunares mamarrachescos; ambos debían de calzar chinelas o pantuflas, ya que, al andar, se deslizaban sin ruido alguno en el silencio de la medianoche. Oculto bajo un laurel, vi cómo ambos platicantes detenían su marcha, y oí entonces la voz inconfundible de Severo Arcángelo:

—Impaglione —decía la voz—, flotamos como dos corchos en este río que se precipita: esa es la figuración horizontal. Pero en la figuración vertical estamos cayendo a una velocidad que se multiplica en razón directa del cuadrado de la distancia.

—¡*Ostia!* —gruñó el valet sin arriesgarse.

—Y has dicho muy bien —lo alentó el Metalúrgico de Avellaneda—. Pero ahora viene la pregunta: ¿nos dejaremos arrastrar por esas gravitaciones, o les opondremos alguna resistencia? Y en el segundo caso, ¿de qué modo?

—¡*Porca miseria!* —declamó Impaglione sin emoción alguna.

—¡Qué bien lo has entendido! —aplaudió Severo Arcángelo—. Impaglione, volvamos a la figuración horizontal. Tomemos al camalote y al surubí del río: ¿cómo actúa el camalote? ¡No actúa! ¡Se deja llevar por la corriente!

—¡*Bruta bestia!* —sentenció Impaglione.

—¿Y cómo actúa el surubí? —le preguntó Severo—. Nada contra la corriente: ¡va remontando la corriente hasta llegar al origen de su río! Impaglione, ¿qué actitud elegirías, la del surubí o la del camalote?

—¡*Diavolo!* —le contestó el valet, inexcrutable.

—¡No digas más! —aprobó Severo como deslumbrado—. ¡Basta, Impaglione! Tu razón haría despertar a los muertos. ¡Impaglione, tu razón aturde! Pero vayamos a la figuración vertical. ¿Qué hace un astronauta cuando necesita despegar de nuestro globo para llegar a la luna? Vencer primero la fuerza de gravitación terrestre con otra fuerza de sentido contrario, vale decir a retropropulsión. En ese momento el astronauta es un "retrógrado", con relación al mundo que abandona. Libre ya en el espacio cósmico, el astronauta se dirige a la órbita de la luna y se hace atraer por su fuerza de gravitación. En aquel momento el astronauta es un "vanguardista". Impaglione, yo soy el Retrógrado y el Vanguardista.

—¡Peste! —dijo Impaglione.

—¡Ya sé! ¡Ya sé! —le concedió Severo—. Tu objeción es brillante, y no soy tan sectario como para no admitirla. Impaglione, lo que soy de verdad es un Retrógrado en el "tiempo" y un Vanguardista en el "no-tiempo". Y ahora sé que lo has entendido a fondo: ¡retroceder en la temporalidad humana!

—¿Dunque? —recitó Impaglione cerrado como una nuez.

—¡Lo dijiste! —se alegró Severo—. ¡Y has dado en la tecla! Sí, un viaje de "intronáutica". ¡Volver sobre los pasos del hombre y recobrar todo lo perdido en su fuga o descenso! ¡Recobrar los horizontes dejados atrás, los éxtasis abolidos, los templos ocultos en la maraña invasora y los alegres jardines clausurados!

Se turbó aquí Severo, y aferrándose al albornoz de baño de su asistente:

—¡Impaglione! —le dijo—. ¿Por qué será que la delicia del hombre se ha dibujado siempre con formas de "jardín"? ¿No es un jardín perdido lo que sueña el hombre reseco, junto a sus metalurgias o a sus ciclotrones que bombardean el uranio? ¿Y por qué será que tales jardines están defendidos ahora por querubes en armas o por dragones atentos?

Desde mi escondite vi cómo la frente de Severo caía de súbito en el hombro de Impaglione, y oí cómo el Viejo Fundidor sollozaba entrecortadamente según un llanto que parecía desentonar en aquel jardín tan lleno de resurrecciones primaverales. "El Vulcano en Pantuflas no se ha referido a este jardín", pensé yo. Luego, no sin alguna sorpresa, vi cómo Impaglione, abandonando su acartonamiento profesional, se humanizaba otra vez ante mis ojos (la primera vez había sucedido frente a la Cybeles en ensayo), y decía en todo de alarma:

—¡Santa Madonna! ¿Per che? ¡Señor, andiamo in casa! Le daré un chocolate a la española y lo acostaré subito. ¡Diavolo! La cabeza fresca y los pies calientes.

Al oírlo, severo Arcángelo volvió a su calma. Hizo dos inspiraciones profundas, y luego, dirigiéndose al valet:

—Impaglione —lo interrogó—, ¿qué distancia medirías entre un water-closed y una catedral?

—¡Mondo cane! —declamó el valet en su oficio de traspunte.

—¡Bravo, Impaglione! —lo aclamó Severo—. ¡Me desplumaste como a un gorrión! Lo que no me arrancarás ni a tirones es mi vanguardismo en el "no-tiempo".

—¡*Caro signor Fontana!* —disparató el valet en tono de ópera bufa.

—¡No insistas, demonio! —lo reprendió el Metalúrgico, volviéndole la espalda y tomando ya el rumbo de la Casa Grande.

Sólo cuando los dos platicantes de la terraza hicieron mutis, abandoné mi escondite y me perdí, bajo la luna, entre los macizos olorosos. ¿Dije "platicantes"? En rigor de verdad, aquel Diálogo del Retrógrado (que así lo titulé yo en mi nomenclatura del Banquete) había sido un Cuarto Monólogo del Viejo, en el cual Impaglione sólo figuraba como un "interlocutor de piedra". La manía de lo teatral, que tan reiteradamente comprobara yo en los arquitectos de la empresa, me sugirió entonces un sentido nuevo: todo en el Banquete se organizaba —calculé— bajo cierta necesidad, avidez o lujuria de la expresión, como si lo moviera y empujara una "cólera del verbo".

El Diálogo del Retrógrado tuvo la virtud de sustraerme a la nocturnidad selvática en que yo me había hundido más por orgulloso resentimiento que por cálculo, y la de reintegrarme a las tejedurías de la meditación. Yo, Lisandro Farías, nacido en la llanura, muerto en Buenos Aires y resucitado en la Cuesta del Agua, soy, como dije ya, un antiguo y conmovedor aborto de la literatura; pero, si me he negado en mis frustraciones, me afirmaré ahora en mis virtudes, que son las de poseer algunas dotes analíticas mediante las cuales llegué a ser un reportero casi genial. De regreso en mi dormitorio, intenté aquella misma noche ubicar el hilo nuevo en la vieja trama. Y entonces advertí una notable "simetría" entre dos polos contrarios: a la cadena de "hombres descendentes" que se nos había mostrado en el curso de los preparativos, y a la fuerza de gravitación abismal que los arrastraba en su descenso, el Diálogo del Retrógrado parecía oponer una "frenada" súbita y anunciar como posible un retroceso humano en el acontecer. La sola vislumbre de aquella intención me hizo saltar de la cama: primero me sentí como aturdido; en seguida me felicité por aquel hallazgo de valor incalculable; y al fin se me impuso la necesidad ineludible de celebrar esa iluminación con una de las botellas de champagne

que yo había robado en la despensa del chalet y que bebí, ca
liente como estaba, justo al amanecer y bajo una trompetería
de gallos eufóricos.

Alentado por aquel descubrimiento, resolví dedicar las próximas horas a un replanteo general del teorema y a un riguroso
análisis de sus tesis. Me animaban a ello dos necesidades urgen-
tes: la de recobrar mi paz en una solución definitiva de aquel
acertijo; y la de reivindicarme ante los organizadores de la empresa, que me habían rebajado, según lamentaba yo, a menesteres
indignos de mi alto ingenio. Y al promediar el día siguiente,
como si un numen piadoso me la hubiera dictado, la solución
del enigma se me reveló con una meridiana claridad: ¡sí, los
fragmentos del rompecabezas encajaban el uno en el otro a las mil
maravillas! ¡El laberinto del Viejo Fundidor abandonaba su misterio ante mis ojos deslumbrados! Una segunda botella de champagne corroboró mi triunfo y me embarcó a la vez en una serie
de libaciones festivas. A medianoche ya navegaba en plena gloria:
entre lo mal que había comido yo y lo bien que había celebrado
tantas iluminaciones, me sentía dueño de una borrachera sublime en la cual tenía más parte mi robado champagne que los vinos
austeros de la razón pura. Entonces, y sólo entonces, decidí
visitar al profesor Bermúdez, a esa misma hora y en su dormitorio, con el fin de tirarle a la cara mi cosecha de luz.

Ni la curiosidad ni las tareas del Banquete me habían llevado
antes al alojamiento del profesor. De modo tal que, al redoblar
en su puerta con el nudillo de los dedos, me sentí como frente
a un cubo hermético y de acceso difícil. No obstante, la voz
tranquila de Bermúdez me llegó a través de las tablas:

—¡Entre! —dijo la voz—. No está cerrado.

Abrí, entré y cerré la puerta detrás de mí. Luego, atraído por
la luz del velador (la sola que iluminaba el dormitorio), me
acerqué a un lecho de austeridad monástica donde Bermúdez
yacía largo a largo, con un atril en el tórax y un gran volumen
en el atril.

—Siéntese —me dijo él, observándome por encima de sus
gruesos lentes.

Y continuó leyendo, mientras yo me sentaba frente a él y
recorría su habitación con ojos críticos. Era un caos de objetos
fantasmales, en el cual se individualizaban con relieves propios

los libros, los papeles y demás útiles tocantes al Humanismo que profesaba su dueño. En la repisa de una chimenea sin encender, campeaba un busto de Homero con las órbitas oculares vacías en la ceguera de su mármol; a la izquierda de Homero, vi un mate con su bombilla de plata y una yerbera del más puro estilo criollo. Y sonreí en mi ánimo al advertir en la repisa tan armoniosa conjunción de folklore y clasicismo: era —me dije— como si Homero y Santos Vega se diesen allí un abrazo histórico. En seguida consideré al propio Bermúdez en su figura de lector yacente: llevaba un camisón de dormir, patético en su anacronismo, y un gorro de lana que protegía su notoria calvicie ("porque las mañanas son frescas en Argelia", me dije yo al azar y recordando un texto de Salgari). Meditaba en esa infantil viruta que había dejado caer mi memoria, cuando Bermúdez, tras ubicar un señalador en su librote, lo cerró amorosamente y lo hizo a un lado con atril y todo.

—Y bien —me dijo, estudiándome con una frialdad zumbona que no pude sufrir en mi ansia de reivindicaciones.

Lo miré a fondo, paladeando ya mi revancha:

—Profesor —le advertí—, me acabo de comer el gallo de Sócrates.

—¿Qué me quiere decir? —preguntó él sin entusiasmo.

—¡Tengo la clave del Banquete! —le grité como si le clavara un puñal.

Bermúdez abrigó sus pies en el camisón anacrónico.

—A primera vista —observó—, lo que tiene usted es una borrachera de padre y señor mío.

Al oír aquel falso testimonio (y no dudaba yo de que lo fuera) me puse de pie y le dije con una dignidad herida que me acercó al extremo del llanto:

—Señor, usted y la oligarquía de origen dudoso que actúan en la Casa Grande, ¿creen que soy un infeliz por el solo hecho de que intenté suicidarme con el revólver inservible de un tío periclitado?

Entre los humos de mi alcohólica sublimidad, no dejé de advertir que mi período se había deslizado hacia un ridículo lamentable. Pero Bermúdez no pareció entenderlo así, ya que, sentándose ahora en su cama de monje laico, me dijo sin ocultar su tensión:

—Farías, ¿qué ha entendido usted?

—La tesitura simbólica del Banquete —le respondí entre lágrimas—. ¡El avechucho de Sócrates está masticado y digerido!

—¡Señor, explíquese! —me ordenó Bermúdez, cuyos ojos comenzaban a relampaguear.

Me investí con el aire solemne y a la vez triste de quien ha tocado fondo en un misterio:

—Esta es mi conclusión —le dije—: lo que importa no es el Banquete, sino el trámite de su organización. Es un trámite lento y enrevesado, en el cual nos han metido a todos con la vaga promesa de un Banquete final. Y aquí estamos, yo, usted y los otros, debatiéndonos entre dos líneas de fuerza: una que trata de ganarnos para el Banquete y otra que intenta hundirnos en la noche de los réprobos. Lo que buscan el Fundidor y sus cráneos organizadores es "teatralizar" el viejo simbolismo de la condición humana: una lucha de méritos y deméritos, con vías a una "recompensa" final.

—¿Y cuál sería esa recompensa? —me interrogó Bermúdez tenso como un cordaje.

—¡El Banquete mismo! —le respondí en son de victoria.

Una decepción infinita se tradujo en el semblante de Bermúdez:

—¡Aplazado! —me gritó—. ¡Usted queda otra vez aplazado!

Se lanzó fuera de la cama, buscó sus zapatillas al tanteo; y ajustándose dignamente el camisón a la manera de una túnica, recorrió su dormitorio con el aire de un tribuno irritado.

—¿Una recompensa, el Banquete? —rezongó—. ¿Algo así como el paraíso de Mahoma o la ciudad cúbica del Apocalipsis? ¡Farías, usted es un irresponsable!

Se detuvo frente a la chimenea, y agitando su índice como una batuta me sermoneó así:

—Imagínese usted a sí mismo, sentado ya con los otros en la Mesa de Frobenius, vestido con un Traje de Banquete que lo desnuda todo en sus pasadas inmundicias, masticando y bebiendo a regañadientes una combinación de sólidos y líquidos que lo van llevando a la náusea, todo bajo el rechinar de una Orquesta que destroza los tímpanos y hace reventar las cristalerías. E imagínese luego en el *show* del Banquete, insultado por bufones a sueldo, metido con los otros en un sucio pugilato de burdel por las lujurias de una Cybeles fantasmagórica, trenzado en polémicas agrias frente a un Hombre Robot que tartamudea sus abominaciones. ¡E imagine que de pronto la Mesa inicia su doble movimiento de translación y rotación, y que todos los banqueteantes giran con usted en torbellino y a una velocidad acelerada! ¿Qué me diría usted ahora del Banquete?

Yo estaba derrotado:

—¡Es un infierno! —aventuré.

—Usted lo ha dicho —admitió Bermúdez—. El Banquete será un Infierno.

La construcción ideal que yo había erigido con tanta lucidez como champagne se me venía ruidosamente abajo. Y otra vez me sentí en la foja cero de aquel rabioso expediente.

—Sabía —le dije a Bermúdez— que la organización del Banquete adoraba, en la forma, los golpes bajos de la literatura. Pero nunca imaginé que persiguiera, en el fondo, un objetivo tan cruel.

El profesor se acercó al busto de Homero, como si buscara la sombra favorable del poeta.

—¿Quién le ha enseñado que un Infierno es un objetivo final? —repuso—. Todo héroe clásico entra en el Infierno y vuelve a salir: el Infierno es una estación pasajera y muy útil, ¿sabe usted? Allí quema el héroe los últimos cartuchos de su indignidad, o las últimas astillas de sus posibles inferiores.

—¿Con qué objeto? —le dije yo.

—Para retomar su itinerario sin equipajes fastidiosos.

Dando por concluida su explicación, Bermúdez regresó a su cama y se tendió en ella beatíficamente.

—Farías —me advirtió—, usted sólo ha comido una pierna del gallo, y estaba dura. Vuelva usted a meter el gallo en la cacerola, y que siga hirviendo. Buenas noches —añadió—. Y apague la luz al salir.

Regresé a mi habitación: ¡otra vez inmóvil en el centro de la rueda! En las doce horas que siguieron, la obsesión de aquel jeroglífico me persiguió como un tábano rabioso. Y no queriendo yo sentarme a ciegas en aquel Banquete o pandemónium, busqué la clave, una vez más, con desesperación y hasta con ira. Entonces advertí que me quedaba un solo hilo suelto en la madeja: el Salmodiante de la Ventana.

XXX

¡Sólo yo solo en aquella noche final y en mi segunda excursión a la Zona Vedada! Sin el acopio de instrumentos y armas que habían llevado los clowns en la primera, yo, Lisandro Farías, me lancé a la negrura del parque, bajo un gran corimbo de estrellas que parecía relucir al alcance de mis dedos y sobre una tierra que soñaba extraviados paraísos. A mi vera sólo marchaba Psiquis, mi amiga y mi enemiga: íbamos desnudos, en silencio y talados hasta la raíz, ¡Psiquis y yo, trotadores de laberintos! ¿Qué buscábamos en la noche profunda? Una salida, como ayer y como siempre. ¡Yo te saludo, Edgard Allan Poe, solo con tu alma y en tu alameda gigante! ¡Yo te saludo, Fray Juan de la Cruz, el de las evasiones nocturnas y los amorosos escalamientos! La inmovilidad no es del hombre: su destino es el viaje, la exploración o el buceo. Nacer y morir son dos instantes críticos de una sabrosa movilidad. "Alégrate de cada otro nacimiento y no llores cada otra muerte", así dijo el profeta. ¿Qué profeta? Ninguno: ¡lo acabas de inventar!

Declamando *in pectore* estas tiradas y otras del mismo tenor, me lancé a la primera línea de matorrales y arbustos: no llevaba ni linterna ni brújula, pero yo tenía un instinto de orientación que me había dado en el sur mucha fama como resero nocturno y visitante furtivo de novias a medianoche. Tampoco sabía yo cómo atravesar los alambres electrizados y adormecer a los mastines, aunque mi destreza en cruzar alambradas por debajo y mi arte de seducir a los perros fuesen todavía notorios en Maipú y sus alrededores. Habiendo superado el matorral, entré luego en la jungla pantanosa, la vencí con algún trabajo y me acerqué a los límites de la Zona Vedada. Quiso mi buena suerte que desembocase, no en el alambrado, sino frente a la misma tranquera del reducto, y que uno de sus batientes apareciera del todo abierto. "Demasiado fácil", recelé yo en mi alma. Por si lo fuese, agradecí aquel golpe de fortuna; e iniciaba ya mi andar en el interior de la Zona, cuando el foco de una linterna, cayendo sobre mí, deslumbró un instante mis ojos. El desconocido manejador de la linterna desvió su foco hacia el suelo; y entonces, frente de mí, pude ver el confuso volumen de un cazador que me apuntaba con su escopeta de dos cañones.

—No diga nada —me ordenó una voz perentoria—, y marche al frente.

Obedecí, no dudando que tenía que vérmelas con el Monaguillo, cuya decisión y puntería nos fue dado conocer a los clowns y a mí en la primera escaramuza.

—¡Soy un hombre de paz! —intenté decirle.

Pero el Monaguillo, que se había colocado a mis espaldas, hundió el caño de su escopeta en mis costillas y me obligó a seguir adelante. Así avanzamos: yo al frente, gruñido por los perros del cazador que se me habían echado encima y olfateaban mis talones; y el cazador detrás, con su índice puesto en el gatillo. Al desembocar en el calvero donde se alzaba la edificación incierta que habíamos acechado ya una vez, pude observar que la ventana del Salmodiante seguía con luz, aunque todo el edificio, el calvero y sus alrededores estaban hundidos en un silencio acariciador y sedante como un bálsamo. La escopeta del Monaguillo me dirigió entonces hasta el portal de la edificación:

—Abra y entre —me dijo él con su imperioso laconismo.

Abrí el portal, entré y me vi en un salón débilmente iluminado, sólido y antiguo, donde se amontonaban sin orden muebles coloniales, platerías criollas, retratos de próceres, monturas y armas, todo entreverado como si se tratase de un museo argentino en organización o en destrucción. "Tal vez —me dije— sean colecciones atesoradas por el Viejo Fundidor en sus horas de nuevo rico, y desalojadas luego de la Casa Grande para ceder su lugar a los laboratorios del Banquete." Siempre con el Monaguillo detrás, avancé por entre objetos anarquizados, hasta una puertecita del fondo.

—Abra y entre —me volvió a ordenar el Monaguillo.

Así lo hice. Y esperaba que mi conductor entrase a su vez, cuando el Monaguillo, sin hacerlo, cerró la puertecita con dos vueltas de llave y me dejó solo; yo era un prisionero. Diré ahora que, pese a mi sensibilidad poética, nunca obedecí a los tirones del pánico, ni siquiera en las dos o tres instancias verdaderamente peligrosas a que me había llevado mi destino. Sin conmoción alguna, me di, pues, a estudiar el ambiente nuevo en que me veía y que ya consideraba mi cárcel. Era un recinto muy angosto, de techo alto y desnudas paredes, cuyo moblaje se reducía, con franciscano rigor, a un catre de campaña sin duda militar y proveniente del museo vecino, a un destartalado cajón de sidra que oficiaba de mesa de luz, y a una esterilla de rafia ordenadamente puesta junto al catre. Lo que desentonaba en el cubículo era un gran atril, al parecer de oro, sobre el cual, y abierta en el Apocalipsis, descansaba una Biblia de notable antigüedad. El atril y el libro me sugirieron que no estaba yo en un calabozo, sino tal vez en una celda monacal; y el Salmodiante de la Ventana se me impuso entonces como habitante posible del cuchitril. Lo fuese o no, sólo me quedaba esperar al responsable de mi cautiverio, ya que, según entendí, el Monaguillo era sólo un ayudante cazurro y una bestia integral, como todos los de su oficio que yo había tratado. Y aguantaba filosóficamente mi espera, cuando una segunda puertecita que no advertí en el recinto se abrió para dar acceso a un hombre que se me acercó y se puso a mirarme con atención estudiosa.

Me resulta difícil pintar al Salmodiante de la Ventana, ya que traía dos aspectos distintos y muy contradictorios: el de su exterior, crudamente visible, y el de su interior sólo alcanzable por las antenas del alma. Era un hombrote robusto, de mediana estatura y edad incalculable, vestido con un traje civil muy baqueteado: lucía un chaleco de lana verde, tejido por manos caseras, y una corbata roja, sujeta con un broche de metal ordinario. No obstante, pese al atuendo que lo calumniaba, el semblante del hombre, y más aun sus ojos de un celeste dorado, traslucían una luz interna casi terrible. Sus manos, callosas de faenas y teñidas aún de materiales terrestres, eran, empero, manos de bendecir y de curar; y eso lo veía cualquiera, si necesitaba una cura o una bendición. Ahora bien, sin saberlo (¿y cuándo lo sabe uno?) yo había llegado a la Zona Vedada con una y otra necesidad. Y junto al Salmodiante, pese a las muchas consignas, escepticismos y desconfianzas que yo me había impuesto en lo tocante al Banquete, sentí que todas mis resistencias aflojaban de pronto y se caían.

—Por segunda vez te has acercado a este lugar —me dijo el hombre al cabo de su examen.

—Sí, señor —le respondí en mi aturdimiento.

—No soy tu señor —me objetó él sin dureza.

—Sí, padre —me corregí yo.

—No soy tu padre.

—Sí, maestro.

—No soy tu maestro —volvió a objetar el Salmodiante de la Ventana.

Y advirtiendo mi confusión, dijo con extrema dulzura:

—Soy tu hermano, y Pedro es mi nombre.

"Hermano." Alguna vez había oído yo esa palabra en ciertas bocas frutales del sur: en hombres de a pie, junto a borregos en esquila; en hombres de a caballo que redoblaban la llanura. Después callaron esas bocas; y para mí se abrieron otros labios, gritones de peleas y de insultos, en la ciudad y sus hombres que mostraban dientes de perro. Y no volví a escuchar ese vocablo que ahora, en el Salmodiante, recobraba una sencillez de navidad y una frescura de reciente diluvio.

—Por segunda vez te has acercado a este lugar —volvió a decirme el hombre.

—Sí, hermano —asentí yo.

—¿Y en la primera qué lograste?

—Una voz en una ventana.

—¿Qué decía la voz?

—Me pareció que recitaba una parte del Antiguo Testamento.

—¿Qué parte?

—La construcción del Arca, y sus medidas.

—¿Y eso te intrigó? —repuso el Salmodiante.

—Sí, hermano —le dije.

—¿Por qué?

—Porque alguien, aquí, está construyendo un Arca o algo que se le parece.

—¿Y te asombra?

—¡Me revienta!

—¿Por qué razón?

—¡Todo lo que no entiendo me revienta! —le declaré yo casi en un grito.

El Salmodiante puso en mí sus ojos aureocelestes.

—Robot —dijo, como si me definiera.

—¿Con qué derecho ese Fundidor me ha enredado en su Banquete absurdo? —protesté—. ¿Con qué derecho está forzando maquinarias y retorciendo criaturas? ¿Y quién es él, para barajar monstruos que parecen símbolos o símbolos que parecen monstruos?

—Robot —insistió en decir Pedro, estudiándome atentamente.

—¿Le parezco un robot?

—No del todo —vaciló él—: casi un robot. Pero se acerca la hora de los robots absolutos. ¿Cómo definirías al robot?

—Un mecanismo —le respondí vagamente.

—Un ser mecánico —asintió él—. Cumple la serie de movimientos que le ha fijado su constructor; pero lo hace mecánicamente, sin tener conciencia del "por qué" y el "para qué", ni conciencia de sí mismo ni conciencia del ingeniero que lo ha fabricado.

—Eso es el robot industrial —objeté yo.

—Y el único inocente —admitió Pedro—, ya que ha nacido robot y no puede ser más que robot. Pero el Robot Humano es otro cantar: él no fue creado robot. Él se ha convertido en robot: él no es inocente.

—¿Sería yo un Robot Humano? —le pregunté de nuevo.

—Casi un robot —me dijo él—. Un robot absoluto no se podría sentar en el Banquete de Severo Arcángelo.

Sobre mis dudas íntimas cruzó entonces un relámpago de iluminación:

—¡Ya lo veo! —me alegré—. ¡Sí, lo había presentido en mi Sainete de la Ratonera!

—¿Qué ratonera? —me preguntó el Salmodiante.

—Mi Ratonera de la Vida Ordinaria. Imagínese que hay un pasaje donde me creo el Superhombre. ¿Sabe por qué? Porque, junto a Cora Ferri, estoy asando un pollo en nuestra supercocina infrarroja de regulación automática.

—¿Y se creyó el Superhombre?

—Naturalmente. Yo gobernaba mi supercocina en un supermundo robótico: yo era, pues, el Superhombre. ¿Se da cuenta de mi ridículo?

Pedro sonrió en este punto. Y aquella sonrisa debió de ser algo más que una concesión al humorismo, ya que la luz de sus ojos pareció humedecerse. (¿Lágrimas, acaso?)

—Farías —me dijo—, llegó la hora de pasar al Embudo.

—¿Al Embudo? —me sorprendí.

—Lo llamamos el Embudo Gracioso de la Síntesis. ¿Quiere pasar a él?

Y sin aguardar mi licencia, Pedro se dirigió a la segunda puertecita, abrió su hoja única y desapareció. Lo seguí hasta el nuevo escenario, y comprobé que el Embudo Gracioso de la Síntesis nada tenía de un embudo, al menos en su estructura material, sino que se limitaba estrechamente a un prisma cuadrado, vacío del todo y en una media luz fría pero sedante. Me acerqué a Pedro, el cual se mantenía de pie frente a una cruz del tamaño de un hombre y pintada con alquitrán en una de las paredes. Observé que la cruz llevaba tres argollas de metal embutidas en el muro, la primera en el extremo del brazo derecho, la segunda en el extremo del brazo izquierdo y la tercera en el mismo pie de la cruz. Y conjeturaba yo cuál sería el objeto de aquel símbolo, cuando Pedro, arrancándose de su abstracción, me hizo un leve saludo, me tomó de la mano y me llevó hasta la cruz así dibujada y así dispuesta. Luego, poniéndome de espaldas contra el muro, hizo que mi vertical de hombre coincidiese con la vertical de la cruz, y mediante unas correas ató mis manos y mis pies a las argollas metálicas; de modo tal que, rápida y escuetamente, me vi crucificado. Tras de lo cual mi ejecutante se sentó en un banquillo enfrente de mí.

—Esa posición en que ahora estás —me dijo— no es la de una tortura ni la de una mortificación.

—No me siento mortificado —le respondí casi alegremente.

—Y no podrías. Alguien, de una sola vez, agotó la "posibilidad terrible" del símbolo.

—¿El Nazareno?

—El Cristo —asintió el Salmodiante de la Ventana—: un Nombre que se nos reveló como superior a todo nombre proferido antes del suyo. ¿Y qué nos queda ya de un nombre que se fue gastando y muriendo en las bocas mecánicas? También el Cristo es una "palabra perdida".

Lo anunció con firmeza, pero sin dolor alguno.

—¿Y qué hay que hacer? —le dije yo desde mi cruz pintada.

—Volver a encontrar ese Nombre —me respondió el Salmodiante.

—¿Usted lo ha encontrado?

—Lo busqué y lo hallé.

—¿Dónde lo halló?

—En una cámara congeladora. Yo era capataz en un frigorífico de La Ensenada, y el Nombre se me reveló entre medias reses de vacunos.

—¿Cómo era? —insistí.

—De fuego —me contestó él—. Porque hay fuego en el Cristo, y el fuego se muestra bien en las cosas heladas.

Fijo de pies y manos, yo sentía un despunte de la beatitud, o una grata sueñera entre cuyos vapores la historia del Salmodiante me llegaba como desde sabrosas lejanías.

—¿Y luego? —le dije, ronroneante ya como un niño que se duerme.

—Luego me fui a Ciudadela —prosiguió él—. ¿Has estado en Ciudadela?

—Más allá de Liniers —le respondí nebulosamente.

—Un arrabal sin color ni sonido —aprobó el Salmodiante—: casitas y almas de techo bajo. Así es la Ciudadela visible. Pero a ciertas horas, en un reducto no más grande que una nuez vacía, estallan voces e himnos que perforan el techo bajo del hombre y el techo bajo de su alma, y que abren allá escondidos tragaluces. ¿Quiénes hablan así en la nuez vacía de Ciudadela? Los que hallaron el Nombre perdido y a él se agarran como a un barril flotante. ¿De dónde vienen ellos? De Avellaneda y sus fundiciones quemantes, del Riachuelo y sus orillas grasosas, de los talleres en escarcha o en fuego, del hambre y el sudor. ¿Qué los anima? La promesa de una Ciudad Cuadrada, el pan y el vino de la exaltación en los blancos manteles del Reino.

Sus últimas palabras rodaron en el vacío: me dormí profundamente, y en sueños me pareció que descendía yo a grandes y tranquilizadoras honduras. Al despertar, vi a Pedro que me contemplaba desde su taburete; y me vi a mí mismo crucificado en la pared, lo cual no me produjo ni consternación ni maravilla, como si estuviera yo en una posición del todo "normal".

—¿Cuánto has dormido? —me preguntó el Salmodiante, reloj en mano.

—Tres horas o tres días —calculé yo en alas de cierta frescura matinal.

—Tres minutos exactos —me corrigió él—. ¿Y qué sientes ahora?

—Una gran inmovilidad.

—¿Externa o interna?

—Es una inmovilidad absoluta.

—¿Incómoda?

—No, señor: muy confortable.

—¿Y no te parece una contradicción?

Me sentí desorientado:

—¿Qué contradicción? —le dije.

—La de que te halles absolutamente inmóvil en el propio símbolo de la "movilidad" —me contestó el Salmodiante.

—¿La cruz?

—El signo de la "expansión".

Abandonó su taburete; y acercándose a mi anatomía crucificada, me dijo, trazando con un puntero escolar las direcciones que sugería:

—Expansión a la izquierda y a la derecha, por su rama horizontal; expansión hacia lo bajo y lo alto, por su rama vertical.

Escrutó mi semblante, para ver cómo asimilaba yo ese trozo de geometría. Y no debió quedar satisfecho, pues me dijo, en una mezcla de rezongo y lamentación:

—Y, sin embargo, la cruz de la expansión está dibujada en el mismo comienzo de la humanidad terrestre.

—¿Dónde? —le pregunté.

—Los cuatros ríos del Paraíso ya trazan la expansión crucial hacia cuatro direcciones del Espacio y cuatro eras del Tiempo. Y justamente allí, en el punto central donde nacen los cuatro ríos, hay un Adán inmóvil, pero como ya tentado a la expansión o a la fuga.

—¡El Hombre de Oro! —exclamé, al recordar el "pentágono humano" de Bermúdez.

Mi exclamación no halló ningún eco en el Salmodiante, como no fuera cierto relámpago de humorismo que adiviné más que vi en sus ojos aureocelestes. Y me dije que, ya lo hubieran descubierto en una cámara congeladora de La Ensenada, ya en una nuez vacía de Ciudadela, el Salmodiante no era tan "simple" como lo hacían entender su traje rústico y su prensacorbata de metal dorado.

—¿Te das cuenta? —me dijo.

—¿De qué? —repuse yo.

—Si de un Adán inmóvil hacemos un Adán fugitivo, el teorema quedará planteado en la cruz de la movilidad.

—¿Qué teorema?

—El del Hombre lanzado al movimiento, a la fuga de su Paraíso, a la exterioridad cambiante, a las negras lejanías. El movimiento no es una bendición.

—¿Y entonces? —insistí.

—El teorema —dijo el Salmodiante— quedó planteado en la cruz del movimiento, y se resolvería en la "cruz de la inmovilidad". Si un símbolo mostró su cara negativa, debe mostrar también su cara positiva. Y era necesario que Alguien tomara la cruz en expansión y detuviera su movimiento.

—¡El Cristo! —volví a gritar—. ¡El Hombre de Sangre!

Abstracto en su geometría, el Salmodiante usó nuevamente su puntero sobre mi humanidad fija en la pared.

—Sí —declaró—. Él detuvo la expansión horizontal hacia la derecha por la fijación de Su mano derecha; Él detuvo la expansión horizontal hacia la izquierda por la fijación de Su mano izquierda; Él detuvo la expansión vertical hacia lo bajo por la fijación de Sus pies. ¿Y qué ha dejado libre? La cabeza.

Y dio en la mía un golpe de puntero.

—A un hombre bien crucificado —añadió— le queda un solo movimiento posible: el de su cabeza en la vertical de la exaltación.

Regresó a su taburete, abandonó el puntero; y considerando el total de mi figura en cruz:

—¿Es pesada? —inquirió estudiosamente.

—No, hermano —le respondí yo, que venía sintiendo una extraña euforia en aquella posición.

—Es natural —me dijo el Salmodiante—: ya no actúa en esa cruz la gravitación de "abajo", sino el tironeo de Arriba.

Y deponiendo su rigor de geómetra, empezó a canturrear en el ritmo salmódico que ya le conocía:

—Desde antes de Babel y su torre orgullosa, ¿no estaba la tierra como en expectativa de un sacrificio inmenso? Desde antes del Arca flotante en su diluvio, ¿no alentaba en el mar algo así como la promesa de un increíble sacrificio? Desde antes qu

se alejara el Hombre del árbol primero, ¿no latía en el jardín
la esperanza de un sacrificio doloroso? Desde antes que profi-
riera el Verbo lo suyo proferible, ¿no punzaba ya en Él algo
así como la angustia de un necesario sacrificio?

El reposo crucial en que me hallaba y la voz tranquila del
recitador hicieron que por segunda vez me adormeciera en el Embudo Gracioso de la Síntesis. Cuando volví a despertar, el
Salmodiante se mantenía de pie a mi vera, con un tazón de café
negro en una mano y una cuchara en la otra. No bien me vio
despierto, llenó de café humeante su cuchara, la sopló al modo
rústico y la llevó a mis labios. Acepté aquella cucharada inicial
y las otras que le siguieron. Después el Salmodiante bebió el
resto de la taza, dejó en el suelo el recipiente y se instaló una
vez más en su banquillo.

—¿No estaremos frente a una tragicomedia? —me preguntó
receloso.

—¿Cuál? —dije yo sin entender.

—La del Adán huyente. Si bien se mira, es una fuga que va
desde un Jardín en círculo a una Ciudad Cuadrada.

—Y entre los dos puntos límites, la tragicomedia del Hombre —aventuré yo cautamente.

—¡Muy exacto! —aprobó él, tendiendo hacia mi efigie crucificada su mano de bendecir—. Pero, ¡atención! También el círculo es figura del movimiento; y el cuadrado es figura de la "estabilidad". La solución del teorema humano estaría, pues, en la
cuadratura del círculo.

"¿Y por qué no?" me dije. Yo me sentía eufórico en la cruz
dibujada. "¿Y por qué no también la difícil y antigua inmorta-
lidad del cangrejo?" Siempre fui un "hincha" de lo hermoso posible y de lo posible hermoso: yo estaba como borracho en la pared, y el teorema del Salmodiante me parecía traslúcido como un
juego de niños.

—Una tragicomedia —subrayó él—. Pero, ¿con qué finalidad?

—¿Y qué importa? —le grité yo en mi borrachera—. ¿Qué
importa la finalidad si el drama es picante y lírico, además de
necesario? ¿Qué importa el fin, si en el drama entran de igual
modo las glicinas del sur y la llorada tumba de Cora Ferri?

—No pierdas la cabeza —me amonestó él, tendiéndome ahora su mano de curar—. Estamos en la Síntesis del Embudo, y no en los juegos florales de Morón. Hablábamos de la Ciudad Cuadrada, o mejor dicho "cúbica". ¿Y a qué se parecería esa construcción del Apocalipsis? A un gran silo.

—¿Cómo a un silo? —repliqué yo.

—A un silo de guardar cosechas —explicó el Salmodiante—. Lo que al fin se guardará en aquel silo es una cosecha humana. Todo el misterio del Hombre se resuelve así en un trabajo de agricultura divina.

—¿Eso lo vio usted en la cámara congeladora del frigorífico? —le pregunté.

—No, hermano.

—¿En la nuez vacía de Ciudadela?

—Tampoco. Lo vi con claridad en el Embudo Gracioso de la Síntesis. Ahora bien, en su traslación desde el Jardín en círculo a la Ciudad Cúbica, el hombre ha perdido algo que debe recobrar. O lo recobra o no entra en el cubo.

—¿La llave? —me adelanté yo imprudentemente.

—¡No, hermano! —protestó él—. La llave de la Ciudad es el Cristo, y la tenemos. Lo que ha perdido el Adán en fuga es la "orientación".

Confieso que no me sedujo la introducción de aquella novedad en un teorema que yo daba por felizmente demostrado. Por otra parte, si mi vertical en la cruz se mantenía firme y sin otro inconveniente que la ligadura de mis tobillos, la distensión de mis brazos amenazaba ya con hacérseme dolorosa.

—¿Qué orientación? —le dije, menos por interés que por cortesía.

El Salmodiante se puso de pie y recorrió el Embudo con los pasos discretos de la lógica.

—He llegado a la siguiente conclusión —me dijo—. La criatura Hombre tiene una "realidad inteligible" sólo cuando actúan en él tres conciencias en armonía: la conciencia que el Hacedor tiene de su criatura Hombre, la conciencia que la criatura Hombre tiene de su Hacedor, y la conciencia que la criatura Hombre tiene de sí misma. De las tres conciencias, la del Hacedor es rigurosamente "absoluta" y es la sola "necesaria": las otras dos, que atañen a la criatura Hombre, son "relativas" o existen sólo en relación con la primera. Einstein no calculó esta "relatividad".

Se detuvo enfrente de mí:

—¿Está claro? —me preguntó—. "¡Como la misma noche!", me dirías. No es fácil entender ahora lo elemental.

—¿Y quién ha dicho algo? —protesté yo en mi inocencia.

—Nadie —admitió el teólogo del Embudo—. Veamos ya las dos conciencias típicas del Hombre: la que alcanza él de sí mismo y la que alcanza de su Hacedor. La primera se hace inteligible sólo en relación con la segunda, como el "efecto" se hace inteligible sólo en relación con su "causa". Una y otra conciencias, al interpenetrarse mutuamente, logran un "equilibrio" por el cual el Hombre tiene una razón inteligible y un estado inteligente que yo diría "normal".

Clavó en mi semblante sus ojos desconfiados:

—¡Estás dormido! —me acusó.

—¡No estoy dormido! —le dije.

Por las dudas, el Salmodiante me cacheteó ambas mejillas con sus manos de bendecir y de curar. Luego prosiguió así:

—Ahora bien, el equilibrio de las dos conciencias en el Hombre puede quebrarse o por "arriba" o por "abajo". Se quiebra por arriba cuando el Hombre, ante la conciencia de su Hacedor "absoluto", ve cómo disminuye y se anonada su propio ser de criatura en "relatividad". Es un desequilibrio por "ascenso". Y se quiebra por abajo si el Hombre, atento sólo a la conciencia de sí mismo, pierde al fin la conciencia de su absoluto Hacedor. Es un desequilibrio por "descenso". Y entonces, ¿qué sucede?

Me sobrevino un golpe de risa, crucificado como estaba.

—¡Estoy olfateando a Robot! —le dije.

—Y olfateaste bien —aprobó el Salmodiante—. Robot es el final obligatorio del Hombre descendente: ya desconectado de su Principio, Robot no es más que un fantasma lleno de vistosidades externas. ¡Y no te rías! ¡Es una ilusión con traje de marinero! ¡Y no te rías, hombre!

Lo dijo sin cólera, pero con tanta fuerza, que me mordí los labios y empecé a lagrimear.

—Yo parezco un robot —admití lealmente.

—No del todo —me dijo él—. Por eso te sentarás en el Banquete de Severo Arcángelo.

—¿Asistirá usted al Banquete?

—No, hermano: yo me voy a la Cuesta del Agua.

Volví a lagrimear, en una suerte de pueril desconsuelo:

—¡Han levantado allá una construcción en forma de Arca! —le advertí.

—¿Y te asombra? —me dijo él.

—No lo entiendo: es como si esperaran una catástrofe.

Por segunda vez el teólogo se detuvo frente a mi crucifixión, y con un gran pañuelo de colores restañó las lágrimas que corrían por mis cachetes.

—El Hombre tiene una función central y centralizadora en este mundo —rezongó—, y los desequilibrios del Hombre inciden en el medio cósmico. Si el desequilibrio alcanza el grado tope, la catástrofe se desencadena.

—¿Y qué hacer entonces? —le pregunté yo.

—Equilibrar de nuevo al Robot Humano. Digo, si queda tiempo.

Mientras hablaba, el Salmodiante iba soltando las ataduras que fijaban mis pies y mis muñecas a las argollas de la cruz.

—Oiga —le dije—. ¿Cuántos han pasado ya por el Embudo?

—Treinta y tres —me respondió, aflojando la última correa.

No bien me sentí libre, aventuré dos pasos entumecidos. Entonces el Salmodiante me tomó de la cintura y me sacó fuera del Embudo, hasta el cubículo donde se alzaba el atril con su Biblia. Tomó allá de una redoma cierta grasa o linimento con que me frotó enérgicamente los tobillos y las muñecas. Después me acostó en su catre militar y me abrigó con un vasto poncho cordobés que provenía, según entendí yo, del museo colindante. Por último se dirigió a la ventana desde la cual había salmodiado una vez, y se instaló allí, frente a la noche.

—¿Ha oído hablar del Retrógrado? —le pregunté desde mi catre y ya en la frontera del sueño.

—El Minotauro en su laberinto —refunfuñó él—. Una oligarquía venerable: sí, la vieja retaguardia.

Y añadió:

—Yo estoy en la vanguardia final.

—¿El Cristo? —balbucí entre neblinas.

—El Demócrata del Reino.

XXXI

El siguiente amanecer me vio desandar la Zona Vedada, en compañía del Monaguillo que, a la luz diurna, presentaba el aire rústico y benévolo de un guardabosque literario. Con sus mastines y su escopeta, el Monaguillo me condujo hasta la salida; y desde allí, atravesando jungla y maraña, me acerqué a la choza de los clowns que parecía muerta en lo externo y lo interno. Me dirigí entonces a la Casa Grande, y desde afuera consideré nuevamente su engañosa quietud. Regresé por fin al chalet aún dormido, subí a mi habitación y abrí su ventanal sobre los jardines: el amanecer crecía, del albor al rosado, y el parque iba encendiéndose como una lámpara de colores. Aunque, según mi cálculo, yo había dormido sólo tres horas en el catre de Pedro, me dominaba la exaltación matinal de quienes, habiendo reposado toda una noche, ofrecen al nuevo día un cuerpo y un alma niños otra vez. Y ese "tono de infancia" que sin duda me había dejado mi crucifixión en el Embudo Gracioso de la Síntesis, ya no me abandonó hasta el fin. En las horas que siguieron, y contra mi costumbre, olvidé todo afán de análisis y de raciocinio: el Banquete de Severo Arcángelo me pareció en adelante una empresa natural y "evidente" por sí misma.

Recuerdo que mi "flamante niñez" me llevó ese día mismo a salir fuera de la casa en tren de aventura. Llegué a un potrero donde algunos chicos de las "villas miserias", ordenados en dos *teams*, jugaban al fútbol con una sucia pelota de cuero. Seguí con atención los incidentes de la cancha; y de pronto, sin refrenar mi entusiasmo, abordé al chiquilín que capitaneaba el juego y le solicité con humildad que me dejara entrar en él.

—¿De qué club sos vòs? —me interrogó él, estudiándome de pies a cabeza.

—De Boca Juniors —le respondí orgullosamente.

El capitán se reunió con los jugadores, hablaron todos en secreto, y en seguida, regresando a mí, el capitán me dijo:

—No se puede.

—¿Me dejan hacer un tiro al arco? —insistí yo en mi desconsuelo.

El tiro me fue acordado: un chiquilín instaló la pelota y el arquero se mantuvo en guardia. Yo di una carrerita, ubiqué mi *shot*, y la pelota salió desviada, frente al arquero que dio un salto inútil en el vacío.

—Sos muy pibe —me consoló el capitán, lleno de una extraña misericordia—. Volvé la otra quincena.

De regreso en el chalet, dada la ausencia misteriosa de Bermúdez y del astrofísico, y vista mi lamentable ociosidad, resolví hacer útiles mis horas en la redacción de mis apuntes, bastante descuidados por el desarrollo de los acontecimientos. Me faltaba consignar el Monólogo del Retrógrado y la geométrica lección que me había dado Pedro en el Embudo Gracioso de la Síntesis; y cumplí esa labor con memoria fiel y excelente caligrafía. Pero una mañana, cuando bajé al living comedor en procura de mi desayuno, me vi frente a un Bermúdez en excitación que desmenuzaba su pomelo sin llevarse ni un solo gajo a la boca.

—¿Sucede algo? —le pregunté.

Chisporroteante de ojos o de anteojos el profesor Bermúdez me comunicó la novedad: el Banquete se realizaría dentro de setenta y dos horas justas, a contar de la hora veintidós de aquel día quince de noviembre en que nos encontrábamos. Dentro de algunas horas, el doctor Frobenius iniciaría en la Casa Grande una "cuenta regresiva" del Banquete, operación habitual en el lanzamiento de cosmonaves al espacio.

Debo confesar que la noticia me produjo un trastorno indecible, ya fuese porque no estimara yo tan próxima la fecha del acontecimiento, ya porque hasta entonces, ¿a qué negarlo?, yo no había creído mucho en la realidad del Banquete, sino en cierta "diversión preparatoria" sin ulterioridades, que se agotaba en sí misma. Pero mi desazón real comenzó a las veintidós horas, cuando Frobenius, mediante un dispositivo electrónico, inició la cuenta regresiva: desde aquel segundo crítico, el Tiempo dejó de ser para mí un factor abstracto que se mide con números en los relojes, y se transmutó en un fluir concreto, imperioso, casi tangible, que imponía su ritmo a mis arterias y a mis cavilaciones.

El día que siguió, dieciséis de noviembre, me trajo un des-

pertar inquieto. Ni Bermúdez ni el astrofísico estaban en el chalet; por lo cual, sin obligación alguna que me requiriera, vagué
por la gran finca de San Isidro, al acecho de síntomas o premo-
niciones. Todo aparentaba fuera una normalidad tranquilizadora.
No obstante, y acaso por autosugestión, me parecía que sobre
las instalaciones de la residencia gravitaba el mismo pulso amenazante del reloj electrónico que, al medir en algún sitio una
recta final de tiempo, nos arrastraba desde la noche anterior al
ominoso Banquete de Severo Arcángelo. Como no tenía yo acceso a los talleres y laboratorios de la casa, traté de sondear a los
hombres de jardinería y a los operarios del garaje, que se hallaban metidos otra vez en el trajín de las grandes vísperas. Aunque
se mostraron hostiles a mi sondeo, llegué a dos conclusiones finales: *a*) ellos desconocían aún la fecha exacta del Banquete; y
b) se habían acentuado en ellos los rictus de oposición o de adhe-
sión, de hostilidad o de beatitud que, según mi nomenclatura del
Banquete, los venía clasificando en Réprobos y Elegidos.

Volví al chalet. La persistente ausencia de Bermúdez y Frobenius hizo que me recluyese todo aquel día en mi dormitorio:
no hay nada tan devorante como una espera en la ociosidad; sobre todo si lo que se aguarda es algo inminente y desconocido.
Tras una cena frugal que me trajo el valet a rayas, hice una
recapitulación estéril de los hechos, la cual me lanzó por fin a
un sueño rico de imágenes angustiosas. Soñé que me hallaba en
un angosto recinto, donde Frobenius, desnudo hasta la cintura y
frente a dos timbales, daba golpes rítmicos y fúnebres en los instrumentos, con una maza en la diestra y otra en la siniestra. Cada
golpe tenía su registro en las agujas y esferas de un gigantesco
reloj que se levantaba detrás del astrofísico. Los timbales reso-
naban en un crescendo ensordecedor, y las agujas corrían verti-
ginosamente. Hasta que me desperté gritando. Advertí muy luego que no eran los timbales oníricos los que me habían despertado, sino una fuerza real que me sacudía en la cama. Entonces,
a mi vera, grotescamente siniestros, vi a Gog que hacía caer sobre mí el foco de una linterna, y a Magog que me apuntaba con
una pistola de vieja factura. Y entendí que habían entrado por
mi ventana, tras escalar los muros del chalet.

—¿Están locos? —los reprendí—. ¡Apaguen esa linterna! Y
usted, Magog, ¡déjese de apuntar con ese trabuco de museo!

Gog me apretó la nuez con su pulgar e índice:

—¡La fecha! —exigió, conminatorio.

—¿Qué fecha? —le pregunté con voz estrangulada.

—La fecha del Banquete. ¡Usted la conoce!

—¡No es verdad! —le mentí—. Nadie la conoce todavía.

—¡Tránsfuga! —me apostrofó Magog.

Y volviéndose a Gog, le dijo en tren de consulta:

—¿Qué hago? ¿Le meto una bala entre las dos cejas?

Gog no pareció inclinado aún a tan riguroso extremo:

—¿Trajiste la picana eléctrica? —inquirió de Magog—. Vamos a tatuarle nuestro monograma en los testículos.

Me sentí ganado por una sorda ira:

—Esa pistola de Magog —los desafié— no ha disparado un solo tiro desde la batalla de Caseros. Y si quieren tatuar algo, ¡vayan y tatúen a la madre que los parió, si es que la tienen, y lo dudo!

Contra lo que yo esperaba, los clowns asumieron una política menos beligerante.

—Farías —me dijo Gog, clavándome ahora sus ojos llenos de una tierna humanidad—, somos compañeros de ruta en este fabuloso burdel de idiotas útiles, pero conscientes. Lo que le proponemos es un cambio de informaciones mutuamente beneficioso. Aquí tiene la nómina de los treinta y tres comensales del Banquete.

Y me arrojó un mazo de fichas atadas con un piolín.

—Se lo agradezco —le dije yo sin entusiasmo—. Es un aporte muy valioso.

—No lo crea —repuso Gog—. Como usted verá en sus *curriculum vitae,* son treinta y tres apacibles tarados. ¿Y qué? Hombres de mundo somos. ¿O no?

—¿Quién lo duda? —lo tranquilicé yo.

—Entonces, ¡díganos la fecha del Banquete! —me alentó Gog, tierno hasta las lágrimas.

Decidido a no soltar prenda, resolví darle soga en aquel floreo de la cordialidad:

—Razonemos —le dije.

—¡No es hora de razonar! —protestó Magog, con el dedo en el gatillo.

Pero Gog lo amonestó cordialmente:

—Viejo comodoro —le dijo—. ¿Por qué no razonar con este camarada? ¿Somos, acaso, trogloditas?

Y volviéndose a mí, convidó:

—Razonemos.

—¿De qué hablábamos? —le pregunté.

—De la fecha —insistió Gog, melifluo.

—Eso es —fingí recordar—. Amigos, pónganse una mano en el corazón y díganme: ¿a esta altura del partido encuentran ustedes alguna lógica en el Banquete de Severo Arcángelo?

—Ninguna —repuso Gog—. El Viejo Truchimán es la paranoia en traje de fantasía.

—Y entonces —deduje yo—, ¿quién nos asegura que su Banquete se realizará en tal fecha o tal otra? Más aun: ¿quién nos garantiza que su Banquete ha de realizarse alguna vez?

Tal argumento me pareció irrebatible; y me tendí con alivio en las almohadas. Pero Magog no admitía mis conclusiones:

—El que acabo de oír es el razonamiento de un vendepatria —sentenció, hundiendo en mis costillas el caño de su pistola ilustre—. Yo le acomodo un tiro, ¡y viva la Santa Federación!

Gog le sonrió con indulgencia:

—Magog —le dijo—, ¡noble comodoro! ¿Por qué insultar a nuestro correligionario Farías? Cierto es que, a juzgar por su *curriculum vitae,* este correligionario se vendió alternativamente al dólar yanqui y a la esterlina inglesa. Cierto es que huele a yacimiento petrolífero y a *chilled-beef* por sus cuatro costados. Lo cual no significa estrictamente que sea un vendepatria.

—¿Y entonces? —inquirió un Magog receloso.

—Lo que a mi entender le sucede a Farías —explicó Gog— es que su máquina de razonar ha entrado en cortocircuito. Para lo cual usaré un remedio siempre infalible.

Y librándose del cinturón que sujetaba sus pantalones, Gog comenzó a darme con él una serie de azotes metodizados:

—¡La fecha! —me rogaba, entre azote y azote. ¡Díganos la fecha del Banquete!

Me debatí furioso bajo la lluvia de los cinturonazos. Logré al fin lanzarme fuera de la cama; y embestí a Gog con mi testuz bajo, a lo toro, mientras que Magog accionaba el gatillo inútil de su pistola. Gog, proyectado contra una mesa de noche, hizo caer al suelo mi antiguo reloj despertador (que yo conservaba sólo *in memoriam* de venerables días), el cual, merced a un resto de cuerda sobreviviente, se puso a resonar como en sus mejores horas. Al oírlo, Gog y Magog, espantados, corrieron a la ventana, treparon a su alféizar y se hicieron humo en la noche, abandonando sus armas y bagajes que recogí en seguida melancólicamente: la pistola de Magog, el cinturón de Gog y el mazo con las treinta y tres fichas de los presuntos comensales. Regresé luego a la cama y me dormí con el sueño de los flagelados.

XXXII

Amaneció para mí el diecisiete de noviembre, víspera del acontecimiento a que nos llevaba la cuenta regresiva del astrofísico según un cómputo inexorable. A la conciencia de un tiempo medido ya en segundos, unióse aquel día en mí la sensación de un viaje inminente cuyo destino ignoraba, pero que me sugería la tristeza convencional de los adioses. Busqué, pues, mi zarandeado baúl y me puse a guardar en él mi equipaje, sin omitir la documentación del Banquete que obraba en mi poder, ni el cinturón y la pistola de los clowns, que había decidido llevarme como trofeos. Concluida esa labor, me despedí triste y prematuramente de mi dormitorio: ¡ah, si la Enviada Número Tres hubiera llegado a mí en aquel instante, con su pelo cobrizo y su olor de glicinas pretéritas! En realidad, como ayer y siempre, me sentía demasiado solo, con la tumba de Cora Ferri detrás y un Banquete delante, más negro que la tinta. Hice mi almuerzo y mi cena (¡los últimos!) en el living comedor, sin otra compañía que la del valet a rayas. ¡Cómo admiré la inocencia natural de aquel hombre! Su inocencia nacía de su laudable ignorancia; y en aquel momento hubiera podido sonar la trompeta del último Juicio, sin que dejara él de servir su mayonesa de pescado.

Me recluí otra vez en mi dormitorio, resuelto a trasponer de un salto el límite de aquella noche final. Y cabeceaba ya en un brumoso duermevela, cuando una gritería exterior me hizo poner de pie y volar a mi ventana. Desde allí pude ver que algo sucedía en torno de la Casa Grande: focos de linternas rayaban la oscuridad, gritos de combate y choque de armas hacían estremecer el viento nocturno. Me puse mi *robe de chambre*, abandoné mi dormitorio, bajé corriendo la escalera y salí a los jardines, rumbo a la Casa Grande que sin duda era el epicentro de la conmoción. Me abrí paso entre una chusma cuyos rostros hostiles gesticulaban a la luz de las antorchas: alguien me creyó un enemigo, y me arrojó un buscapié a los talones.

Cuando llegué al pórtico de la Casa Grande, lo vi espléndidamente iluminado. La multitud que lo rodeaba en semicírculo enmudeció de pronto y bajó las armas, no dando crédito a lo que veían sus ojos: a la derecha del portal, Severo Arcángelo y su valet Impaglione se mostraban erguidos y como dueños de una orgullosa dignidad; pero, a la izquierda, otro Severo Arcángelo y otro Impaglione, no menos dignos, hacían ostentación de una similar arrogancia. Y los ojos de la multitud fluctuaban entre uno y otro Severo, entre un Impaglione y otro, sin saber a cuáles atenerse. De pronto el Severo de la derecha, señalando al de la izquierda, dijo:

—Señores, ese payaso que ven ahí es un impostor.

—Señores —dijo a su turno el Severo de la izquierda señalando al de la derecha—. El impostor es ese triste comediante que acaba de hablar y que apenas disimula el falso brillo de su ropa burdamente imitada.

Las voces de uno y otro Severo eran idénticas, y un murmullo de asombro se oyó en la multitud.

—¡*Ostia!* —rezongó aquí el Impaglione de la derecha—. ¡Está mintiendo como un *buffo!*

—¡*Mondo cane!* —le retrucó el Impaglione de la izquierda—. ¡Ese individuo es un *pagliaccio!*

Y como los dos Impaglione coincidieran en una misma voz, otro murmullo se levantó de la multitud; la cual, según vi, comenzó a separarse y a dividirse en dos batallones antagónicos que no tardaron en rodear, el uno a los personajes de la derecha, el otro a sus gemelos de la izquierda. Y otra vez el combate parecía inminente, cuando el Impaglione de la derecha, lanzándose contra su gemelo de la izquierda, le arrancó peluca, vestido y afeites, debajo de todo lo cual apareció un Magog confuso y en pelota. Luego hizo lo propio con el Severo de la izquierda; y pude ver cómo, entre ropas y maquillajes deshechos, la efigie de Gog se mostraba en toda su acidez.

Ante aquella impostura, el batallón de la derecha se lanzó contra el de la izquierda, el cual huyó sin pelear, visiblemente desmoralizado. Entonces el único Severo, en su autenticidad manifiesta, dijo, señalando a los clowns:

—Arresten a esos dos farsantes.

—¡Pónganlos *in galera*! —declamó Impaglione con una voz de neorrealismo italiano.

Vi cómo Gog y Magog eran arrestados y conducidos no sabía dónde: su cacareada Operación Secuestro había fracasado vergonzosamente; y me dije si no era yo el responsable de aquel aborto, al haberles negado la fecha del Banquete, de cuya exactitud habría dependido el éxito de su hazaña. No sin alguna tristeza volví al chalet, en cuyo living comedor me topé con Bermúdez que se aderezaba una buena porción de whisky en un vaso con hielo.

—*Consumatum est* —me anunció en un tren de humorismo que me cayó bastante mal.

—¿Qué se ha consumado? —le pregunté con arrogancia.

—El gesto final.

—¿Y los clowns?

—Naturalmente, serán encadenados en la perrera —me contestó Bermúdez—. Pase usted buenas noches.

Y tras apurar su whisky, se dirigió a la escalera. Viéndome solo en el living comedor, me serví una dosis heroica del escocés. Y el primer trago me condujo a una evidencia: en el aire socarrón de Bermúdez era fácil adivinar que la revuelta de los clowns también había sido calculada por la organización del Banquete, y se resolvía en una tuerca más de su abominable mecanismo. El segundo trago, en su relación con el primero, revolvió entonces en mi alma todo el limo de sus antiguas resistencias; de modo tal que me sentí aguijoneado por una ira beligerante. Pero, al tercer trago, mi alma se inclinó a una piedad inmensa que tenía su objeto en Gog y en Magog, incomprendidos héroes de un drama incomprensible. ¿Me cruzaría yo de brazos frente al martirio de los clowns? Lleno de una furia que me pareció sagrada, busqué mi linterna y me lancé al parque nocturno.

La perrera estaba en el fondo, vecina zoológica del gallinero. Un gruñir de canes alertados me anunció su proximidad; y al enfocarlos con mi linterna vi colmillos amenazantes que asomaban entre jetas fruncidas. Eran, sin duda, los bien atados perros del Monaguillo —reflexioné—, ya que, al olfatearme, depusieron su hostilidad y agitaron sus colas en fiesta. Entonces proyecté mi foco en las inmediaciones, hasta que, frente a dos casillas de madera, vi a los clowns echados en el suelo a lo canino. Tenía cada uno en el pescuezo un collar tachonado de púas, y una cadena muy sólida los amarraba por el collar a un tirante de hierro clavado en tierra. En torno de los clowns, y a mi entender para su ofensa, los vencedores habían amontonado huesos roídos y peladuras de batatas; no obstante lo cual, Gog y Magog, bajo mi linterna, exhibían un aire digno y sardónico a la vez. Intentaba yo acudir en su auxilio, cuando Gog, volviéndose a Magog, le dijo por mí:

—Comodoro, ¿no es este hombre aquel pelafustán de los raciocinios a la vinagreta?

—Mi comandante —le respondió Magog— es una cruza de ovejero leal y de faldero sin honra: el "tibio" fácil de ser vomitado, como predicó El Que Le Dije.

—¡Hermanos! —quise intervenir yo para su consuelo.

—¡A que llora! —dijo Magog por mí a su encadenado adlátere.

—No me disgustaría —repuso Gog— que nos vertiera dos lágrimas en forma de tetraedro. Sería un buen epitáfio.

—¡Eso no! —se opuso Magog—. Detesto las viscosas humedades del alma.

No me di por aludido, ya que atribuía sus expresiones al estado abyecto en que se hallaban. Antes bien, heroico en mi solicitud, me acerqué a Gog, el cual se puso en cuatro patas y me ladró furiosamente. Viendo sus malas disposiciones, lo abandoné para ir en socorro de Magog; e intentaba librarlo de su collar perruno, cuando Magog levantó una de sus patas y me orinó sin misericordia. Entonces, con el abatimiento de las buenas intenciones fallidas, me alejé de la perrera y volví al chalet.

Acostado y sin sueño me sorprendió el alba del dieciocho de noviembre, día fatal, si los hubo. Con las primeras luces, empezó un reiterado entrar y salir de automotores en la finca, muy semejante al que precedió a los dos concilios del Banquete, lo cual me dio a entender que los comensales iban llegando ahora desde puntos diversos. Aún de madrugada, el valet me subió un desayuno elemental, no sin advertirme que sería el último alimento que yo tomara en el pabellón. Ignoro aún si las infu

siones de aquel desayuno traían alguna droga especial: lo cierto
es que caí en un sueño profundo, lenitivo, sin imágenes, del
que desperté a las dieciocho del mismo día. Tres horas más tarde, y luego de haber cumplido un minucioso ritual de ablucio-
nes, fumigaciones y unciones, Bermúdez, Frobenius y yo entramos en la Casa Grande.

Se nos condujo a un gabinete parecido a los camarines de
teatro, con su gran espejo circunscripto de lamparillas y su con-
sola de maquillaje: allí, en sendos maniquíes, estaban los trajes
de banquete a nosotros destinados. Un ayudante de sastrería, hue-
sudo y ríspido como un alfiletero, nos asistió en la tarea de vestir aquellos trajes. Y una turbación indecible me dominó cuando
me vi con el mío en el espejo: ¿era un disfraz cubista o una invención fantasmagórica del superrealismo? Lo que sé decir es que
mi traje de banquete definía y exteriorizaba los aspectos más
vergonzosos o ridículos de mi ser, y que al mirarme así arropa-
do me sentí desnudo hasta los huesos.

Alguien que no distinguí en mi desnudez moral nos llevó a
Frobenius, a Bermúdez y a mí por un corredor al que daban
otros camarines, en uno de los cuales entreví a los actores de mi
Sainete, ya vestidos y maquillados, y a una confusa legión de
acróbatas, malabaristas y hombres de farándula que sin duda
intervendrían en el *show* del Banquete. Desembocamos por fin
en el Salón inmenso: vi la Mesa Giratoria, resplandeciente de
cristalería, metales ricos y nobles porcelanas, todo bajo una luz
enceguecedora. Me aturdió un espeso aroma de flores y de resinas quemadas. Los instrumentos de la orquesta, dirigidos por el
Enano, gemían o rechinaban en un conato de afinación imposible. A las veintidós horas en punto el reloj electrónico detuvo su
mecanismo.

Y el Banquete "fue". Y yo, Lisandro Farías, nacido en la llanura, muerto en Buenos Aires y resucitado en la Cuesta del
Agua, doy testimonio de los hechos.

XXXIII

Epílogo del autor

Así concluyó su historia Lisandro Farías, en el hospital de Dolores y en las horas lúcidas que le brindó su tiempo de agonizante. Como yo le solicitara luego pormenores del Banquete mismo, volvió a decirme que razones obvias le impedían ir más allá de su organización, como asimismo revelar detalles atinentes a la Cuesta del Agua.

—De cualquier modo —añadió—, ya le di todas las hipótesis del teorema, sin omitir elemento alguno conducente a su demostración. Tal era mi consigna.

—¿Y qué fue de la casa, luego del Banquete?

—Usted sabrá que los investigadores hallaron en San Isidro una mansión abandonada, con un cadáver tendido junto a la Mesa Giratoria y dos clowns, al parecer dementes, que aullaban encadenados en la perrera.

—¿De quién era el cadáver? —le pregunté.

—Del solo comensal que no resistió la prueba del Banquete —me dijo Farías en tono elegíaco.

—¿Los demás viven ahora en la Cuesta del Agua?

Sin responderme, Farías escondió su rostro cadavérico en los almohadones.

—¿Por qué desertó usted de la Cuesta del Agua? —insistí yo con extrema dulzura.

Volvió él a mostrarme su rostro, desde cuyos párpados marchitos corrían dos orgullosas lágrimas:

—Creo haberle ya explicado —me dijo— que las circunstancias de mi vida responden a dos movimientos alternativos, uno de concentración y otro de dispersión. Ahora bien, la Cuesta del Agua propone una concentración definitiva. Yo no logré mantenerla y huí en otra de mis dispersiones. ¡No sin razón Pablo Inaudí me llamó algunas veces Padre de los Piojos y Abuelo de la Nada!

Los días que siguieron hasta su muerte, Lisandro Farías vivió algunas horas de gran lucidez, en las que su orgullo de rebelde solía mezclarse con raptos irónicos y llorosas nostalgias. Caía luego en los delirios de la fiebre, que lo lanzaban a monólogos exaltados, aunque ininteligibles. Cuando llegó el día ya sabido por él, con la luna menguante y en la etapa descendente del sol, Farías tuvo un despertar animoso y lleno de clarividencia. Me pidió una taza de chocolate, que le hice traer y que bebió con delicia. De pronto brilló su mirada, y me señaló con el índice la cabecera de su lecho.

—¡Ahí está él! —exclamó, entre alborozado y confundido.

—¿Quién está? —le pregunté yo, reteniendo su mano fría y huesuda.

—¡Pablo! —dijo él—. ¡Y en la hora exacta! ¿Viene a juzgarme? ¡No! Conozco esa mirada que no ríe ni llora ni juzga, pero que "ve" a fondo.

Arrojando sus cobijas, trató de incorporarse; y lo retuve con dificultad.

—¡Pablo! —gritó—. ¿Soy todavía el Abuelo de la Nada? ¡Claro que no! —me dicen ahora sus ojos—. ¿Hay caminos bajo la luna menguante y en la etapa descendente del sol? ¡Hay caminos! —afirman sus ojos abismáticos—. ¡Y todo recomienza! No por nada uno fue crucificado alguna vez, aunque sólo haya sido en una cruz pintada con alquitrán. ¿Que ya es hora? ¡Sí, Pablo, ya voy!

Y Farías cayó muerto sobre las almohadas.

Dispuse su velatorio en la morgue del hospital. Y en las horas nocturnas que pasé junto a los restos mortales de Lisandro Farías, consideré a fondo su extraordinaria historia. ¿Qué sentido tuvo la empresa de Severo Arcángelo? Por sí o por otros, ¿había instituido él su Banquete sobre la base de un apremio juiciofinalista? Y tal apremio, ¿se originaba en la premonición de otro desastre cíclico en la historia del Hombre, cuya inminencia exigía la construcción de un Arca o refugio? No consignaré las respuestas azarosas que di esa noche a mi cuestionario íntimo: entiendo que, según lo deseaban los organizadores del Banquete y lo manifestaron por boca de Farías, el teorema debe quedar en pie y abierto a las inquisiciones del alma.

Enterré a Lisandro Farías en el cementerio de Dolores. Y regresando al hospital recibí de su administrador los documentos que el difunto me había dejado en herencia. Debo confesar que los mismos no añaden ni poco ni mucho al relato de Farías, con excepción de las treinta y tres fichas elaboradas por los clowns y algunas versiones fonomagnéticas grabadas en otros tantos pasajes del Banquete. Las fichas me revelaron treinta y tres nombres, algunos bien conocidos en la ciudad, que no divulgaré nunca en atención al secreto de la empresa. En cuanto a las grabaciones, tampoco he de transcribirlas, ya que me parecen en verdad "indecibles". Una, por ejemplo, documenta el *finis* del comensal suicida; la confesión pública de su derrota, hecha desnudamente y a borbotones, como el vómito de una conciencia; el tiro de revólver que paraliza el Banquete; y a continuación la sarta de epitafios risibles que los comensales dedican por turno al invitado muerto. Nos queda un interrogante aún: la ubicación de la Cuesta del Agua. Existe, no lo dudo, en alguna provincia del norte argentino. Pero mis investigaciones, hasta hoy no han arrojado ninguna luz.

Esta edición de 4.000 ejemplares se terminó
de imprimir el día 25 de agosto de 1973,
en el Establecimiento Gráfico de D. Libonati,
Piedras 1354, Buenos Aires.